PIERWSZE PRZYKAZANIE

BRAD THOR

PIERWSZE PRZYKAZANIE

Przekład
JAN HENSEL

AMBER

Redakcja stylistyczna
Lucyna Łuczyńska

Korekta
Renata Kuk
Elżbieta Steglińska

Ilustracja na okładce
Alan Dingman

Opracowanie graficzne okładki
Wydawnictwo Amber

Skład
Wydawnictwo Amber

Druk
Wojskowa Drukarnia w Łodzi Sp. z o.o.

Tytuł oryginału
The First Commandment

ISBN 978-83-241-3115-0

Warszawa 2008. Wydanie I

Wydawnictwo AMBER Sp. z o.o.
00-060 Warszawa, ul. Królewska 27
tel. 620 40 13, 620 81 62

www.wydawnictwoamber.pl

Doktorowi Scottowi F. Hillowi, oddanemu patriocie,
który przedkłada miłość ojczyzny i rodziny ponad wszystko

De inimico non loquaris male, sed cogites.
Nie życz wrogowi nieszczęścia, tylko je zaplanuj.

1

Obóz Delta
Baza Marynarki Wojennej USA
Zatoka Guantanamo, Kuba

Kiedy było gorąco i wilgotno, życie na Kubie wahało się między absolutną beznadziejnością a okrzykami: „Można się wykąpać, ma ktoś nożyki do golenia?" Kiedy jednak było zimno i padało, Kuba stawała się zupełnie nie do zniesienia. Tak było właśnie tej nocy.

Strażnicy, którzy podeszli do jednoosobowych cel w obozie numer 5 Delty, gdzie przetrzymywano najgroźniejszych i najcenniejszych dla wywiadu jeńców, mieli chyba gorszy humor niż zwykle. I nie chodziło wcale o pogodę. Coś było nie tak. Mieli to wypisane na twarzach, gdy wyciągnęli z cel pięciu więźniów i trzymając ich na muszce, kazali im się rozebrać.

Philippe Roussard nie siedział w Guantanamo najdłużej, ale przesłuchiwano go najbrutalniej. Europejczyk pochodzenia arabskiego, snajper, którego wyczyny przeszły do legendy. Nagrania wideo z jego zamachów puszczano w kółko na stronach dżihadystów w całym Internecie. Dla braci muzułmanów stał się superbohaterem w panteonie radykalnych islamistów. Dla Stanów Zjednoczonych był straszliwą maszyną do zabijania, odpowiedzialną za śmierć ponad stu amerykańskich żołnierzy.

Kiedy Roussard spojrzał w oczy strażników, zobaczył coś więcej niż zwykłą nienawiść. Dziś dostrzegł w ich spojrzeniu absolutną odrazę. Bez względu na to, jaką taktykę nocnego przesłuchania obrali tym razem żołnierze Połączonej Grupy Bojowej w Guantanamo wobec niego i czterech współwięźniów, podejrzewał, że będzie to coś zupełnie innego niż metody stosowane do tej pory. Strażnicy najwyraźniej z trudem nad sobą panowali.

Skuteczny atak na Amerykę? Co innego doprowadziłoby żołnierzy do takiego stanu?

Jeśli tak, to Amerykanie zemszczą się na jeńcach, Roussard był o tym przekonany. Na pewno wymyślili następne poniżające ćwiczenie, żeby

7

wstrząsnąć muzułmańskimi sumieniami więźniów. Miał nadzieję, że w torturach weźmie udział atrakcyjna blondynka; rozbierze się aż do czarnej koronkowej bielizny i będzie się o niego ocierać. Chociaż wiedział, że nie powinien tak myśleć, fantazjowanie o tym, co by z nią zrobił, umilało mu długie samotne godziny w celi.

Wciąż zastanawiał się, co go czeka, gdy usłyszał, jak na końcu więziennego bloku zatrzasnęły się drzwi. Podniósł wzrok w nadziei, że zobaczy blondynkę, ale to nie była ona. Wszedł inny żołnierz, który przyniósł pięć papierowych toreb. Mijając jeńców, rzucał im je po kolei.

– Włożyć to! – rozkazał, kalecząc arabski.

Zdezorientowani więźniowie wyciągnęli z toreb cywilne ubrania i zaczęli się ubierać. Zerkali ukradkiem jeden na drugiego z niemym pytaniem: Co jest grane? Roussard pomyślał o Żydach w obozach koncentracyjnych, którym mówiono, że idą pod natryski, a prowadzono ich do komór gazowych.

Wątpił, żeby Amerykanie przebierali przed śmiercią jeńców w nowe ciuchy, ale niepewność tego, co się stanie, przyprawiała go o dreszcze.

– Dlaczego nie próbują uciekać? – mruknął jeden ze strażników, stukając palcem w osłonę spustu swojego M-16. – Chciałbym, żeby któryś z tych skurwieli spróbował dać nogę.

– Żenada – odparł inny. – Co my, kurwa, robimy?

– Wy dwaj, mordy w kubeł! – warknął dowódca i wydał kilka rozkazów przez krótkofalówkę.

Coś było nie tak.

Gdy tylko się ubrali, skuto im kajdankami ręce i nogi i ustawiono rzędem pod ścianą.

To już koniec, pomyślał Roussard, patrząc w oczy żołnierzowi, który miał nadzieję, że jeden z więźniów rzuci się do ucieczki.

Strażnik przesunął palec z osłony na cyngiel i chciał coś powiedzieć, gdy na zewnątrz rozległ się pisk opon hamujących pojazdów.

– Już są, idziemy – krzyknął dowódca. – Zabierajcie ich!

Więźniów popchnięto w stronę drzwi. Roussard miał nadzieję, że gdy znajdą się na dworze i zobaczy, dokąd jadą, wszystko będzie jasne.

Zanim jednak wyszli, włożono im na głowy czarne worki.

Po dziesięciu minutach konwój zielonych hummerów zatrzymał się. Jeszcze zanim Roussardowi ściągnięto z głowy worek, usłyszał wycie silników odrzutowca.

Na mokrym od deszczu asfalcie więźniowie gapili się na ogromny boeing 727, gdy zdejmowano im kajdanki. Do samolotu podstawiono metalowe schodki, drzwi były szeroko otwarte.

Nikt nie powiedział ani słowa, lecz obserwując żołnierzy – którym zabroniono chyba zbliżać się do samolotu – Roussard doznał nagle olśnienia. Zrobił krok do przodu. Kiedy żaden ze strażników nie spróbował go zatrzymać, zrobił następny i jeszcze jeden, aż dotknął stopami pierwszego metalowego stopnia i zaczął się wspinać, przeskakując po dwa schodki naraz. Ocalenie było w zasięgu ręki! Od początku wiedział, że kiedyś to nastąpi.

Słysząc za plecami dudnienie kroków innych więźniów, wszedł ostrożnie do kabiny. Pierwszy oficer porównał jego twarz ze zdjęciem przyczepionym klipsem do twardej podkładki, wyciągnął grubą czarną kopertę i podał mu:

– Mamy to panu przekazać.

Roussard otrzymywał takie koperty już wcześniej. Wiedział, od kogo ją dostał.

– Gdyby pan mógł zająć miejsce – powiedział pierwszy oficer. – Kapitan chce jak najszybciej wystartować.

Roussard usiadł na fotelu przy oknie i zapiął pasy. Gdy zamknięto drzwi do głównej kabiny, kilku członków załogi zniknęło na tyłach samolotu i wróciło, niosąc zestawy sprzętu medycznego i pięć dużych lodówek turystycznych.

Kompletnie nic z tego nie rozumiał do momentu, gdy otworzył kopertę i przeczytał informację. Uśmiechnął się. Załatwione. Nie dość, że odzyskał wolność, to jeszcze Amerykanie nie będą mogli go ścigać. Nadszedł czas zemsty – i to znacznie wcześniej, niż się spodziewał.

Odsunął zasłonę w okienku i patrzył, jak hummery z żołnierzami odjeżdżają z lądowiska. Kilku z nich wystawiło ręce przez okna, unosząc środkowy palec.

Gdy silniki samolotu ryknęły i kolos ruszył, w kabinie rozległy się wiwaty: *Allah akbar*!

Allah rzeczywiście jest wielki, lecz to nie on dał im wolność. Wpatrując się w czarną kopertę, Roussard wiedział, że powinni być wdzięczni komuś znacznie mniej dobrotliwemu.

Przeniósł uwagę z powrotem na to, co działo się za oknem: hummery szybko znikały mu z oczu. Rozstawił palec wskazujący i kciuk, wycelował i pociągnął za wyimaginowany spust.

Wiedział, że teraz gdy odzyskał wolność, jest tylko kwestią czasu, kiedy jego opiekun wypuści go w Ameryce, by dokonał zemsty.

2

Grzmot zatrząsł ścianami, a okna sypialni eksplodowały gradem odłamków. Scot Harvath odruchowo wyciągnął ramię, by osłonić Tracy i spadł z łóżka, urażając boleśnie kontuzjowany bark. Uniósł rękę i wyszarpnął z szafki szufladę tak mocno, że uderzyła z trzaskiem o drewnianą podłogę. Wysypały się zagraniczne monety, słoiczek tabletek przeciwbólowych, komplet kluczy od zamków, które musiał dopiero znaleźć w nowym domu, długopisy i bloczek kartek z Ritza w Paryżu.

Było tam wszystko oprócz tego, czego rozpaczliwie szukał – pistoletu.

Przeturlał się na brzuch i macał rękami podłogę pod łóżkiem. Znalazł tylko puste pudełko po nabojach dum-dum i równie pustą kaburę.

Instynkt kazał mu znaleźć broń, a głos wewnętrzny napominał za to, że poszedł spać bez niej. Ale przecież położył się do łóżka z pistoletem. Na pewno. Zawsze to robił. Włożył go do szuflady nocnej szafki.

Może Tracy złapała go pierwsza. Uniósł głowę i zobaczył puste miejsce. Właściwie podczas swoich desperackich manewrów był tak zaspany, że nie zauważył, czy w ogóle leżała w łóżku. Nic się nie zgadzało.

Wstał i nisko pochylony ruszył w kierunku schodów na końcu korytarza. Z każdym krokiem jego niepokój narastał. Czuł, że stało się coś złego, ale dopiero potem, na ostatnim półpiętrze zobaczył krew. Podłogi, ściany, sufit... wszystko we krwi.

Było jej tak dużo. Skąd się wzięła? Czyja?

Pomimo krążącej w ciele adrenaliny nogi ciążyły mu, jakby zmieniły się w dwa kawały litego granitu. Musiał użyć całej siły woli, żeby podkraść się do przedsionka i otwartych frontowych drzwi.

To, co zobaczył, kiedy wyszedł na zewnątrz, przedarło się do jego świadomości w postaci krótkich, ostrych migawek: krwawe pociągnięcia pędzla nad framugą, przewrócony do góry dnem kosz piknikowy i leżące przy białym szczenięciu ciało kobiety, którą Scot zaczynał kochać.

Miał wrażenie, że coś poruszyło się między drzewami na skraju posesji. Rozglądał się za czymś, czego mógłby użyć jako broni, kiedy nad jego barkiem świsnął długi czarny nóż, a ostrze przycisnęło się do gardła.

3

Głowa odskoczyła Harvathowi do tyłu tak gwałtownie, że szok wyrwał go z drzemki. Upłynęło kilka sekund, zanim przestało walić mu serce i zorientował się, gdzie jest.

Rozejrzał się po szpitalnym pokoju. Wszystko wyglądało tak samo jak wtedy, gdy odpłynął w sen. Poręcz łóżka, na której tylko oparł zmęczoną głowę, była na miejscu podobnie jak sama pacjentka, Tracy Hastings.

Harvath przesunął wzrokiem wzdłuż jej ciała, szukając oznak, że poruszyła się, kiedy spał, lecz Tracy wciąż pozostawała w śpiączce, od pięciu dni, kiedy dosięgnął ją pocisk zamachowca.

Respirator pracował w rytmicznym cyklu: pssst, pyk... pssst, pyk. Harvath patrzył na nią ze ściśniętym sercem. Życie nie szczędziło dziewczynie traumatycznych przeżyć. Lecz najgorsza była świadomość, że tym razem sam ponosi winę za cierpienie Tracy.

Mimo nieszczęść, które na nią spadały – w Iraku, gdy eksplodował jej w twarz fugas, straciła oko, musiała też zapomnieć o karierze specjalistki od materiałów wybuchowych w marynarce wojennej – zachowała nieprawdopodobną pogodę ducha. Choć upłynęło trochę czasu, zanim Harvath się do tego przed sobą przyznał, spodobała mu się od pierwszego wejrzenia.

Poznali się przez przypadek niecały miesiąc temu na Manhattanie, po prostu wpadając na siebie. Harvath przyjechał do Nowego Jorku, żeby spędzić Święto Niepodległości i weekend ze swoim dobrym znajomym Robertem Herringtonem. Robert, albo Wystrzałowy Bob, jak przezywali go kumple, był oficerem operacyjnym Grupy Delta, zwolnionym niedawno ze służby z powodu ran, jakie odniósł w Afganistanie.

Harvath i Herrington zaplanowali weekendową balangę, kiedy Nowy Jork stał się celem straszliwego ataku terrorystycznego. Nie wiedzieli, że Bob zginie tej samej nocy.

Gdy wyspa Manhattan została całkowicie odcięta od świata, a wszyscy policjanci, strażacy i sanitariusze mieli pełne ręce roboty, Bob pomógł Scotowi zebrać własny zespół do wytropienia sprawców.

Członkowie grupy rekrutowali się z personelu do zadań specjalnych z manhattańskiego Urzędu do spraw Kombatantów, którzy podobnie jak

Bob zostali niedawno zwolnieni z wojska wskutek rozmaitych obrażeń odniesionych w zagranicznych misjach. Harvath stał właśnie na dachu budynku urzędu przy East River, gdy dołączyli Tracy i dwóch innych kumpli Boba.

Dwudziestosześcioletnia Tracy była o dziesięć lat młodsza od Harvatha, ale miała w sobie mądrość i doświadczenie, które sprawiały, że różnica wieku przestawała się liczyć. Później, kiedy Harvath podzielił się z nią tym spostrzeżeniem, zażartowała, że rozbrajanie zabójczych mechanizmów wybuchowych postarza, i to szybko.

Mogła się zachowywać jak kobieta starsza, mająca więcej niż metrykalne dwadzieścia sześć lat, ale z pewnością tak nie wyglądała. Była okazem zdrowia, wysportowana i zgrabna. Harvath nie przypominał sobie, by kiedykolwiek znał kobietę o tak idealnie wyrzeźbionej sylwetce. Tracy żartowała, że ma ciało, za które można umrzeć, i twarz do jego obrony. W ten sposób radziła sobie z akceptacją blizn, śladami po eksplozji w Iraku. Mimo że chirurdzy plastyczni wykonali świetną robotę przy dopasowaniu koloru protezy do błękitu naturalnego oka, a Tracy robiła perfekcyjnie makijaż, i tak nigdy nie mogła całkowicie ukryć cienkich blizn na twarzy.

Dla Harvatha nie miało to znaczenia. Uważał, że dziewczyna wyglądała fantastycznie. Szczególnie podobało mu się, że zaplatała włosy w warkocze. Mysie ogonki pasują małym dziewczynom, ale było w nich coś seksownego, gdy nosiła je kobieta.

Tracy „w pigułce" to osoba nadzwyczajna pod każdym względem. Jej poczucie humoru, dobre serce i hart ducha Harvath podziwiał, lecz nie te cechy sprawiły, że się w niej zakochał.

Po raz pierwszy w życiu znalazł kogoś, kto go naprawdę rozumiał. Tracy szybko wyczuła, co się kryje za jego nieustannymi żarcikami, za stertą kamieni, którą usypał, żeby odgrodzić się od świata. Przy niej nie musiał odgrywać komedii, a ona nie musiała udawać przed nim. Od chwili gdy się poznali, oboje mogli być sobą. Harvath nie sądził, że kiedykolwiek doświadczy tego uczucia.

A kiedy patrzył na Tracy leżącą w szpitalnym łóżku, wiedział, że nie doświadczy go już nigdy więcej.

Delikatnie puścił jej dłoń i wstał.

4

W przylegającej do szpitalnego pokoju prywatnej łazience znalazł szczoteczkę do zębów, pastę, dezodorant, krem do golenia i jednorazową maszynkę. Laverna, pielęgniarka z nocnej zmiany, przyniosła je wkrótce po tym, jak Harvath przyjechał rano w dniu, gdy postrzelono Tracy. Oczywiste, że nie ma zamiaru jej opuszczać. Był gotów zostać tak długo, aż jej stan się poprawi.

Zamknąwszy drzwi, Harvath rozebrał się i odkręcił kran. Gdy woda zrobiła się gorąca, wszedł pod prysznic. Strugi gorącej wody smagały mu ciało. Gdy zamknął oczy, wróciły migawki z koszmarnego snu; szorując się maleńką kostką hotelowego mydła, próbował myśleć o czymś innym, ale wiedział, że demony znów go dopadną. Krążyły wokół niego każdego dnia i każdej nocy, odkąd postrzelono Tracy.

Lekarz, który znajdował się akurat w pokoju, gdy Harvath zbudził się z koszmarnego snu, zasugerował mu psychoterapię, ale Harvath uprzejmie wyśmiał ten pomysł. Ludzie jego profesji nie chodzili na terapię, doktor nie wiedział, z kim rozmawia. Kto na tym świecie mógłby się choćby zbliżyć do zrozumienia życia, które Scot prowadził, a co dopiero mówić o straszliwym piętnie, jakie odcisnęły na nim lata służby?

Puścił lodowatą wodę, poddając ciało pobudzającemu wstrząsowi i wyszedł z kabiny.

Owinął ręcznik wokół bioder, podszedł do umywalki i wytarł zaparowane lustro. Po raz pierwszy w życiu rzeczywiście wyglądał tak, jak się czuł – fatalnie. Lśniące zwykle błękitne oczy zmatowiały i podbiegły krwią, a twarz była napięta i zmęczona. Ciemne blond włosy, choć wciąż krótkie według powszechnych norm, dopominały się strzyżenia. I chociaż przy wzroście metra siedemdziesięciu ośmiu jego muskularne, prężne ciało mogłoby budzić zazdrość mężczyzn o połowę młodszych, było teraz jakby zwiotczałe i wyglądało żałośnie; może powodem było niedożywienie, bo od pięciu dni nie miał prawie nic w ustach.

Wcześniej tylko raz odczuwał takie zwątpienie i odrazę do samego siebie.

Osiemnaście lat temu sprzeciwił się woli ojca, instruktora SEAL w Szkole Specjalnych Technik Bojowych Marynarki Wojennej w pobliżu ich domu w kalifornijskim Coronado. Zgłosił się do eliminacji i został przyjęty do amerykańskiej reprezentacji w akrobacjach narciarskich. Chociaż ojciec wiedział, że syn jest wyjątkowo dobrym narciarzem, wolał, żeby zamiast wkraczać w świat sportu zawodowego, po liceum poszedł do college'u. Ojciec i syn okazali się równie uparci i jeszcze przez długi czas ze sobą nie rozmawiali. Tylko dzięki matce Scota, Maureen, rodzina się nie rozpadła. I chociaż później ich kontakty się poprawiły, ojciec i syn nigdy nie dogadywali się już tak dobrze jak kiedyś. Byli do siebie bardziej podobni, niż chcieliby przyznać, co sprawiło, że tragiczna śmierć ojca stała się tym trudniejsza do zniesienia.

Kiedy Michael Harvath zginął w wypadku na poligonie, Scot bardzo się zmienił. Nie był już w stanie skupić się na narciarstwie. Chociaż kochał ten sport, zawody przestały się dla niego liczyć.

Miał sporo pieniędzy z wygranych, kupił więc plecak i podróżował po Europie, aż ostatecznie osiadł na greckiej wysepce Paros. Tam znalazł pracę barmana u pary osobliwych emigrantów brytyjskich: jeden z mężczyzn był wcześniej szoferem na usługach mafii z południowego Londynu, a drugi zgorzkniałym żołnierzem SAS na emeryturze. Po roku Harvath wiedział już, co chce w życiu robić.

Wrócił do domu i zapisał się na Uniwersytet Południowej Kalifornii, gdzie studiował nauki polityczne i historię wojskowości. Ukończywszy trzy lata później naukę z wyróżnieniem, wstąpił do marynarki wojennej i w końcu przyjęto go na podstawowe szkolenie z niszczenia podwodnego, Basic Underwater Demolition SEAL (BUD/S), a później na szkolenie dodatkowe SEAL Qualification Training, w skrócie SQT. Mimo że proces selekcji kandydatów, a potem intensywny trening były wyczerpujące ponad wszelką miarę, fizyczne i psychiczne przygotowanie Harvatha jako dużej klasy sportowca, jego nieustępliwość w dążeniu do celu i pewność, że wreszcie odnalazł swoje życiowe powołanie, pchały go naprzód i w końcu dołączył do jednej z najbardziej elitarnych formacji wojskowych na świecie – komandosów amerykańskiej marynarki wojennej, popularnie zwanych fokami.

Ze względu na wyjątkowe umiejętności narciarskie trafił do Zespołu Drugiego, specjalizującego się w operacjach w zimnym klimacie. Tam, pomimo tragedii podczas jednej z pierwszych misji, szybko piął się po szczeblach wojskowej kariery.

Zwrócił na siebie uwagę słynnego Zespołu Szóstego, gdzie mógł doskonalić nie tylko umiejętności bojowe, lecz także znajomość języków obcych: poprawił swój francuski i nauczył się arabskiego.

Właśnie podczas służby w Szóstce pomagał obstawie prezydenckiej w Maine i wpadł w oko ludziom z Secret Service. Pragnąc wzmocnić przygotowanie antyterrorystyczne w Białym Domu, dyrekcja Secret Service skusiła Harvatha do opuszczenia marynarki wojennej i przeprowadzki do Dystryktu Kolumbii. Tam Scot wyróżnił się jeszcze bardziej i po niedługim czasie został rekomendowany do ultratajnego programu w Departamencie Bezpieczeństwa Krajowego, prowadzonego przez starego przyjaciela rodziny i byłego wicedyrektora FBI Gary'ego Lawlora.

Program „Apeks" podpięto pod mało znany wydział Departamentu o nazwie Biuro Międzynarodowej Pomocy Wywiadowczej, Office of International Investigative Assistance, w skrócie OIIA. Jawna działalność OIIA polegała na współpracy z policją, wojskiem i wywiadem innych państw w zapobieganiu atakom przeciwko Amerykanom i amerykańskim interesom za granicą. W tym sensie misja Harvatha pokrywała się częściowo z oficjalnymi zadaniami OIIA. W rzeczywistości jednak był raczej żołnierzem w supertajnej wojnie, jaką po jedenastym września prezydent wydał wrogom Stanów Zjednoczonych, by nie dopuścić do kolejnych ataków terrorystycznych na Amerykę.

Pomysł był taki, że skoro terroryści nie grają według żadnych reguł, nie będą tego czynić także Stany Zjednoczone. Ale z powodu mocno zakorzenionych w kraju przekonań o poprawności politycznej, która zdawała się sugerować, że naród amerykański jako jedyny powinien przestrzegać zasad, prezydent zdał sobie sprawę, że prawdziwa misja Harvatha może być znana tylko najważniejszym osobom, to znaczy jemu samemu oraz szefowi Harvatha, Gary'emu Lawlorowi.

Harvath miał korzystać z pełnego wsparcia Gabinetu Owalnego, a także ze zbrojnego ramienia Amerykańskich Sił Zbrojnych i wszystkich agencji wywiadowczych USA. Program wyglądał fantastycznie na papierze, lecz w zetknięciu z rzeczywistością, zwłaszcza w zbiurokratyzowanym Waszyngtonie, często okazywał się czymś zupełnie innym.

Nie chciał teraz myśleć o swojej pracy. Właśnie z powodu tego, co robił, Tracy została postrzelona. Nie musiał czekać na wyniki śledztwa, żeby się o tym przekonać. Czuł się moralnym sprawcą jej cierpienia, na które wcale sobie nie zasłużyła.

FBI udało się częściowo zrekonstruować to, co się stało. W lasku przy granicy jego posesji znaleźli kryjówkę strzelca. Doszli do wniosku, że kimkolwiek był sprawca, zaszył się tam poprzedniego wieczoru albo w nocy, prawdopodobnie na kilka godzin przed świtem.

Zabójca zostawił po sobie łuskę i wiadomość: „Za przelaną krew płaci się przelaną krwią".

Do tego dochodził jeszcze dziwny akt wandalizmu: wymalowanie framugi drzwi krwią. Pierwsza tura badań laboratoryjnych wykluczyła, by mogła to być krew Tracy. Znalazła się tam już w nocy i do rana zdążyła wyschnąć.

No i jeszcze szczenię, które zostawiono za progiem w koszu pikniko-wym jako prezent. Wystarczyło, że Harvath rzucił okiem na załączony liścik z podziękowaniem, żeby wiedzieć, od kogo je dostał. Ale jeśli ktoś zamie-rzał zastrzelić jego albo Tracy, to czemu zostawił tak wyraźną wizytówkę?

Kilka tygodni wcześniej, podczas tajnej operacji na Gibraltarze, Har-vath ocalił życie ogromnego owczarka kaukaskiego, psa tej samej rasy, co pozostawione na progu szczenię. Właścicielem owczarka z Gibraltaru był mały nikczemny człowieczek – karzeł, który zajmował się kupnem i sprzedażą ściśle tajnych informacji. To on pomógł w zaplanowaniu ataku na Nowy Jork. Znany był po prostu jako Troll.

Ale jak Troll go namierzył? Tylko garstka ludzi wiedziała o Bishop's Gate, dawnym budynku kościoła, który Harvath nazywał teraz domem. Trudno mu było uwierzyć, że Troll okazał się na tyle nieostrożny albo głu-pi, by ogłosić wszem wobec, że to on stoi za próbą zabójstwa Tracy.

Zbieżność czasowa pachniała jednak prowokacją, a Harvath nie wie-rzył w przypadki. Musiał tu zachodzić jakiś związek, a on był zdetermino-wany, by dowiedzieć się jaki.

5

Kiedy Harvath wrócił do sali szpitalnej, rodzice Tracy, Bill i Barbara Hastingsowie, siedzieli po obu stronach łóżka.

Ojciec był zwalistym siwowłosym mężczyzną, miał ponad metr dzie-więćdziesiąt wzrostu i ważył co najmniej dziewięćdziesiąt kilo. Grał w fut-bol w Yale i wyglądał, jakby wciąż mógł grać. Miał siwe włosy i Harvath dawał mu na oko sześćdziesiąt pięć, siedemdziesiąt lat. Widząc wchodzą-cego Scota, podniósł wzrok i zapytał:

– Jakieś zmiany?

– Nie – odparł.

Barbara uśmiechnęła się do niego.

– Znowu byłeś tu całą noc, prawda?

Nie odpowiedział. Po prostu pokiwał głową. Konieczność spotkania się z rodzicami Tracy stanowiła jeden z trudniejszych aspektów czuwania przy jej łóżku. Czuł się tak cholernie odpowiedzialny za to, co się jej przytrafiło. Był zażenowany, że tak miło się do niego odnoszą. Jeżeli w ogóle winili go za to, co się stało córce, to wcale nie dawali po sobie poznać.

– Jak hotel? – zdołał wykrztusić. Milczenie w pokoju mogło być nieznośne, a wiedział, że musi wziąć na siebie chociaż część ciężaru rozmowy.

– W porządku – odparła Barbara, gładząc córkę po przedramieniu. Była kobietą z klasą. Ciemnorude włosy miała starannie ułożone, a paznokcie u rąk idealnie wymanikiurowane. Ubrana w jedwabną bluzkę, spódnicę do kolan od Armaniego, pończochy i drogie czółenka, wyglądała elegancko.

Mimo że Harvath nigdy nie wygłosiłby takiego frazesu, wiedział, po kim Tracy odziedziczyła urodę.

Hastingsowie stanowili bardzo atrakcyjną parę. Bill Hastings zbił na funduszach hedgingowych fortunę, nic więc dziwnego, że ich nazwisko prawie stale gościło w rubrykach towarzyskich Manhattanu.

Po trzecim lipca i ataku na Nowy Jork zastanawiali się nad skróceniem wakacji na południu Francji, lecz Tracy przekonała ich, żeby zostali. Powrót na Manhattan i poruszanie się po mieście miało być jeszcze przez jakiś czas koszmarną udręką. Ich plany zmieniły się natychmiast po tym, jak Tracy została postrzelona. Wynajęli prywatny samolot i przylecieli do Waszyngtonu.

Harvath zastanawiał się, jak podtrzymać rozmowę, gdy do pokoju zajrzała pielęgniarka.

– Agencie Harvath, jakiś pan przyszedł się z panem zobaczyć. Czeka w świetlicy.

– Dziękuję, już idę – odparł. Był zadowolony, że da Hastingsom trochę czasu sam na sam z córką.

Wyminąwszy pana Hastingsa, pochylił się i szepnął Tracy do ucha, że niedługo wraca. Uścisnął czule jej dłoń, po czym ruszył do drzwi.

Już chwytał za klamkę, gdy Bill Hastings powiedział:

– Jeśli to znowu ten facet z Biura, powtórz mu, że nie znaleźliśmy wszystkich dokumentów Tracy w jej osobistych rzeczach.

Harvath skinął głową i wyszedł. Za drzwiami wyjął z kieszeni prawo jazdy Tracy. Boże, jak piękna. Nie miał serca mówić Billowi Hastingsowi, że to przez niego, Scota, dokument zniknął. Kiedy Scot i Tracy byli razem, nigdy nie udało im się znaleźć chwili na robienie zdjęć.

Chociaż miał wyrzuty sumienia, że oszukuje jej rodziców, nie zamierzał oddawać im dokumentu. Chciał zatrzymać tę jedną z nielicznych rzeczy, które przypominały mu o Tracy i ich wspólnym życiu.

W świetlicy oczekiwał na Harvatha jego długoletni przyjaciel i szef, Gary Lawlor.

– Jak Tracy? – zapytał.

– Bez zmian. Coś nowego w śledztwie?

Gary dał mu ręką znak, żeby usiadł. Świetlica była pozbawionym okien pomieszczeniem z zawieszonym w rogu telewizorem. Harvath zajął miejsce i poczekał, aż człowiek, który stał się dla niego niemal drugim ojcem, zamknął drzwi i usiadł.

Gary od razu przeszedł do sedna.

– Możliwe, że mamy przełom w dochodzeniu.

Harvath pochylił się do przodu.

– To znaczy?

– Chodzi o krew, którą wymalowano framugę. Badania wykazały, że nie była ludzka.

– A jaka?

– Z jagnięcia.

Harvath nie wiedział, co o tym myśleć.

– Z jagnięcia? To nie ma sensu.

– Nie ma. Ale chcę z tobą porozmawiać o tym, co było zmieszane z krwią.

Harvath milczał. Po prostu czekał.

Pochyliwszy się do przodu, Lawlor zniżył głos i powiedział:

– Po pogrzebie Boba Harringtona sekretarz obrony zabrał cię na przejażdżkę i zapytał, czy podjąłbyś się sprzątnięcia zabójcy. Pamiętasz, jak powiedział ci, że zamierzają pozwolić mu uciec, żeby zaprowadził ich do ludzi, z którymi współpracował?

– Tak, i co?

– Pamiętasz, jak zamierzali go śledzić?

Harvath zastanawiał się przez chwilę.

– Wstrzyknęli mu jakiś izotop radioaktywny, którego promieniowanie pozwalało go śledzić za pomocą satelitów.

Lawlor odchylił się do tyłu i przyglądał się Harvathowi, gdy ten przetwarzał tę informację.

– Krew jagnięcia zawierała izotop.

Szef pokiwał głową.

– To niemożliwe. Osobiście załatwiłem zabójcę Boba. – Harvath miał zamiar dodać „i widziałem, jak umiera", gdy zdał sobie sprawę, że tak nie było.

Choć Harvath wątpił, by ktokolwiek mógł przeżyć to, co zgotował Mohammedowi bin Mohammedowi, musiał przyznać, że nie potwierdził jego śmierci.

18

– Nie biorą pod uwagę Mohammeda – powiedział Lawlor. – Z tego, co udało mi się dowiedzieć, chodzi o zupełnie inny izotop.

– Izotop celowo zmieszany z krwią jagnięcia, żeby można było wymalować nią drzwi mojego domu?

Lawlor znów pokiwał głową.

– Dlaczego?

– Ktoś przesyła ci wiadomość.

– Na pewno, ale kto? Jeśli to izotop, choćby nawet inny niż ten, który wykorzystano w przypadku Mohammeda, nie powinno być trudno ustalić, skąd się wziął. Od tego zaczniemy.

– Nie będzie wcale tak łatwo.

– Dlaczego? Znaczenie izotopami to program Departamentu Obrony. Mają tam archiwa jak wszędzie indziej. Skontaktuj się z biurem sekretarza obrony i powiedz, że potrzebujemy dostępu do danych.

– Już próbowałem.

– I?

– Nic z tego.

– Nic z tego? Chyba żartujesz!

Lawlor pokręcił głową.

– Niestety, nie.

– W takim razie pójdziemy bezpośrednio do prezydenta. Nawet sekretarz obrony przed kimś odpowiada. Jeśli prezydent Rutledge każe mu otworzyć archiwum, to uwierz mi, otworzy.

– Rozmawiałem już z prezydentem Rutledge'em. Nic z tego.

Harvath nie wierzył własnym uszom.

– Chcę porozmawiać z prezydentem osobiście.

– Wiedział, że to powiesz – odparł Lawlor. – I czuje, że jest ci to winien. Na dole czeka na nas samochód.

6

Biały Dom

Kiedy Harvatha i Lawlora wprowadzono do Gabinetu Owalnego, prezydent Rutledge wstał i wyszedł zza biurka, żeby ich powitać.

Uścisnął dłoń Gary'emu, a potem Harvathowi i zapytał:

– Jak ona się miewa?

– Wciąż bez zmian, panie prezydencie – odparł Harvath, gdy Rutledge wskazał gestem sofę, stojącą ukośnie do kominka.

Kiedy usiedli, prezydent przeszedł do rzeczy.

– Scot, wiem, że mówię w imieniu wszystkich Amerykanów. Jest mi bardzo przykro z powodu tego, co spotkało Tracy. Ten naród ma ogromny dług wdzięczności wobec całego waszego zespołu za to, czego dokonaliście w Nowym Jorku.

Nigdy nie lubił słuchać pochwał, zwłaszcza z ust prezydenta, a teraz czuł się jeszcze bardziej niezręcznie niż zwykle. Operacja w Nowym Jorku to w gruncie rzeczy porażka. Tylu ludzi poniosło śmierć, także jeden z jego najlepszych przyjaciół. Mimo że zespołowi udało się dopaść większość terrorystów zaangażowanych w atak, w czasie całej akcji byli o jeden ruch za ściganymi. Dla Harvatha wcale nie stanowiło to powodu do dumy.

Słowa prezydenta skwitował cichym „dziękuję" i uważnie słuchał, co Rutledge ma mu jeszcze do powiedzenia.

– Scot, jesteś jednym z największych atutów tego narodu w wojnie z terroryzmem. Nie chciałbym, abyś choć przez chwilę wątpił w to, jak bardzo doceniamy twoją służbę. Wiem aż nazbyt dobrze, że masz niewdzięczną pracę i dlatego dziękuję ci raz jeszcze.

Harvath miał złe przeczucia, nie podobał mu się kierunek rozmowy. Z niepokojem czekał na gorzką pigułkę. Nie musiał czekać zbyt długo.

Jack Rutledge spojrzał mu prosto w oczy i oświadczył:

– Znamy się od kilku lat i zawsze byłem z tobą szczery.

Harvath pokiwał głową.

– To prawda, panie prezydencie.

– Często wbrew sugestiom doradców przedstawiałem ci problemy na szerszym tle, chcąc, abyś lepiej rozumiał swoją rolę w tym wszystkim i dlaczego prosimy cię o wykonanie pewnych rzeczy. Co więcej, wyjaśniałem ci to, bo wiedziałem, że mogę ci zaufać. Teraz proszę, abyś ty zaufał mnie.

Prezydent przerwał na moment, sprawdzając reakcję Harvatha. Jednak nieprzenikniona twarz agenta operacyjnego zmusiła Rutledge'a do zadania pytania:

– Możesz mi zaufać?

Harvath wiedział, że należałoby odpowiedzieć: „Oczywiście, mogę panu zaufać, panie prezydencie", ale wybrał inną wersję:

– W czym mam panu zaufać?

Nie to prezydent pragnął usłyszeć, ale też pytanie wcale go nie zaskoczyło. Scot Harvath był dobry w tym, co robił. Nie dawał wciskać sobie kitu, w każdym razie nie na długo.

– Zamierzam cię o coś poprosić. Wiem, że ci się to nie spodoba.

Harvathowi zapaliła się czerwona lampka. Pokiwał powoli głową, zachęcając prezydenta, by mówił dalej.

– Chcę, żebyś pozwolił nam wyśledzić człowieka, który postrzelił Tracy.

Prezydent nie pytał go o zgodę. Mimo to Harvath nie zamierzał dać się zepchnąć na boczny tor. Ostrożnie dobierając ton głosu i słowa, stwierdził:

– Przepraszam, panie prezydencie. Nie rozumiem.

Rutledge nie silił się na uprzejmości.

– Owszem, rozumiesz. Tym razem odpuść sobie.

Aż nazbyt często Harvath gubił się w sztuce dyplomacji. Spojrzał prezydentowi prosto w oczy i zapytał:

– Dlaczego?

Prezydent Stanów Zjednoczonych, Jack Rutledge, nie musiał się nikomu tłumaczyć, a już na pewno nie Scotowi Harvathowi. Nie musiał nawet z nim rozmawiać, ale jak wcześniej powiedział, naród ma wobec Harvatha ogromny dług wdzięczności – nie tylko za to, czego dokonał w Nowym Jorku, a potem na Gibraltarze, lecz także przy wielu innych okazjach. Co więcej, Harvath kiedyś ocalił mu życie, a także jego córce. Zasługiwał na rzetelne wyjaśnienie i Rutledge miał tego świadomość. Tylko że nie mógł takiego udzielić.

– W grę wchodzą tu czynniki, o których nie mogę mówić, nawet tobie – oświadczył.

– Rozumiem, panie prezydencie, ale to nie jest jakiś przypadkowy akt przemocy. Kimkolwiek był ów człowiek, zrobił to z powodów osobistych. Krew nad moimi drzwiami, łuska naboju, liścik... Ktoś wywołuje mnie do odpowiedzi.

– Zebrałem zespół, który się tym zajmie.

Harvath starał się zachować zimną krew.

– Panie prezydencie, wiem, że FBI pracuje nad sprawą non stop, ale chociaż to dobrzy chłopcy, nie są odpowiednią agencją do tej roboty.

– Scot, posłuchaj... – zaczął prezydent.

– Nie chcę nikogo urazić, jednak z tego, co wiemy, wynika, że facet jest profesjonalnym zabójcą i prawdopodobnie współpracuje z jedną z największych organizacji terrorystycznych. Ludzie, którzy będą go ścigać, muszą rozumieć, jak ten facet myśli, a agenci FBI po prostu tego nie potrafią.

– Ludzie, których przydzieliłem do sprawy, potrafią. Znajdą go, obiecuję.

– Panie prezydencie, zamachowiec postrzelił Tracy w głowę. Lekarze mówią, że cudem przeżyła. Leży w śpiączce, z której może nigdy się nie obudzi, a to wszystko przeze mnie. Jestem jej winien znalezienie sprawcy. Musi mnie pan dopuścić do śledztwa.

Rutledge obawiał się, że rozmowa tak się właśnie potoczy.

– Scot, jest niezmiernie ważne, abyś zaufał mi w tej sprawie.

– A dla mnie jest ważne, żeby pan zaufał mnie. Niech mnie pan nie spycha na boczny tor. Mogę pomóc zespołowi, który pan zorganizował.

– Nie, nie możesz. – Rutledge wstał z fotela. Był to wyraźny sygnał, że rozmowa dobiegła końca.

Harvath też wstał, ale nie dawał się zbyć.

– Niech mnie pan nie spycha na boczny tor.

– Przykro mi. – Prezydent wyciągnął rękę.

Harvath przyjął ją odruchowo. Rutledge przypieczętował ich uścisk lewą dłonią, mówiąc:

– Najlepsze, co możesz zrobić w tej chwili dla Tracy, to przy niej być. Wyjaśnimy tę sprawę do końca, obiecuję.

Harvath wychodził z szoku powoli, za to narastał w nim gniew. Zanim jednak zdążył cokolwiek powiedzieć, Gary Lawlor podziękował prezydentowi, pożegnał się i wyprowadził Scota z gabinetu.

Kiedy za gośćmi zamknęły się drzwi, z prywatnego pokoju prezydenta wszedł do Gabinetu Owalnego wysoki, siwowłosy pięćdziesięcioparolatek, dyrektor CIA James Vaile.

Rutledge popatrzył na niego.

– Co o tym myślisz? Będzie współpracować?

Vaile utkwił wzrok w drzwi, za którymi zniknął przed chwilą Scot Harvath, i zamyślił się nad pytaniem. W końcu się odezwał:

– Jeśli nie, to czeka nas jeszcze więcej kłopotów.

– No tak. Właśnie obiecałem mu, że twoi ludzie sobie z tym poradzą.

– Tak będzie. Mają spore doświadczenie w tego typu sprawach za granicą. Wiedzą, co robić.

– Oby – odparł prezydent, gdy zaczął się przygotowywać do odprawy. – Nie możemy pozwolić, by Harvath się w to zaangażował. Stawka jest zbyt wysoka.

7

Harvath i Lawlor jechali do szpitala w milczeniu. Harvath był wściekły, że chcą mu związać ręce, zwłaszcza że mieli do czynienia ze sprawą, do której rozwikłania aż nadto się nadawał.

Lawlor nie nakłaniał go do rozmowy. Jeszcze zanim pojechali do Białego Domu, wiedział, jak przebiegnie spotkanie. Prezydent dał mu jasno do zrozumienia, że nie chce, by Harvath lub ktokolwiek inny mieszał się w śledztwo. Nie powiedział jednak dlaczego.

Też nie był zadowolony z decyzji prezydenta, doceniał jednak, że Rutledge miał odwagę zakomunikować ją Scotowi prosto w oczy. Był mu winien przynajmniej tyle.

Szofer zatrzymał samochód przy krawężniku przed szpitalem i Harvath wysiadł. Lawlor chciał mu powiedzieć milion rzeczy, lecz żadna nie zdawała się w tym momencie odpowiednia. Ostatecznie to Harvath przerwał milczenie.

– Zorganizował specjalny zespół do wytropienia faceta, który strzelał do Tracy, a ja nie mogę mieć z tym nic wspólnego? To bez sensu. Wkurwia mnie, że nie mówi, o co w tym tak naprawdę chodzi, Gary.

Lawlor wiedział, że Scot ma rację, ale nie mogli nic zrobić. Prezydent wydał rozkaz. Rozumiał z tego równie mało jak Scot, pokiwał tylko głową i powiedział:

– Daj mi znać, jeśli u Tracy coś się zmieni.

Harvath zatrzasnął drzwiczki i ruszył do szpitala.

Na górze, w pokoju Tracy, jej rodzice jedli lunch. Kiedy Scot wszedł, Bill Hastings zapytał:

– Jakieś wieści o postępach w śledztwie?

Harvath nie chciał obarczać rodziców Tracy swoimi problemami, więc powiedział im półprawdę.

– Przyglądają się sprawie ze wszystkich stron. Prezydent osobiście zainteresował się dochodzeniem i robi wszystko, co w jego mocy.

Respirator wciąż pracował w rytmie pssst, pyk, pssst, pyk, a Harvath usiłował go ignorować. Przysunął sobie krzesło do łóżka, wziął Tracy za rękę i szepnął jej do ucha, że wróci.

Gdyby tylko prezydent zobaczył ją w tym stanie, może nie kwapiłby się tak bardzo do odsunięcia go od śledztwa. Przez całą drogę do szpitala starał się zrozumieć, dlaczego Rutledge tak postąpił. Mimo że przyjmował różne punkty widzenia, nie potrafił dojść do żadnego sensownego wniosku.

Prezydent wiedział lepiej niż ktokolwiek inny, jak cenna mogła być pomoc Scota w takich sprawach. Przez chwilę wydawało mu się, iż może Rutledge obawiał się, że zadanie będzie dla niego zbyt trudne, bo jest zaangażowany emocjonalnie, lecz wcześniej Harvath udowodnił wielokrotnie, że potrafi oddzielić uczucia od pracy.

Im dłużej się nad tym zastanawiał, tym wyraźniej uświadamiał sobie, że właściwie wszystko, co dotyczy pracy, traktuje bardzo osobiście i w dużej mierze temu zawdzięcza zawodowe osiągnięcia.

Nie, to, że za bardzo zaangażowałby się w dochodzenie, nie było powodem, dla którego prezydent nie dopuszczał go do śledztwa. Musiało chodzić o coś innego.

Delikatnie przesuwał palcami wzdłuż ramienia Tracy, analizując w myślach coraz to nowe ewentualności. Im więcej scenariuszy konstruował, tym bardziej zdawał się oddalać od prawdy. Znał prezydenta całkiem nieźle, ale tym razem zupełnie nie potrafił go rozgryźć.

Odtworzył w pamięci przebieg spotkania. Podczas intensywnego kursu w Secret Service nauczono go dostrzegać mikroekspresje, subtelne podświadome sygnały wysyłane przez osobę, która kłamie albo ma nieuczciwe zamiary. Nawet najbardziej wytrawni łgarze wśród waszyngtońskich polityków nie mogli ukryć swoich intencji lub prawdy przed doświadczonym agentem Secret Service, który wiedział, czego szukać. Scot Harvath wiedział czego szukać.

Z jakiegoś powodu prezydent Jack Rutledge go okłamał. Harvath nie miał wątpliwości.

Wciąż się nad tym zastanawiał, gdy zabrzęczała jego komórka. Zignorował telefon, wolał, żeby wiadomość przyjęła poczta głosowa. Nic w tej chwili nie było ważniejsze od czuwania przy Tracy.

Kiedy telefon zadzwonił jeszcze dwa razy, Harvath pomyślał, że może chodzić o coś pilnego i odebrał. Numer przychodzący miał prefiks stanu Kolorado.

– Harvath.

– Jesteś sam? – odezwał się głos z drugiej strony.

Zerknął na Billa Hastingsa, który czytał „New York Timesa" i jednocześnie jadł lunch.

– Tak, mów.

– Wciąż interesują cię zapasy karzełków?

Harvath się wyprostował.

– Masz coś?

– Zgadza się – powiedział głos.

– Co?

– Nie przez telefon. Czeka na ciebie samolot. Nie trać czasu na pakowanie bagażu. Musisz tu być jak najszybciej.

Scot popatrzył milcząco na Tracy.

– Jak najszybciej – powtórzył głos.

Chociaż Harvath pomyślał, że musiało mu się tylko wydawać, odniósł wrażenie, że Tracy uścisnęła lekko jego dłoń.

– Jesteś tam jeszcze? – spytał głos po kilku sekundach ciszy.

Otrząsnął się z zadumy.

– Tak, jestem.

– Lotnisko Reagana, migiem – polecił głos. Potem połączenie się urwało.

8

Baltimore, Maryland

Mark Sheppard miał hopla na punkcie filmów o zombie. *Świt żywych trupów, 28 dni później* – wystarczyło wymienić tytuł, a najczęściej okazywało się, że Sheppard nie tylko widział film, ale ma go na płycie. Śmierć zawsze go fascynowała.

Mimo że było to dziwne hobby, dwudziestosiedmioletni, wysoki jak tyczka, blondwłosy reporter umiał dobrze je wykorzystać. Karierę zaczął od pisania nekrologów w „Baltimore Sun". Pracę w dziale nekrologów dawano na próbę, aby redaktorzy mogli ocenić umiejętności początkujących dziennikarzy. Większość młodych adeptów nienawidziła roboty w nekrologach, ale Sheppard wprost się nią zachwycał.

Stamtąd przeszedł do działu kryminalnego, w którym, jak powiedziała kiedyś znana dziennikarka śledcza Edna Buchanan, było wszystko: chciwość, seks, przemoc, komedia i tragedia. I miała rację. Tu też redaktorzy nadal wypróbowywali warsztat młodych dziennikarzy, zanim awansowali ich do bardziej znaczących działów. Sheppardowi rubryka kryminalna przypadła do gustu i dał do zrozumienia, że nie zamierza nigdy uprawiać innego rodzaju dziennikarstwa.

Był wyjątkowym reporterem kryminalnym. Miał oko do szczegółów, nosa do ciekawych tematów i cholernie dobrze opowiadał historie. Przez lata wyrobił sobie rozległą siatkę kontaktów – po obu stronach prawa. Zarówno grube ryby w policji, jak i szefowie gangów szanowali go za uczciwość. Osoby, od których czerpał informacje, zawsze wiedziały, że nigdy nic nie wydrukuje przed sprawdzeniem faktów.

Miał opinię rzetelnego dziennikarza, gwarantującego anonimowość swoim źródłom, dlatego regularnie dostawał cynki. Te jednak rzadko okazywały się warte zachodu. Kluczowe w pracy reportera było wyczucie, które wątki warto tropić, a które odrzucić. Hemingway powiedział kiedyś, że pisarz musi mieć „odporny na wstrząsy detektor bzdur", a Sheppard zgadzał się z nim w stu procentach. Doświadczenie podpowiadało mu, że ilość energii, jaką poświęcał na śledztwo, była często wprost proporcjonalna do wiarygodności źródła. Oczywiście, wszystkie reguły miały jakieś wyjątki.

Im bardziej oburzające twierdzenie, tym większe wywoływało u Shepparda zainteresowanie. W tej chwili było ono całkiem wysokie.

Kiedy jechał w kierunku domu pogrzebowego Thomasa J. Gosse'a na skraju miasta, w głowie już pojawiały się tytuły. Oczywiście to jeszcze nic pewnego, ale instynkt podpowiadał mu, że jeśli temat wypali, będzie bombą. Co oznaczało, że tytuł musi walić po oczach. Tak, krzyknie tytułem, sensacyjnym. Ta historia nadawałaby się na czołówkę. Kurczę, niezły potencjał, może nawet na całą serię artykułów.

Gdy Sheppard wjeżdżał na parking domu pogrzebowego, widział już swój tytuł na pierwszej stronie. Niby oklepany, ale gdy ludzie przeczytają artykuł, tytuł nabierze zupełnie innego znaczenia. Będzie szokujący... nie tylko ze względu na samo przestępstwo, lecz także ze względu na domniemanych sprawców: *Inwazja porywaczy ciał*.

Na pewno przykuje uwagę czytelników. Miał tylko nadzieję, że facet, który dal mu cynk, nie marnuje jego czasu.

9

Choć nie nadeszła jeszcze jesień, Harvath poczuł w wieczornym powietrzu chłodny powiew, gdy stanął na chodniku przed małym terminalem lotniska.

Patrzył nie bez podziwu na mężczyznę opierającego się o karoserię białego hummera H2 z godłem kurortu Elk Mountain. Scot musiał przyznać, że jest to jeden z największych i najtwardszych facetów, jakich on kiedykolwiek znał. Tim Finney, w przeszłości mistrz Pacific Division of Shoot Fighting, miał pseudonim Pan Rozróba. Doskonale wyćwiczony w sprowadzaniu do parteru innych facetów za pomocą rąk, głowy, kolan i łokci, Finney znalazł się wśród niewielu mężczyzn, którym Harvath prawdopodobnie nie dałby rady w ulicznej bójce.

Finney przewyższał go o dobrych piętnaście centymetrów, był prawie dwa razy szerszy w barach, a imponującą wagę stu piętnastu kilogramów zawdzięczał przede wszystkim ubitym mięśniom. Nieźle jak na pięćdziesięcioparolatka. Miał intensywnie zielone oczy i gładko wygoloną głowę. Pomimo budzącej respekt postury i złej reputacji bezwzględnego, nieprzebierającego w chwytach wojownika na ringu, przy bliższym poznaniu okazywało się, że jest to bardzo pogodny, beztroski i miły facet. Miał zresztą mnóstwo powodów do zadowolenia.

W rodzinie Finneyów nikt nie dostawał nic za darmo. Stary Finney, patriarcha rodu, ale kawał sukinsyna, zarządził tak, że wszystkie jego dzieci musiały same opłacić sobie studia. Tim dorabiał do nauki w college'u jako wykidajło w sieci nocnych klubów w Los Angeles, zanim odkryto jego talent do bijatyki i wziął go pod skrzydła prywatny trener, który przygotował Finneya do zapasów shooto, sporcie, dającemu później początek popularnej serii turniejów Ultimate Fighting.

Tim Finney zwykle koncentrował się na następnym szczycie do zdobycia, a jeśli wspinaczka okazywała się zbyt trudna, miał w zanadrzu plan awaryjny i wytyczoną trasę alternatywną. Był znającym się na rzeczy, zawsze przygotowanym skautem.

Przez kilka lat pracował w rodzinnej firmie hotelowej, a potem spełniło się jego następne marzenie – założył własny ekskluzywny pięciogwiazdkowy kurort ulokowany na ponad dwustu hektarach w głuszy w górach San Juan, o pół godziny drogi od Telluride. Ale to nie wszystko.

Na terenie kurortu Finney stworzył supernowoczesny ośrodek taktyczno-szkoleniowy, z którym nie mógł się równać żaden inny na świecie. Nazwał go Walhalla, jak najsłynniejszy pałac w Asgardzie, raj wojowników ze skandynawskiej mitologii.

Finney pozyskał najlepszych scenografów, dźwiękowców i oświetleniowców z Hollywood, by budować najbardziej realistyczne atrapy do ćwiczenia sytuacji zagrożeń, jakie dotąd się zdarzały. I zrobił coś niesłychanie rewolucyjnego: otworzył ośrodek nie tylko dla wyspecjalizowanych jednostek wojska i policji, lecz także dla cywilów. Reklamował się nawet w Robb Report, a ta reklama, w połączeniu z przekazywanymi z ust do ust pochwałami od klientów, bardzo mu się opłaciła. Jego ściśle strzeżoną księgę gości czytało się jak *Kto jest kim* wielkiego amerykańskiego biznesu, świata sportu i rozrywki.

Sukces pozwolił Finneyowi przenieść Walhallę na zupełnie inny poziom – poziom, o którym szeptało się tylko w najlepiej zabezpieczonych salach konferencyjnych w takich miejscach jak Centralna Agencja Wywiadowcza, siedziba Delty w Fort Bragg czy tajne ośrodki operacyjno-wywiadowcze w północnej Wirginii.

Wtajemniczeni nazywali nowe przedsięwzięcie w Walhalli „ciemną stroną księżyca". To ukryte dobrze poza granicami Elk Mountain i pierwotnej Walhalli miejsce nosiło niepozorną nazwę Lokalizacji Szóstej.

Mówiono o niej, że jest jak aleja Hogana na haju – odwołując się do słynnego sztucznego miasteczka treningowego FBI w akademii w Quantico, gdzie można było przećwiczyć wszystkie akcje od napadu na bank po odbijanie porwanych dla okupu zakładników.

Finney utrzymywał małą armię stolarzy i inżynierów, którzy byli na każde jego skinienie przez całą dobę. Wielu z nich pracowało wcześniej w Hollywood i zapragnęło porzucić show-biznes, by wykorzystać swoje umiejętności na innym polu. Mówiono, że jeśli dało się Timowi Finneyowi zdjęcia satelitarne konkretnego celu, mógł zbudować jego wierną kopię nadającą się do ćwiczeń w ciągu czterdziestu ośmiu godzin czy nawet czternastu, jeśli zależało na czasie, a klientowi nie przeszkadzała niewyschnięta farba.

W dolinie otoczonej ze wszystkich stron górami zespół Lokalizacji Szóstej tworzył repliki wszystkiego, od irackich wiosek po zagraniczne porty lotnicze, ambasady i terrorystyczne obozy szkoleniowe. Szczegóły i skala przedsięwzięcia były ograniczone tylko przez budżet klienta i dostarczoną dokumentację wywiadowczą. A trzeba Finneyowi przyznać, że nigdy nie pozwolił, by zasobność portfela dyktowała jakość doświadczeń bojowych zdobytych w Lokalizacji Szóstej. Twórca projektu, prawdziwy patriota, robił wszystko, by amerykańscy żołnierze i agenci wywiadu, zanim wyruszą na prawdziwą akcję, mieli jak najwierniejsze, realistyczne pole treningowe.

Finney nie prowadził tego interesu po to, by zarobić więcej pieniędzy. Miał ich w bród. Robił to, co robił, po to, by jego klienci – czy byli gośćmi kurortu Elk Mountain, strzelcami, którzy przyjechali podszlifować swoje umiejętności w ośrodku taktyczno-szkoleniowym Walhalli, czy też żołnierzami, którzy ćwiczyli atak na rzeczywiste cele, zanim pojadą na zagraniczną misję – zdobyli najlepsze możliwe doświadczenie.

Harvath poznał Timothy'ego Finneya i Lokalizację Szóstą jako jeden z należących do trzeciej grupy klientów.

Na podstawie serii zdjęć lotniczych wykonanych przez zdalnie sterowany samolot Predator, a także materiału wideo nakręconego z ziemi ukrytą kamerą Finney i jego zespół wykonali replikę fabryki broni chemicznej w Afganistanie, którą oddział Harvatha miał zlikwidować.

Wszyscy żołnierze Harvatha bardzo wysoko ocenili ćwiczenia w Walhalli i Lokalizacji Szóstej, przyznając, że właśnie one dały im przewagę bojową, która sprawiła, że misja zakończyła się powodzeniem.

Tamte ćwiczenia, a także wyjątkowe poczucie humoru Finneya scementowały między nimi przyjaźń, która przyniosła Harvathowi nie tylko propozycję pracy w charakterze instruktora w Walhalli i Lokalizacji Szóstej, lecz także bezterminowe zaproszenie do kurortu, gdyby tylko potrzebował ucieczki od Dystryktu Kolumbii i wypełnionego wytężoną pracą życia agenta Stanów Zjednoczonych walczącego z terroryzmem.

Mimo że Harvathowi przydałby się teraz wypoczynek w pięciogwiazdkowym hotelu, to nie dlatego znalazł się na chodniku przed lotniskiem w Montrose. Przybył tu, ponieważ Timothy Finney w nigdy niekończących się staraniach, by stworzyć jak najlepsze warunki treningowe dla ludzi szkolących się w Walhalli i Lokalizacji Szóstej, rozwinął ostatnio zupełnie nowy projekt, dzięki któremu po raz kolejny stało się głośno o jego twórcy w światku amerykańskiego wywiadu.

10

Prowadząc samochód, Finney sięgnął za fotel, wyciągnął z lodówki zimne piwo i zaoferował je swojemu gościowi.

Harvath pokręcił głową.

– W takim razie odwołam też tańczące dziewczyny – stwierdził Finney, odstawiając piwo z powrotem.

Harvath nie odpowiedział. Myślami był milion kilometrów dalej. Wyjął komórkę i sprawdził, czy ma nowe wiadomości. Dał ojcu Tracy i pielęgniarkom swój numer, na wypadek gdyby cokolwiek się zmieniło. Wyjaśnił też Billowi Hastingsowi najlepiej, jak umiał, dlaczego musi wyjechać.

Zasięg telefonów komórkowych w kurorcie jest wyjątkowo słaby, powinien był podać również numer stacjonarny. Zadumę przerwało pytanie Tima:

– Chcesz coś zjeść, kiedy przyjedziemy, czy wolisz przystąpić od razu do rzeczy?

– Zjedzmy później. – Harvath schował telefon. – Nikt nie będzie musiał zostawać po godzinach z mojej winy.

Finney zarechotał. Jego śmiech, tak samo jak głos, pasował do masywnej postury: miał brzmienie basso profundo.

– W Sargasie zatrudniamy ludzi na trzy zmiany, więc pracują całą dobę.

– Interes aż tak dobrze się kręci?

Tim znów się roześmiał.

– Wciąż powtarzam, że byle tylko, broń Boże, nie nastąpił w najbliższej przyszłości pokój.

– Bez obaw – odparł Scot, spoglądając na swoje odbicie w szybie na tle ciemniejącego nieba. – Nie grozi nam to.

Gadali tak przez resztę drogi do kurortu. Finney znał Harvatha na tyle dobrze, by wiedzieć, że gdyby chciał porozmawiać o tym, co się stało z Tracy, sam poruszyłby temat.

Harvath tego nie zrobił, więc mówili o wszystkim, tylko nie o tym.

Zbliżając się do głównej bramy Elk Mountain, Finney zgłosił przez radio swoje przybycie wraz z „jedną osobą".

Mimo że strażnicy znali szefa i jego wóz, i tak zatrzymali hummera, wpisali jego przyjazd do rejestru, sprawdzili dokładnie samochód i dopiero wtedy go przepuścili. Harvathowi zawsze imponował poziom ochrony w Elk Mountain.

Przy głównym budynku Tim zatrzymał się, żeby podwieźć dyrektora operacyjnego Rona Parkera. Był to szczupły, dobiegający czterdziestki facet z kozią bródką, mniej więcej tego samego wzrostu co Harvath.

Parker usadowił się na tylnym siedzeniu, wyjął z lodówki puszkę coorsa i szturchnął Harvatha w lewe ramię.

– Fajnie cię znowu widzieć – powiedział.

Kiedy podniósł wzrok, zobaczył we wstecznym lusterku uniesione brwi Finneya.

– Co jest? – zapytał.

– Uważasz, że to odpowiednie zachowanie? – skarcił go Finney.

Parker pochylił się między przednimi fotelami i otworzył piwo.

– Masz spieprzony drugi bark, Scot, racja?

Harvath pokiwał głową.

– Lewy jest w porządku. Nie przejmuj się.

Parker wyszczerzył zęby, rozsiadł się i pociągnął solidny łyk piwa.

– Wiesz, że nie o to mi chodzi, prawda? – Finney nie odpuszczał.

– Słuchaj, od dziesięciu minut nie jestem na służbie. A co robię w prywatnym czasie, to wyłącznie moja sprawa.

– W takim razie jesteś zwolniony. Jutro rano będziesz miał na biurku wymówienie.

Parker znów pociągnął piwa.

– Super, nabiję je na szpikulec tak jak wszystkie poprzednie.

Obaj słynęli z profesjonalizmu, ale gdy Harvath poznał ich lepiej, zdał sobie sprawę, że stosują ważne rozgraniczenie. Karierę i pracę w Elk Mountain traktowali bardzo poważnie, ale nigdy nie brali zbyt serio samych siebie, zwłaszcza w towarzystwie przyjaciół.

Tim zauważył uśmiech Harvatha.

– Dobrze mieć cię z powrotem.

– Niewiele się zmieniło, co? – zauważył Harvath.

Tim sięgnął muskularnym ramieniem do tyłu i skinął, żeby Parker podał mu piwo.

– Po twojej ostatniej wizycie podwoiliśmy liczbę zamków na drzwiach do piwnicy z winami, ale poza tym wszystko jest po staremu.

Parker i Finney ograniczyli się do wypicia tylko po jednym piwie. Finney wydudlił swoje dwoma potężnymi haustami, akurat gdy podjechali do następnego punktu kontrolnego. Tym razem wszyscy musieli pokazać dokumenty ze zdjęciem. Wartownicy, podobnie jak ci przy bramie, ubrani w kombinezony bojowe Blackhawk, mieli też kamizelki kuloodporne i jawnie nosili broń.

Harvath wiedział, że poprzedni strażnicy też byli uzbrojeni, tylko się z tym nie afiszowali. Tu jednak ludzie Finneya bardzo wyraźnie manifestowali swoją siłę. Dwaj trzymali H&K 416, trzeci, ze zmodyfikowaną strzelbą Benelli kaliber 12, ani na sekundę nie spuszczał z oczu pasażerów hummera. Harvath nie miał pojęcia, skąd Finney bierze swoich strażników, ale na pewno dobrze się na tym znał.

Kiedy minęli punkt kontrolny i pojechali w kierunku ośrodka Sargas, Harvath zapytał:

– Byli policjanci ze SWAT?

– Z Sił Specjalnych – odparł Parker.

Roześmiał się z niedowierzaniem.

– Nie zalewaj.

– Powaga – stwierdził Finney.

– Robią za wartowników?

– Warta to tylko jeden z ich obowiązków – mówił Parker. – Stosujemy rotację, tak że każdy musi raz w miesiącu odstać swoje.

– Orientuję się, ile kasy tacy goście wyciągają w prywatnym sektorze. Macie bardzo kosztownych ochroniarzy.

Finney uśmiechnął się.

– I wartych każdego centa.

– Ale nie wyciągaj pochopnych wniosków – wtrącił Parker. – Mają tu jak u Pana Boga za piecem. Dostają wysokie premie i pakiet adaptacyjny, dzięki czemu zarabiają znacznie lepiej niż gdziekolwiek indziej.

Harvath popatrzył na Finneya, a ten przytaknął.

– Już się nawet nie ogłaszamy. Sami do nas przychodzą.

Terenówka zatrzymała się przed słabo oświetloną bramą, która wyglądała jak wejście do starego szybu kopalni.

Harvath już miał zapytać, gdzie są, kiedy zobaczył wyblakłą tabliczkę nad bramą, a na niej napis: „Kompania Wydobywcza Sargas". Patrzył na niepozorne wejście do siedziby najnowszego wywiadowczego przedsięwzięcia Finneya.

11

Trzydzieści metrów w głąb opadającego tunelu, który prowadził do górniczego szybu, Harvath podświadomie spodziewał się spotkać za chwilę przewodnika wycieczki z autentycznym podświetlanym kaskiem górniczym na głowie albo brodatego, obsypanego pyłem i noszącego szelki aktora, który raczyłby ich opowieściami o Starej Kopalni Szczęśliwej Siódemki. Dwa kroki dalej zmienił jednak zdanie.

Musiał oddać Timowi Finneyowi sprawiedliwość. Nie przywitały ich żadne pneumatycznie zamykane, naszpikowane elektroniką drzwi z nierdzewnej stali rodem z filmów o Jamesie Bondzie. Za to drogę zagrodziły im drzwi zbite z pięciu starych desek i dwóch nieoheblowanych poprzecznych listew, a całość wyglądała, jakby ledwo trzymała się na zawiasach.

Do drewna przybito dość niepozorną tabliczkę z ostrzeżeniem: „Niebezpieczeństwo. Wstęp wzbroniony".

Finney wydobył zestaw kluczy i otworzył pordzewiałą kłódkę, która spinała ciężki żelazny łańcuch przy drzwiach. Potem poprowadził ich w dół szerokim, wykutym w skale tunelem. Cała trójka szła teraz wzdłuż torów, którymi, jak zgadywał Harvath, transportowano kiedyś gruz i złoto na zewnątrz.

Tunel schodził nadal łagodnie w dół. Po następnych trzydziestu metrach rozszerzał się, a w głębi ukazały się rzędy zapalonych lampek.

Kiedy tam dotarli, powitali ich następni strażnicy. Mimo że wyglądali równie groźnie jak poprzedni, po prostu ich przepuścili.

– Wystarczy, że wasi wartownicy zejdą paręset metrów pod ziemię, a zaczynają się opierdalać, co? – zażartował Harvath.

Finney i Parker uśmiechnęli się.

– Nie masz pojęcia, ile pasywnych stanowisk ochrony minąłeś po drodze – powiedział Parker. – Nie dość, że twoja temperatura ciała i tempo bicia serca są monitorowane nieustannie, odkąd wszedłeś do tunelu, to jeszcze wiemy, czy masz przy sobie broń, materiały wybuchowe, substancje w postaci proszku, płynu czy żelu.

– Czyli wiecie o mnie praktycznie wszystko poza tym, czy noszę bokserki czy slipy – podsumował Harvath.

– To też wiemy – odparł Parker, udając, że wsłuchuje się w słuchawkę krótkofalówki. – Wygląda na to, że są to granatowe slipki z wyszywanym cekinami napisem: „Do boju".

Harvath uśmiechnął się i pokazał mu środkowy palec. Szli dalej, aż dotarli do windy górniczej. Finney uniósł kratę i kiedy wsiedli, wyciągnął z kieszeni kartę magnetyczną, przesunął ją przez czytnik, a następnie okazał prawy kciuk i źrenicę do weryfikacji biometrycznej. Komputer potwierdził jego tożsamość i winda ruszyła w dół.

Wysiedli na dnie szybu, gdzie czekał na nich pikap dodge ram z redukcją spalin, zaprojektowany specjalnie do jazdy pod ziemią.

Gdy kierowca wiózł ich w głąb kopalni, Finney wyjaśnił cel Programu „Sargas".

– Odwiedzają nas oddziały Delty z Fort Bragg, CIA z Camp Perry oraz SEAL z Fort Story i wszystkim bardzo podobają się nasze szkolenia, ale ostatecznie bez względu na to, jak dobrze przygotowani są ludzie, ich powodzenie albo porażka zależą od jednego krytycznego czynnika: informacji wywiadowczych. Tak przyszedł mi do głowy pomysł i zadzwoniłem do kilku znajomych ze wschodu. Cały czas słyszymy o tym, jak bardzo wykruszają się ludzie ze specjalnych oddziałów operacyjnych, rzucają wojsko i idą pracować dla takich grup, jak Blackwater czy Triple Canopy, gdzie mogą kosić znacznie większą kasę. Nie słyszy się natomiast o wykruszaniu się ludzi w środowiskach wywiadowczych. Nigdy nie chciałem prowadzić prywatnej korporacji wojskowej w ścisłym sensie. Jednak prywatna firma wywiadowcza to zupełnie coś innego, a wydawało się, że takie posunięcie jest bardzo na czasie.

Harvath musiał się przytrzymać zagłówka przed sobą, gdy jechali po wertepach. Kiedy droga znów się wyrównała, zapytał:

– Rozumiem, jak zarabiasz na Walhalli i Lokalizacji Szóstej, ale jakie można mieć dochody z firmy wywiadowczej?

– Zarabiamy na dwa sposoby. Po pierwsze, nie muszę się zajmować całym światem. Skupiam uwagę wyłącznie na tych regionach, gdzie najwięcej się dzieje. Cały materiał wywiadowczy na temat terroryzmu, jaki zbieramy i analizujemy, pochodzi z obszarów, gdzie rząd Stanów Zjednoczonych jest przeciążony i robi bokami. Po drugie, tego, co robimy, nie nadzoruje Kongres, więc mamy więcej swobody w naszych działaniach. Niektóre agencje są nam skłonne płacić mnóstwo forsy za to, żebyśmy zbierali dla nich informacje. Jeśli chodzi o działalność operacyjną, to przerób mamy dwa razy większy, niż ja i Ron planowaliśmy na tym etapie. Faceci z CIA, Agencji Bezpieczeństwa Narodowego, FBI i innych agencji walą drzwiami i oknami, żeby się u nas zatrudnić.

Harvath pokręcił głową. Finney był niesamowity.

Wóz zatrzymał się przy ostatnim punkcie kontrolnym naprzeciwko pary ciężkich, opancerzonych drzwi. Zostali przepuszczeni i Finney poprowadził ich piechotą do samego serca Centrum Operacyjnego Programu Wywiadowczego „Sargas".

Wyglądało zupełnie inaczej, niż Harvath się spodziewał. Kiedy weszli do środka, stracili poczucie, że znajdują się w kopalni setki metrów pod powierzchnią ziemi. Gdyby tego nie wiedział, mógłby przysiąc, że jest w jakimś nowoczesnym ośrodku badawczo-rozwojowym Microsoftu.

Zniknęły żarówki w drucianych klatkach przymocowane do nierównych, ociosanych tylko z grubsza skalnych ścian, które zostawili za sobą. Zamiast nich we wnękach pod sufitem zainstalowano nowoczesne lampy emitujące białe, naturalne światło. Podłogi lśniły wyłożone wypolerowanymi tablicami granitu, a biura były oddzielone od siebie taflami dźwiękoszczelnego szkła o regulowanej elektronicznie przejrzystości, która zapewniała poziom prywatności dostosowany do wymagań pracowników.

Niewiarygodnie cienkie monitory o dużej rozdzielczości, przymocowane do szklanych ścian, pełniły funkcję okien na świat zewnętrzny. Kiedy mijali sceny Alp Szwajcarskich, boliwijskiego lasu tropikalnego i skalistego wybrzeża Maine, Finney wyjaśnił, że pracownicy mogą wybrać swój własny „widok" z bazy danych, gdzie przechowywane są zdjęcia z całego świata. Był to tylko jeden z pomysłowych szczegółów, o jakie zadbał szef, żeby jak najbardziej uprzyjemnić swoim pracownikom pobyt pod ziemią.

Na końcu następnego korytarza skręcili w lewo i dotarli do biura, gdzie wirtualne okno przedstawiało rzekę i skaliste góry w tle. Na pierwszym planie mężczyzna w woderach łowił ryby na muchę. Z ukrytego głośnika dobiegał szum łagodnie płynącej rzeki.

– Tom powinien zaraz wrócić. – Finney miał na myśli nieobecnego pracownika. – Możemy tu na niego zaczekać.

Na chromowym blacie biurka leżała starannie ułożona sterta teczek biurowych, samotne srebrne pióro i bloczek żółtych karteczek samoprzylepnych. Kimkolwiek był pracujący tu facet, albo nie miał zbyt wiele do roboty, albo umiał ją sobie doskonale zorganizować. Sądząc po tym, co mówił mu wcześniej Finney, Harvath domyślił się, że raczej chodzi o to drugie.

Skupił uwagę na wirtualnym oknie i podziwiał właśnie widok, kiedy Tom Morgan wszedł do gabinetu.

– To Snake River – powiedział, gdy postawił na biurku kawę w papierowym kubeczku i laptop. – Jedno z najlepszych na świecie łowisk do wędkowania muchowego.

– Ten odcinek znajduje się tuż za doliną Jackson Hole w Wyoming. W Island Park, prawda? – spytał Harvath, odwracając się do niego.

– A więc pan też łowił w Snake River.

Harvath pokiwał głową.

– W odnodze Henry'ego i w Południowej. Właściwie mam wrażenie, że wędkowałem dokładnie w tym miejscu – dodał, skinąwszy przez ramię na monitor. Natychmiast rozpoznał tę scenerię.

Zamierzał zabrać tam Tracy na jesieni, żeby nauczyć ją wędkowania. Nie byłoby już letnich tłumów, liście zaczynałyby żółknąć, a góry wyglądałyby cudownie. Zarezerwował nawet chatkę w Dornans na skraju Parku Narodowego Grand Teton. Teraz zastanawiał się, czy w ogóle będą mieli okazję gdziekolwiek razem pojechać.

– Uwielbiam Snake, ale w Kolorado też jest dużo fajnych łowisk. To jeden z powodów, dla których wziąłem tę pracę – mówił Morgan, wyrywając Harvatha z zadumy.

Scot przyjął tę uwagę z pełnym zrozumienia uśmiechem, kiedy Tim Finney ich sobie przedstawił. Tom Morgan, emerytowany agent Agencji Bezpieczeństwa Narodowego, dobijał siedemdziesiątki. Nosił okulary, miał wąsy i kulał – rezultat nieudanej operacji w terenie, o której nigdy nie chciał rozmawiać.

Po latach pracy w garniturze i pod krawatem w siedzibie Agencji w Fort Meade, z radością wrócił do nieco swobodniejszego stylu obowiązującego w Elk Mountain. Dziś był w dżinsach, kraciastej koszuli i tweedowej marynarce. Sprawiał wrażenie bardzo wysportowanego jak na swój wiek, a gdy mówił, w jego głosie pobrzmiewał lekki nowoangielski akcent. Harvath zgadywał, że pochodzi z Rhode Island albo z New Hampshire.

– Właśnie dzięki Tomowi zaprosiłem cię tu – oświadczył Finney, kiedy wszyscy usiedli.

Harvath tylko na to czekał.

– Co pan ma?

– Myślę, że zlokalizowaliśmy tajny składzik Trolla.

Harvath uniósł brwi.

– Ze wszystkim?

Morgan spojrzał na niego i uściślił:

– Rachunki bankowe, bazy danych, wszystko.

12

A więc wygląda na to – mówił Finney, gdy Tom Morgan zaprezentował swoje wyniki i zamknął laptop – że trzymamy tego małego wypierdka za jaja. Pytanie brzmi tylko, jak mocno chcesz je ścisnąć, Scot?

Harvath był pod wrażeniem. Finneyowi z jego Programem Wywiadowczym „Sargas" udało się dokonać czegoś, czego władze Stanów Zjednoczonych nie chciały lub nie mogły zrobić. Zlokalizował skrytkę z supertajnymi informacjami, których kupnem i sprzedażą zajmował się Troll.

Decyzja nie należała do trudnych. Troll pomógł al-Kaidzie w zorganizowaniu ataków na Nowy Jork.

No i dochodziła jeszcze sprawa Tracy.

Spojrzawszy na Finneya, Harvath powiedział:

– Chcę je ścisnąć tak mocno, żeby gały wyszły mu na wierzch.

Pan Rozróba skinął na Morgana, a emerytowany pracownik Agencji Bezpieczeństwa Narodowego podniósł telefon i wystukał numer. Życie Trolla miało za moment ulec dramatycznej zmianie.

13

Angra dos Reis,
Brazylia

Trzy godziny jazdy samochodem na południowy zachód od Rio de Janeiro, albo czterdzieści pięć minut prywatnym helikopterem, znajdowało się najbardziej ekskluzywne wakacyjne miejsce w Brazylii, zatoka Angra dos Reis.

Znana z ciepłych wód, białych piaszczystych plaż i bujnej roślinności Angra dos Reis, lub po prostu Angra, jak nazywali ją wtajemniczeni, miała trzysta sześćdziesiąt pięć wysepek – po jednej na każdy dzień w roku. Było to miejsce mistyczne, gdzie bryza niosła egzotyczny zapach tropikalnych kwiatów, który upajał przyjezdnych.

Gdy w 1502 roku odkryli ją portugalscy żeglarze, jeden z oficerów napisał do domu, że znaleźli się w raju.

Rajska Angra wabiła wszystkich, pragnących uciec od reszty śmiertelników, a takiego odosobnienia właśnie Troll potrzebował. Chciał się gdzieś zaszyć, ale nie rezygnować z pewnych dogodności cywilizacji.

Prywatna wyspa, którą wynajął, miała siedemset metrów długości i trzysta szerokości. Nazywała się Algodão. Dysponował na niej lądowiskiem dla helikopterów, jachtem motorowym i domem, który mógł się równać z największymi luksusowymi hotelami świata. Obecnie na wyspie mieszkały tylko trzy żywe dusze: Troll i jego dwa śnieżnobiałe owczarki kaukaskie Argos i Draco.

Ważące blisko dziewięćdziesiąt kilogramów każdy i mierzące sto pięć centymetrów w kłębie, te olbrzymie zwierzęta należały do rasy psów używanych przez wojsko rosyjskie, a także służby NRD do patrolowania granic. Nadzwyczaj szybkie i ostre, bezwzględnie broniły swojego terytorium. Stanowiły idealną ochronę dla człowieka, którego wzrost nie przekraczał jednego metra i który miał bardzo potężnych wrogów – wielu z nich było jego klientami.

Troll hołdował dewizie, że wiedza nie równa się władzy. Dawało ją dopiero umiejętne wykorzystanie wiedzy. Z czasem przekonał się, że mogło ją dawać również bogactwo.

Wyznając tę zasadę, Troll zarabiał na bardzo wygodne życie – zajmował się kupnem i sprzedażą ściśle tajnych informacji. Każda tajemnica miała pewną wartość, lecz sztuka polegała na tym, by wiedzieć, jak połączyć właściwe elementy, tak by stworzyć prawdziwe arcydzieło. W tym właśnie Troll był niezrównany. Mogło się wydawać niewiarygodne, iż chłopak, którego przyszłość rysowała się tak mizernie, że nawet rodzice odmówili mu opieki, potrafił zapewnić sobie luksusowe życie.

Kiedy stało się jasne, że Troll już więcej nie urośnie, jego bezbożni gruzińscy rodzice nie zadali sobie najmniejszego trudu, by znaleźć dla niego kochający dom, nie oddali go nawet do sierocińca. Po prostu pozbyli się chłopca, sprzedając go do burdelu na skraju czarnomorskiego kurortu, Soczi. Tam był głodzony, bity i zmuszany do tak ohydnych praktyk seksualnych, że zawstydziłyby nawet markiza de Sade.

Właśnie w burdelu Troll poznał prawdziwą wartość informacji. Łóżkowe rozmowy znaczących klientów, którym seks i alkohol rozwiązywały języki, okazały się żyłą złota, gdy tylko nauczył się słuchać zwierzeń i wykorzystywać je do własnych celów.

Kurwy, w większości też życiowe rozbitki i wyrzutki, współczuły karłowi. Właściwie stały się jedyną rodziną, jaką kiedykolwiek znał, on natomiast odwdzięczył się za dobre traktowanie, gdy pewnego dnia kupił im wolność. Kazał torturować burdelmamę i jej męża, a potem zabić ich za nieludzkie cierpienie, jakie zadawali mu przez lata.

Z popiołów młodości Troll powstał jako ognisty feniks uzbrojony w najwyższym stopniu rozwinięty zmysł biznesowy i nienasycony apetyt na wszystko, co w życiu najlepsze.

Siedział w salonie pod dachem z palmowych liści, trzymając w drobnych dłoniach kieliszek bordeaux château quercy st. emilion i przez szklaną podłogę przypatrywał się barwnym rozgwiazdom oraz migotliwym ławicom ryb, które pływały w podświetlonej wodzie. Istotnie, przeszedł bardzo długą drogę od czasów burdelu w Soczi. Ale czy to mu wystarczało?

Draco podniósł wzrok, gdy jego pan zsunął się z fotela i podreptał przez salon, odziany w ręcznie szytą piżamę Stubbs & Wooton Sisal. Argos spał dalej, wciąż dochodząc do siebie po ranie, jaką odniósł na Gibraltarze. Wszystkim im dobrze zrobił wyjazd z siedziby Trolla w deszczowych szkockich górach. Pogoda w Brazylii była znacznie przyjemniejsza. A to miejsce bardziej bezpieczne.

Mimo że mało kto wiedział o jego domu w Eilenaigas, Troll mógł się tam czuć zagrożony przynajmniej jeszcze przez jakiś czas. Po tym, co jego klienci zrobili w Nowym Jorku, wiedział, że Amerykanie są – zupełnie dosłownie – żądni krwi. Widział to zresztą na własne oczy na Gibraltarze. Gdyby żył jeszcze przez tysiąc lat, i tak nie zapomniałby straszliwej, makabrycznej śmierci, którą amerykański agent operacyjny Scot Harvath zadał Mohammedowi bin Mohammedowi. Czegoś takiego nie mógł wymyślić żaden zdrowy psychicznie człowiek. A jednocześnie było to rozwiązanie wprost doskonałe. Mohammed zasłużył na taką śmierć, sadysta powinien przeżywać ją i milion razy, za to jak traktował Trolla w burdelu nad Morzem Czarnym.

Harvath dopuścił się niewiarygodnego okrucieństwa, wymierzając Mohammedowi karę, lecz niemal równocześnie dał zaskakujący dowód wrażliwości i współczucia. Argos z pewnością by nie przeżył, gdyby Harvath sam nie opatrzył mu rany, a potem nie znalazł dla niego weterynarza. Posunął się nawet do tego, że zapłacił doktorowi za operację zwierzęcia z własnej kieszeni. Choć Troll nigdy nie przepadał specjalnie za Amerykanami, ten człowiek zasługiwał w jego oczach na szacunek. Był bezwzględnym, zimnym zabójcą, który miał jednocześnie bardzo ludzkie odruchy.

Z myślą o kolacji Troll wyjął z lodówki kilka dużych steków wołowiny z Kobe – część specjalnej dostawy zamówionej z Japonii.

Japończycy słynęli z tego, że karmili swoje najlepsze bydło paszą zmieszaną z piwem i sake, no i oczywiście z masaży, jakich nie szczędzili zwierzętom. Troska i wysiłek wkładany w ich hodowlę dawały mięso o wspaniałym smaku. Tłuszcz tworzący marmurkowy wzorek zawierał znacznie mniej cholesterolu niż zwykła wołowina, a do tego ten niezrównany smak.

Kiedy wyłożył steki na kontuar, psy zjawiły się natychmiast, zwęszywszy wołowinę. Oba tak mało od niego oczekiwały, a tak dużo dawały w zamian. Były jego nieustannymi towarzyszami, wierniejszymi i uczciwszymi niż większość ludzi.

Dostały po steku, dopadły do misek, które postawił na podłodze, i wołowina zniknęła w okamgnieniu.

Przygotowawszy kolację dla siebie, Troll postawił talerz na stole w jadalni, odkorkował butelkę château quercy i wgramolił się na siedzenie.

Stek był idealny. Nóż wchodził w delikatne mięso jak w miękki, dojrzały ser brie.

Delektował się każdym kęsem, popijając wino. Po posiłku odniósł naczynia do kuchni.

Nalał sobie kieliszek germain-robin XO, wziął duży łyk i zamknął oczy. Pomimo wszystkich osiągnięć, życie Trolla upływało w samotności.

14

Okna salonu, zamocowane na specjalnych szynach, można było rozsunąć tak, że pokój otwierał się na morze. Lekka bryza niosła zapach oceanu, który mieszał się z wonią rosnących na wysepce egzotycznych kwiatów. Tylko Brazylijczycy mogli stworzyć wieczór tak idealny, pomyślał Troll, gdy usadowił się przy stoliku, służącym mu za biurko, i otworzył swój wysłużony laptop General Dynamics XR-1 GoBook. Za pomocą małej anteny satelitarnej ustawionej na zewnątrz połączył się z zespołem wynajętych na wyłączność serwerów ukrytych głęboko w bunkrze we wschodnich Pirenejach.

Pewien brytyjski przedsiębiorca zaryzykował pomysł, że szwajcarskie podejście do bankowości można zastosować do świata cyfrowego.

Ośrodek, który Brytyjczyk stworzył w europejskim księstwie Andory, był zaopatrzony w niepomierne zapasy energii, ponadstandardową liczbę sieciowych kanałów zasilających, system ochrony przeciwpożarowej FM200, superwydajną klimatyzację i wielostopniowy system uwierzytelniania dostępu. Serwery łączyły się z siecią za pomocą przewodów szerokopasmowych o ogromnej przepustowości i korzystały z usług licznych providerów, zapewniając klientowi stały i szybki dostęp do danych. Wszystko to brzmiało dla uszu Trolla jak muzyka. Użycie serwerów w jego posiadłości nie wchodziło w rachubę, przynajmniej na razie, ze względów bezpieczeństwa. Jeśli dobrze się przyczai, amerykańskie służby wywiadowcze przestaną go w końcu szukać, lecz teraz musi się trzymać od swojego domu w Szkocji z daleka.

Ostatecznie jednak pobyt na prywatnej wyspie w Brazylii nie stanowił wcale takiego złego rozwiązania. Na świecie istniało mnóstwo gorszych miejsc niż to, o czym Troll doskonale wiedział.

Słuchając kojącej muzyki fal obmywających skalisty brzeg, zalogował się na swój główny serwer i rozpoczął proces uwierzytelniający, aby uzyskać dostęp do danych. Wciąż jeszcze nie przekopał się przez furę informacji wywiadowczych, które wydobył ze ściśle tajnych baz danych Agencji Bezpieczeństwa Narodowego w Nowym Jorku podczas ataku al-Kaidy na miasto. Wykradł Amerykanom tyle materiałów, że przekraczało to jego najśmielsze marzenia.

Agencja Bezpieczeństwa Narodowego prowadziła Program „Atena", na cześć greckiej bogini mądrości. Najwyraźniej Grecy nie mieli bogini szantażu.

Było to szeroko zakrojone przedsięwzięcie czarnego wywiadu. Korzystając zarówno z systemu Echelon, jak i Carnivore Agencja zbierała kompromitujące informacje, w celu użycia ich w odpowiednim momencie przeciwko wrogom Stanów Zjednoczonych – rządom, zagranicznym politykom i wpływowym ludziom interesów.

Mówiąc wprost, Program „Atena" został stworzony po to, by zbierać i sortować najbardziej paskudne brudy. A gdy tylko trafiał się szczególnie smakowity kąsek, na przykład doniesienia o wypadku księżnej Diany, katastrofie samolotu TWA lot 800 albo prawdziwej przyczynie śmierci Jasera Arafata, zlecano agentom operacyjnym dokładne zbadanie sprawy i zdobycie jak najwięcej kompromitujących informacji. Dzięki temu, mając kwity na delikwenta, Amerykanie mogli trzymać go w szachu.

A gdy odkryli zmowę kilku potężnych zagranicznych osobistości, trafili po prostu na żyłę złota.

Troll nie powstrzymał się od uśmiechu. Było to przebiegłe, podstępne i zupełnie nieamerykańskie. Teraz wszystkie dane Agencji należały do niego. Dysponował kapitałem, który długo jeszcze będzie procentować. Musi jednak wystrzegać się przedwczesnych ruchów i zbyt pośpiesznego sprzedawania informacji. Najpierw wszystko dokładnie przestudiuje, żeby zrozumieć, jak poszczególne wiadomości łączą się ze sobą, potem przystąpi do ich oceny rynkowej. Na szczęście spece z „Ateny" odwalili znaczną część roboty za niego.

Kliknął katalog, nad którym ostatnio pracował, i czekał, aż na ekranie pojawi się wykaz dokumentów. Tylko że nic się nie pojawiło.

Kliknął jeszcze raz ikonę i czekał. Wciąż nic się nie działo. Sprawdził stan połączenia. Wyglądało, że jest w porządku. Więc dlaczego dane nie chciały się załadować?

Spróbował z innym plikiem, a potem z jeszcze jednym. Wszędzie to samo: puste! Serce podeszło Trollowi do gardła. Niemożliwe! To nie mogła być prawda.

Za bardzo przechylił kieliszek i brandy pociekła mu po brodzie. Otarł wąsy rękawem lnianej koszuli i zaczął sprawdzać każdy plik na każdym z serwerów.

Wszystkie puste.

Kiedy zbliżał się do końca, zobaczył animowaną ikonkę, której nie powinno tam być. Przedstawiała brodatego ludzika w hełmie z rogami, trzymającego mieczyk i tarczę. Ludzik przeskakiwał z nogi na nogę i przy co czwartym podskoku uderzał mieczem o tarczę.

Wyglądał jak mały wiking, ale Troll nie dał się zwieść pozorom. To nie był żaden wiking, tylko „Norweg" – pseudonim amerykańskiego agenta operacyjnego Scota Harvatha.

15

Rozwścieczony Troll kliknął ikonkę i otworzył katalog. Plik ładował się denerwująco wolno. Przez chwilę pomyślał, że to może być trik – sposób, żeby zatrzymać go w sieci na tyle długo, by amerykański wywiad mógł namierzyć jego miejsce pobytu.

Wreszcie plik się otworzył. Zawierał tabele ze wszystkich jego kont bankowych. Każdy z wyciągów wskazywał ten sam stan oszczędności: zero.

Troll wrzasnął i cisnął kieliszkiem brandy o ścianę. Psy poderwały się, ujadając.

Dorobek jego całego życia zniknął. Zabrali mu wszystko. Pozostała jedynie szkocka rezydencja, lecz jeśli Amerykanie okazali się tak sumienni, Troll nie wątpił, że zadbali też o to, by nie mógł nic z nią zrobić. Brytyjczycy mieli bardzo surowe przepisy dotyczące walki z terroryzmem. Amerykanom nietrudno byłoby przekonać tamtejsze władze do współpracy w takiej sprawie.

Psy wciąż szczekały. Troll chwycił cynową miseczkę wypełnioną pistacjami i już miał nią rzucić, gdy przyszło opamiętanie.

– Spokój – rozkazał i psy umilkły.

Musiał się zastanowić. Na pewno istniało jakieś wyjście z sytuacji.

Łączył się poprzez różne serwery ze swoimi kontami bankowymi rozsianymi po całym świecie, co zajęło mu dwie godziny. Potem, kontaktując się telefonicznie z poszczególnymi placówkami, raz za razem musiał wysłuchiwać tych samych tłumaczeń i przeprosin bankierów. Usiłowali udobruchać go pustymi obietnicami, że gruntownie zbadają sprawę, ale Troll wiedział, że to na nic. Amerykanie zrobili go na szaro. Wszystko mu odebrali. Był bankrutem.

Chociaż nie miał pojęcia, co teraz robić, jedno wiedział na pewno: Scot Harvath maczał w tym palce, a Troll zemści się na nim okrutnie.

Wrócił do jedynego dostępnego pliku, który pozostał na jego serwerach. Tańczący Norweg naigrawał się z niego, przeskakując z nóżki na nóżkę. Troll powoli przewijał dane na ekranie, aż wreszcie na coś natrafił.

Teraz zrozumiał, dlaczego plik tak długo się ładował. Do ikonki z irytującym podskakującym ludzikiem została doczepiona wiadomość.

Było to zaproszenie na prywatny czat od samego Scota Harvatha. Troll wyłączył komputer.

Musiał rozjaśnić umysł. Oparł się pokusie, by sięgnąć po następny kieliszek brandy. Zamiast tego w miedzianym tygielku zaparzył sobie mocnej tureckiej kawy i wrócił do salonu.

Troll rozmyślał, patrząc na kolorowe rybki pływające pod szklaną podłogą. Czekała go walka o przetrwanie, a chociaż podejrzewał, że znacznie przewyższa Harvatha potencjałem intelektualnym, nie wiedział, czym Amerykanin dysponuje. Niedocenienie go byłoby najgorszym błędem.

Ponieważ zaproszenie do chat roomu nie miało limitów czasowych, Troll postanowił zebrać najpierw jak najwięcej informacji na temat przeciwnika.

16

Jesteś pewien, że zobaczył link? – spytał Harvath.

Morgan pokiwał głową.

– Zaopatrzyliśmy ikonę w program, który miał nas powiadomić, gdy tylko Troll ją kliknie, a potem się wykasować. Zobaczył ją. Możesz mi wierzyć.

– Mimo wszystko nie podoba mi się, że to tak długo trwa – mówił Ron Parker, przechadzając się w tę i z powrotem wzdłuż stołu. Wszyscy przenieśli się do sali konferencyjnej ośrodka Programu „Sargas", gdzie mieściło się centrum dowodzenia, gdy musieli monitorować wrażliwe operacje. – Powinniśmy byli wyznaczyć mu czas na odpowiedź.

Tim Finney uniósł dłoń.

– Zgłosi się, panowie. Bez obaw. Facet nie ma wyboru. Gra na zwłokę, bo zmuszenie nas do czekania to jedyny atut, który mu pozostał, i chce go wykorzystać.

Parker przestał się przechadzać i nalał sobie kubek kawy z ekspresu stojącego na niskim kredensie. Nad meblem wisiał duży olejny obraz z wizerunkiem ryczącego łosia wśród bujnej roślinności.

– Może także zrezygnować z rozmów.

Harvath zawsze cenił przenikliwy zmysł taktyczny Parkera. Tylko głupcy nie brali pod uwagę odwrotu, gdy stanowił on najlepszą opcję. Ale w tym wypadku Harvath znał przeciwnika lepiej niż Parker. Troll mógł spróbować ich oszukać, ale nie po prostu zniknąć.

– Stawka w grze jest dla niego zbyt wysoka – powiedział Harvath, dając Parkerowi znak, że też napiłby się kawy. – Nie może sobie pozwolić na odejście od stołu. Będzie chciał odzyskać to, co mu zabraliśmy.

– Ma nawet spore szanse – odparł Parker, kiedy podał Harvathowi kubek i usiadł obok niego. – Wymyśliłeś już, co mu powiesz, kiedy wreszcie pojawi się na czacie?

– Może: Nie dość, że wyczyściliśmy twoje serwery i konta bankowe, to pozbawiliśmy cię członkostwa w stowarzyszeniu kurdupli, dupku? – odezwał się Finney, podchodząc do kredensu.

Harvath uśmiechnął się, mimo że nie czuł się najlepiej.

– O tym akurat nie pomyślałem. Dorzucę to do gara i zobaczymy, co wypłynie, kiedy nadejdzie pora.

– Właśnie nadeszła. – Tom Morgan przycisnął klawisz na swoim laptopie i przesunął komputer przez stół do Harvatha.

Płaskie monitory na ścianie sali konferencyjnej obudziły się do życia, ukazując stronę chat roomu w czasie rzeczywistym. Pojawiła się właśnie wiadomość, że dołączył do nich nowy rozmówca. Ponieważ był to prywatny chat room, który został stworzony specjalnie dla tej jednej rozmowy, wszyscy wiedzieli, że patrzą na wirtualny symbol człowieka znanego tylko pod pseudonimem Troll.

Palce Harvatha zawisły nad klawiaturą, lecz Finney pokręcił głową.

– Musieliśmy na niego czekać. Odwdzięczmy się pięknym za nadobne. Mamy przewagę. Dajmy mu to odczuć.

Harvath nie do końca zgadzał się z przyjacielem, ale poczekał. Po paru chwilach Troll oddał pierwszą salwę. Napisał:

„Zabrałeś coś, co do ciebie nie należy".

Harvath nie potrzebował podpowiedzi.

„Ty też".

„Chcę, żebyś natychmiast przywrócił mi konta bankowe i dane komputerowe".

„A ja chcę się dowiedzieć, kto strzelał do Tracy Hastings".

Nastąpiła dłuższa pauza. Wreszcie Troll odpowiedział:

„Więc o to w tym wszystkim chodzi?"

Po kolejnej przerwie karzeł dodał:

„Może dojdziemy do jakiegoś porozumienia".

Finney był gotów coś zasugerować, lecz Harvath uniósł dłoń, powstrzymując go. Wiedział, co robi.

„Jeśli będziesz współpracować, nie zabiję cię".

Troll odpisał:

„Grozili mi już znacznie potężniejsi ludzie od ciebie, a mimo to wciąż jestem wśród żywych. Będziesz musiał zaoferować mi więcej".

„W Nowym Jorku zabiłeś mojego przyjaciela. Masz szczęście, że oferuję ci aż tyle".

„Mówisz o starszym sierżancie Robercie Herringtonie. Jego śmierć bardzo mnie zasmuciła, ale powinno się odnotować, że zabili go ludzie al-Kaidy. Kiedy dokonano ataku, nie byłem nawet w pobliżu Nowego Jorku".

Harvatha zaniepokoiło, że Troll tyle o nim wie.

„Jak się dowiedziałeś, gdzie mieszkam?"

„Nie było to zbyt trudne".

„Więc się pochwal".

„Przeprowadziłem proste sprawdzenie transakcji kredytowych".

„Nie kupiłem nowego domu na swoje nazwisko. Żadne usługi nie są na moje nazwisko. Nie odbieram tam nawet poczty".

„Wiem", odpowiedział Troll. „Cała poczta idzie do lokalnej firmy przesyłkowej w Aleksandrii. Twój ostatni znany adres, zanim się wycwaniłeś, należał do mieszkania kilka przecznic dalej. Wynająłem kogoś, żeby sprawdził, czy wciąż tam mieszkasz. W dniu, kiedy mój człowiek stawił się na miejscu, przeprowadzałeś się właśnie do nowego domu. Mój pomocnik po prostu pojechał za tobą do nowego lokum. Z tego, co mi mówił, Bishop's Gate jest zresztą uroczym domkiem".

Harvath miał dość gadki-szmatki.

„Czy zleciłeś zabójstwo Tracy Hastings?

Troll nie śpieszył się z odpowiedzią. W końcu odpisał:

„Nie. Nie zleciłem zabójstwa".

„Wiesz, kto zlecił?"

„Może".

Harvath ledwie nad sobą panował.

17

Kilka chwil później Troll odpowiedział:

„Agencie Harvath, zabrałeś wszystko, co mam. Jeżeli nie wyłożysz na stół czegoś więcej niż pogróżki, że mnie zabijesz, to naprawdę nie widzę, co mógłbym zyskać na kontynuowaniu tej rozmowy".

Harvath spodziewał się takiego posunięcia i był gotowy do negocjacji.

„Mogę kupić od ciebie tę informację".

„Oczywiście, moimi pieniędzmi".

„Oczywiście".

„Chcę wszystko z powrotem", oświadczył Troll. „Połowę teraz jako wyraz dobrej woli, resztę po przekazaniu informacji".

Harvath powoli i z namysłem wystukał na klawiaturze:

„Dostaniesz milion wtedy i tylko wtedy, gdy przedstawisz mi dowód prawdziwej tożsamości człowieka, który strzelał. A dobrą wolę okażesz, podając nazwisko szpicla śledzącego mnie w Bishop's Gate".

„Nigdy nie ujawniam swoich źródeł", odpisał Troll. „Nawet za milion dolarów, co nawiasem mówiąc, jest tylko marnym ochłapem, biorąc pod uwagę, ile mi zabrałeś".

„W takim razie nici z umowy".

„Agencie Harvath, to, co się przytrafiło pannie Hastings, jest rzeczywiście godne ubolewania. Gdy tylko dowiedziałem się o tym, przepytałem szczegółowo mojego człowieka, ale on nie słyszał i nie widział nic, co mogłoby ci się przydać. Pojechał za tobą do domu, a nazajutrz rano zostawił pod drzwiami mój prezent".

Harvath od początku domyślał się, że wynajęty przez Trolla człowiek był tylko gońcem, najprawdopodobniej zatrudnionym za grosze podrzędnym prywatnym detektywem. Uznał, że może w tym punkcie ustąpić i zapomnieć o temacie.

Zanim zdążył wklepać na klawiaturze odpowiedź, Troll dodał:

„Słyszałem, że sprawca wymalował drzwi jagnięcą krwią".

Facet miał przerażająco dobre źródła. Harvathowi robiło się niedobrze na myśl, że taki drań może wcisnąć swoje paskudne macki wszędzie, gdzie tylko chce: umiał się nawet dobrać do wysoce wrażliwego dochodzenia federalnego.

„I co z tego?"

„Ano to, że rodem z Biblii, nieprawdaż?"

„Możesz mi pomóc czy nie?" – zapytał Harvath.

„Najpierw chcę dowodu dobrej woli z twojej strony".

„Już mówiłem, że pozwolę ci żyć".

„To raczej pusta groźba, zwłaszcza że nie masz zielonego pojęcia, gdzie jestem".

Harvath skinął na Toma Morgana, a potem napisał:

„Żebyś wiedział, że nie zniżam się do czczych pogróżek".

Ułamek sekundy później na ekranie pojawiło się zdjęcie wywiadowcze w podczerwieni, a Harvath dodał wyjaśnienie:

„To zdjęcie satelitarne zostało zrobione dziesięć minut temu nad twoją wyspą w Angra dos Reis. O ile się orientuję, siedzisz przed domem, a te dwa jaśniejsze punkty po lewej to twoje psy. Bardzo się mylę?"

Karzeł nie odpowiedział. Musiał być w szoku. Świadomość, że przeciwnik wie, gdzie mieszkasz, działa naprawdę wstrząsająco. Sprawiało satysfakcję zadanie Trollowi ciosu jego własną bronią.

„Tak więc teraz masz dowód mojej dobrej woli", dodał Harvath. „Nie rzucam słów na wiatr. Gdybym chciał cię zabić, już byś nie żył".

Upływały minuty, gdy Troll usiłował się domyślić, jak udało się go namierzyć. Wreszcie napisał:

„To przez ten przelew do zarządcy nieruchomości".

Tym razem to Harvath przesłał mu uśmiechniętą buźkę: ☺. Z pomocą Finneya pozbawił Trolla całego majątku i zupełnie wytrącił go z równowagi.

Parę minut później, Harvath dopisał spotulniałemu Trollowi ostatnie ostrzeżenie: „Nie wolno ci opuszczać wyspy. Jeśli to zrobisz, osobiście cię wytropię i zabiję".

18

Południowa Kalifornia

Opiekun zadzwonił do Philippe'a Roussarda w środku nocy.

– Wszystko przygotowałeś?

Roussard usiadł na łóżku i podłożywszy poduszkę pod głowę, oparł się o tandetną gipsową ściankę.

– Tak – odparł, wysuwając gitane'a z paczki na nocnej szafeczce. Zapalił papierosa.

– Ten nałóg kiedyś cię zabije – ostrzegł opiekun, gdy usłyszał trzask zamykanej zapalniczki i odgłos zaciągania się dymem.

Philippe odgarnął z czoła ciemne włosy i odparł:

– Twoja troska o moje zdrowie jest naprawdę wzruszająca.

Dzwoniący nie dał się sprowokować. Ostatnio ich stosunki były zbyt napięte. Jeśli chcieli, aby im się powiodło, musieli współpracować. Wziął głęboki oddech.

– Kiedy skończysz, będzie na ciebie czekać łódź. Lepiej, żeby nikt cię nie widział, gdy będziesz wchodził na pokład.

Roussard tylko prychnął. Nikt go nie zobaczy. Ludzie nigdy go nie zauważali. Był jak widmo, jak cień. Wielu wręcz wątpiło w jego istnienie. Choć oczywiście władze Stanów Zjednoczonych miały na ten temat inne zdanie.

Zanim go schwytano, nikt nigdy go nie widział. Nikt nie wiedział, jak się nazywa i jakiej jest narodowości. Amerykańscy żołnierze w Iraku nazywali go Juba i żyli w strachu, że staną się następnymi ofiarami snajpera.

Zawsze strzelał z co najmniej dwustu metrów, a zdarzało mu się zabijać z odległości tysiąca trzystu. Prawie wszystkie trafienia były idealne. Doskonale orientował się w typach opancerzenia stosowanego przez amerykańskich żołnierzy do ochrony ciała i dokładnie wiedział, w co celować: w dolną część kręgosłupa, w żebra albo tuż nad mostkiem.

Czasami, jak w wypadku czteroosobowego oddziału snajperskiego piechoty morskiej w Ramadi, likwidował swoje cele absolutnie czystymi strzałami w głowę. Mając sto ofiar na koncie, Roussard był bohaterem dla tych Irakijczyków, którym nie podobała się amerykańska okupacja, i aniołem zemsty dla swoich braci w oddziałach powstańczych.

Amerykanie ścigali go nieustępliwie i w końcu dopadli. Został przetransportowany do Guantanamo, gdzie miesiącami go torturowano. Sześć miesięcy temu, w cudowny sposób odzyskał wolność. Jego i czterech innych więźniów załadowano na pokład samolotu i porozwożono do domów. Tylko Roussard wiedział, dlaczego tak się stało i kim jest ich dobroczyńca.

Teraz, gdy wkładał na swoje potężne ciało kombinezon firmy Servpro, w pełni dostrzegał groteskowość sytuacji. Stany Zjednoczone w tajnych negocjacjach zgodziły się wypuścić na wolność jego i czterech pozostałych jeńców, żeby ochronić obywateli przed następnymi aktami terroru. A mimo to Roussard znalazł się tu, w samej Ameryce i przygotowywał się do następnego ataku.

19

Bez względu na nieprzyjemne nawyki, jakie Roussard musiał w sobie wyrobić, żeby wtopić się w zachodnie społeczeństwo, w głębi serca wciąż czuł się prawdziwym mudżahedinem. Jego natura buntowała się przeciwko zachowaniu opiekuna, który aż nazbyt przywykł do zachodnich zbytków, zwłaszcza do obfitego jedzenia i kosztownych trunków.

Francuska szkoła z internatem, w której Roussard się wychował, miała na niego znikomy wpływ poza tym, że nauczył się nie zwracać na siebie uwagi w szeregach wroga. Prawdziwe wykształcenie dały mu lata spędzone w pobliskim meczecie, a później kilka tajnych obozów szkoleniowych w Pakistanie i Afganistanie.

Tam dowiedział się, że „al-Kaida" nie znaczy wcale „baza", jak twierdziła w swojej ignorancji większość zachodnich mediów, lecz raczej „baza danych". Nazwa odnosiła się pierwotnie do pliku komputerowego zawierającego dane tysięcy mudżahedinów, których zrekrutowano i wyszkolono dzięki pomocy CIA, by pokonali Rosjan w Afganistanie.

Do tego pliku, o którym mówiono, że jest jednym z najpilniej strzeżonych sekretów dowództwa al-Kaidy, od lat dziewięćdziesiątych dodano jeszcze tysiące nazwisk. Młodsi mudżahedini mieli tak zróżnicowane życiorysy, narodowość i pochodzenie społeczne, że żaden rząd zachodni nie potrafił ujawnić skali zjawiska. Indoktrynowano ich, rekrutowano, szkolono i rozsyłano po świecie, by czekali na wezwanie do boju.

Kiedy Roussard jechał furgonetką przez most między San Diego a Coronado, zastanawiał się, co mogłoby mu się stać, gdyby został ujęty. Była to w końcu Ameryka, a swoje i tak już wycierpiał w Guantanamo. Gdyby złapali go na amerykańskim terytorium, nie musiał się obawiać najgorszego. Oto, jak łatwo dawali się wykorzystywać. Uchwalali zawiłe prawa, które lepiej służyły ich wrogom niż samym obywatelom.

Gdy Ameryka chwytała swoich wrogów terrorystów, brakowało jej odwagi, by posłać ich na śmierć. Zacarias Moussaoui, niewidomy mułła szejk Omar Abdel-Rahman, a nawet Ramzi Yousef dostali dożywocie. Byli świadectwem tchórzostwa i słabości Ameryki, dowodząc, że kraj ten musi ostatecznie upaść pod naporem prawdziwych wyznawców islamu.

Roussard wjechał na Trzecią Ulicę, pokonał kilka zakrętów i dwukrotnie zawrócił, chcąc się upewnić, że nikt go nie śledzi. Kiedy dotarł pod adres na Encino Lane, zaparkował furgonetkę u dołu podjazdu i ustawił pomarańczowe pachołki przed i za pojazdem. Mimo że wątpił, by ktokolwiek coś zauważył o tak późnej nocnej porze, wóz firmy naprawiającej skutki domowych katastrof mógł wzbudzić zainteresowanie sąsiadów, ale nie skłoniłby nikogo do wezwania policji.

Poszedłszy do frontowych drzwi, wyjął z kieszeni wytrych i ukrył go pod notebookiem w metalowej obudowie. Udając, że naciska dzwonek, po cichu pracował nad zamkiem; wiedział, że kobieta nie ma w mieszkaniu domowego systemu alarmowego.

Kiedy zapadka puściła, wśliznął się do środka i zamknął za sobą drzwi. Zatrzymał się w sieni, żeby wzrok przywykł do ciemności. W domu unosiła się lekka woń wosku do mebli, która mieszała się z zapachem pobliskiego morza.

Po chwili ruszył korytarzem w stronę głównej sypialni. Na ścianach wisiały rodzinne fotografie, większość zrobiona wiele lat temu.

Drzwi do sypialni, a także okna, były otwarte na oścież, kobieta leżała w łóżku, pogrążona w głębokim śnie. Podszedł bliżej, wetknął laptop pod lewą pachę i odpiął suwak kombinezonu.

Prawie wpadł w popłoch, myśląc, że zgubił niezbędną rzecz, gdy wymacał dłonią przedmiot, którego szukał.

Kiedy spojrzał znów na kobietę, doznał szoku. Miała szeroko otwarte oczy i wpatrywała się w Roussarda. Gdyby krzyknęła, byłoby po nim.

Złapał oburącz laptop, zamachnął się mocno i uderzył kobietę w lewy bok głowy.

Gdy otworzyła usta w niemym krzyku, Roussard zadał następny cios. Zamknęła oczy i znieruchomiała.

Krew z nosa i ucha spływała na długie siwe włosy, plamiąc nocną koszulę. Była nieprzytomna, ale wciąż żyła – tak właśnie Roussard chciał.

Rzucił laptop na łóżko, wziął kobietę na ręce i zaniósł do łazienki. Położył ją do wanny, zdjął koszulę nocną i wysmarował ciało wilgotną pastą. Następnie zakleił wszystkie otwory wentylacyjne w łazience taśmą.

Wyszedł na dwór i wyciągnął z furgonetki dwa szczelnie zamknięte plastikowe kubły oraz pas z narzędziami, po czym wrócił do łazienki, postawił kubły obok wanny i wyjął z kombinezonu buteleczkę z rozpylaczem.

Otworzył kobiecie najpierw prawe oko, a potem lewe, obficie spryskując je substancją z butelki, aż upewnił się, że płyn pokrył całkowicie gałki oczne. Robota była już prawie wykonana.

Wyjął z pasa śrubokręt i podważył pokrywki kubłów. Chwycił ręcznik wiszący obok muszli klozetowej i rzucił go na podłogę, tuż za drzwi łazienki. Już czas.

Zdjął pokrywki z kubłów, wysypał ich zawartość na wciąż nieprzytomną ofiarę, a potem czym prędzej wyszedł z łazienki, dokładnie zamykając za sobą drzwi. Szparę pod nimi zatkał ręcznikiem, oklejając dodatkowo taśmą. Następnie wyciągnął z pasa bezprzewodową wiertarkę oraz garść śrubek, którymi przykręcił skrzydło drzwi do framugi.

Wyszedł na zewnątrz, wrzucił pomarańczowe pachołki do furgonetki i powoli odjechał tą samą drogą, którą przybył.

W przybrzeżnym hotelu Marriott w San Diego Roussard zdjął kombinezon, wyszedł na zewnątrz, starł z furgonetki odciski palców i ruszył na przystań, gdzie czekała na niego łódź.

Gdy tylko wypłynął na otwarte atramentowo czarne morze, wyjął czysty telefon komórkowy i zadzwonił na policję, podając adres kobiety na Encino Lane w Coronado, która potrzebuje pomocy.

Kiedy zapytano go o nazwisko, Roussard uśmiechnął się i wyrzucił telefon za burtę. Wkrótce domyślą się, kto to zrobił.

20

Baltimore, Maryland

Tom Gosse, dyrektor domu pogrzebowego swojego imienia, powiedział Sheppardowi, że nie chce nagrywać ich rozmowy. To oznaczało, że reporter musiał notować, a robił najbardziej gówniane notatki na świecie.

Nie mógł winić za to Gosse'a, że postawił taki warunek. Jeśli to, co miał do opowiedzenia, było prawdą, to jedna osoba już została zabita, żeby zachować sprawę w tajemnicy.

Reporter siedział w swojej kuchni przy blacie i pił fostersa, przeglądając notatki. Dyrektor domu pogrzebowego okazał się solidnym gościem. Podczas wywiadu Sheppard kilkakrotnie wracał do omówionych wątków i celowo mieszał fakty, żeby zobaczyć, czy Gosse się wyłoży, lecz facet za każdym razem prostował. Sheppard nie wątpił w jego prawdomówność.

Pół roku temu, jak mówił, przyjechał do biura koronera po odbiór ciała. Kiedy czekał na wydanie zwłok, gadał ze swoim kumplem, asystentem koronera Frankiem Aposhianem. Znali się od dawna. Ich synowie chodzili do tego samego liceum, oni sami parę razy w miesiącu grywali razem w karty.

Tamtego wieczoru pogawędkę z Aposhianem przerwało dwóch mężczyzn, którzy przedstawili się jako agenci FBI i poprosili o rozmowę z asystentem koronera na osobności. Frank kierował tej nocy biurem, więc prośba wcale nie wydała się Gosse'owi dziwna. Funkcjonariusze organów ścigania wpadali do koronera bardzo często i na pewno nie po to, żeby napić się kawy.

Jeden z agentów poszedł z Aposhianem do gabinetu, drugi przyglądał się trupom, ale wydawał się zainteresowany tylko niezidentyfikowanymi zwłokami. Wiele ciał znajdowano w parkach, pod mostami lub w opuszczonych budynkach, często ze śladami żerowania na nich szczurów czy bezpańskich psów.

Odciski palców zmarłych sprawdzano w lokalnych oraz ogólnokrajowych bazach danych i delegowano śledczych do ich zidentyfikowania, ale najczęściej zwłoki pozostawały anonimowe. Praktykanci w kostnicy ćwiczyli na nich sztukę balsamowania, a potem ciała w trumnach ze sklejki grzebano w najbliższej kwaterze dla ubogich.

Gosse'a zdziwiło zachowanie agenta, który sprawiał wrażenie, jakby nie wiedział, kogo szuka. Nie miał żadnych zdjęć. Po prostu szedł od ciała do ciała, oglądając je, jakby kupował nowy zestaw kijów do golfa.

Kiedy po paru minutach wrócili Aposhian i towarzyszący mu funkcjonariusz, agent wskazał jedno z ciał, a zastępca koronera spisał numer identyfikacyjny z metki na palcu u nogi zmarłego, po czym zajął się przygotowaniem dokumentacji.

Worek ze zwłokami załadowano do niepozornie wyglądającej furgonetki i agenci odjechali.

Na pytanie Gosse'a, o co w tym wszystkim chodzi, Aposhian odparł, że sprawa jest tajna, i nie może nic powiedzieć. Takie dostał polecenie. Najwyraźniej rozpoznano zwłoki człowieka, zamieszanego w poważne przestępstwo kryminalne.

Historia powinna się była na tym zakończyć, lecz stało się inaczej. Agenci przedstawili papiery uprawniające ich do przejęcia zwłok, nalegali jednak, by Aposhian oddał im dokumenty koronera. Wyjaśnili, że FBI prowadzi skomplikowaną operację, która mogłaby spalić na panewce, gdyby śmierć faceta wyszła na jaw. Prośba dość niezwykła, ale funkcjonariusze zachowywali się nienagannie i mieli całą dokumentację w porządku, więc Aposhian nie widział powodu, by wdawać się z nimi w dyskusje. Dopiero kilka miesięcy później asystent koronera zdał sobie sprawę, że popełnił błąd.

Młody patolog, student, który mu tamtej nocy pomagał, przekazał akta nie tego nieboszczyka. Kiedy Aposhian zadzwonił do lokalnego biura FBI, żeby naprawić pomyłkę, usłyszał, że nie mają żadnych dokumentów potwierdzających, by agenci Stan Weston i Joe Maxwell kiedykolwiek u nich pracowali. Następnie Aposhian skontaktował się z główną siedzibą FBI w Waszyngtonie, ale tam poinformowano go, że w całym Federalnym Biurze Śledczym nie ma agentów o takich nazwiskach.

Aposhian sprawdził swoje notatki. Nie mogło być mowy o pomyłce. Nic w tej sprawie nie trzymało się kupy.

Przekazał kartę z odciskami palców niezidentyfikowanego nieboszczyka Sally Rutherford, śledczej w biurze koronera, z którą od jedenastu miesięcy byli parą. Nazajutrz miał na biurku wydrukowany e-mail.

Zdaniem Sally musiało dojść do jakiejś pomyłki. Dowiedziała się z bazy danych, że odciski palców należały do mężczyzny, który został zabity podczas strzelaniny z policją w Charlestonie w Karolinie Południowej, kilka dni po tym, jak agenci FBI zabrali zwłoki. Zadzwoniła do Departamentu Policji w Charlestonie i czekała na odpowiedź.

Aposhian uważał, że to kolejny dowód biurokratycznego bałaganu, ale zmienił zdanie, gdy pewnego dnia wieczorem znów go odwiedzili agenci FBI.

Dyrektor zakładu pogrzebowego, który był akurat u niego na partyjce pokera, z początku nie rozpoznał funkcjonariuszy. W końcu minęło sześć miesięcy, odkąd widział ich w biurze koronera.

Poprosili Aposhiana o chwilę rozmowy na osobności; wyszedł z nimi na zewnątrz, a kiedy wrócił, był wstrząśnięty.

Gosse zapytał przyjaciela, co się dzieje, ale Aposhian nie chciał o tym mówić. Co więcej, powiedział, że źle się czuje, zarządził koniec gry i całe towarzystwo rozeszło się do domów.

Nazajutrz Gosse zjawił się w biurze koronera po odbiór zwłok i miał właśnie zapukać do drzwi Aposhiana, gdy z wewnątrz dobiegły go odgłosy kłótni. Odsunął się od drzwi, a po chwili te otworzyły się i z gabinetu wypadła jak burza Sally Rutherford. Gosse nie zamierzał się wtrącać, ale przyjaciel wyglądał na bardzo zdenerwowanego.

Było jasne, że Aposhian potrzebuje rozmowy, ale nie mogą pogadać w biurze. Umówili się więc na spotkanie tego samego dnia wieczorem w domu pogrzebowym.

Kiedy przyjaciel przyszedł, Gosse przekierował telefony do firmy usług sekretarskich i otworzył butelkę burbona marker's mark. Napełnił dwie szklanki i postawił na biurku. Nie ponaglał do rozmowy. Po prostu czekał, aż Aposhian sam zacznie mówić, a ten opowiedział mu nieprawdopodobną historię.

21

Montrose, Kolorado

Upłynęło kilka godzin, odkąd Harvath przyjechał do Elk Mountain. Podczas gdy pracownicy Programu „Sargas" monitorowali prywatny chat room, na wypadek gdyby Troll znów się odezwał, gospodarze Harvatha postanowili zawieźć go do kurortu na obiad.

Główny budynek Elk Mountain przypominał okazałą leśniczówkę z XIX wieku. Usiedli na tarasie ogrzewanym kamiennym kominkiem, skąd mieli piękny widok na jezioro.

Zamiłowanie Finneya do perfekcji widać było na każdym kroku, objawiało się nawet w tym, jaki ogień płonął w kominku. Kiedy zjawił się dyskretnie pracownik obsługi z koszem drewna, Finney wyjaśnił, że do opału używają odpowiednio dobranej mieszanki orzecha, buka, eukaliptusa i odrobiny starego drewna sosnowego dla aromatu.

Dbałość o szczegóły przejawiała się, nawet bardziej, w sposobie komponowania dań serwowanych w kurorcie. Finney nie żałował pieniędzy, by zdobyć jednego z najlepszych kucharzy w kraju. Facet był kulinarnym geniuszem, który wprowadził modę na kuchnię alpejską, i miał więcej nagród Jamesa Bearda, Zagat i Wine Spectator, niż mogło się zmieścić na ścianach hotelu. Harvath po raz pierwszy, odkąd Tracy trafiła do szpitala, zjadł porządny posiłek.

Pozwolił sobie nawet na poobiedniego drinka. Wiedział, że musi się odprężyć. Był zestresowany i spięty, a w tym stanie nie mógł pomóc ani sobie, ani Tracy.

Sprzątnięto talerze i od razu pojawiło się dwóch kelnerów – jeden z butelką B&B i trzema kieliszkami, drugi z gustownie rzeźbionym pudełkiem cygar. Postawili wszystko na stole i zniknęli.

– Wiesz, że wymyślił to barman z Klubu 21 w Nowym Jorku? – powiedział Parker, wyciągając korek z butelki. – Nalewka benedyktyńska i koniak. Trunek zrobił furorę, nawet Francuzi zaczęli produkować taką mieszankę. A facet nigdy nie zobaczył nawet centa z zysków. Boże, nienawidzę Francuzów.

Harvath się uśmiechnął. Odkąd go znał, Ron Parker czuł antypatię do Francuzów. Mawiał, że armia francuska to jedyna na świecie, której żołnierze są opaleni pod pachami.

Finney poczęstował Harvatha cygarem, lecz ten pokręcił głową. Poobiedni drink wystarczył.

Kiedy Parker podał mu kieliszek, Harvath zbliżył go do nosa i zamknął oczy, wdychając korzenny aromat. Przez chwilę zapomniał o swoich problemach.

Delektując się smakiem nalewki, słuchał przekomarzanek starych przyjaciół. Finney i Parker rozprawiali o sytuacji na świecie, planach usprawnień w kurorcie, Lokalizacji Szóstej i Programie „Sargas", a także o flirtach Parkera z kobietami odwiedzającymi Elk Mountain – Finney przymykał na to oko, chcąc przekonać przyjaciela do porzucenia pracy na wschodzie i przeprowadzki do odludnego zakątka Kolorado.

Harvath wrócił myślami do Tracy. Wyjął komórkę i sprawdził sygnał. Z tarasu najłatwiej było się dodzwonić, ale teraz i tu brakowało zasięgu.

Finney zapytał, czy chciałby skorzystać z bezprzewodowego telefonu w hotelu, a gdy Harvath potaknął, Parker poprosił przez krótkofalówkę, żeby ktoś z obsługi przyniósł aparat na taras.

Harvath zadzwonił do dyżurki pielęgniarek w szpitalu w Dystrykcie Kolumbii i poprosił do telefonu Lavernę, pielęgniarkę Tracy z nocnej zmiany.

– Dobrze, że pan dzwoni – powiedziała.

Harvath obawiał się najgorszego. Zesztywniał.

– Co się stało? Co z Tracy?

– U niej bez zmian, ale szuka pana niejaki Gary Lawlor. Mówi, że to pilne. Dzwoniłam do pana na komórkę, ale połączyłam się tylko z pocztą głosową.

– Tak, wiem. Jestem akurat w miejscu ze słabym zasięgiem. Czy pan Lawlor powiedział, co to za pilna sprawa?

– Nie. Prosił tylko, żeby natychmiast pan do niego zadzwonił.

Harvath podziękował pielęgniarce i podał jej bezpośredni numer Tima Finneya w Elk Mountain. Od razu zadzwonił do Gary'ego, który odebrał po pierwszym sygnale.

– Gary, tu Scot. Co się dzieje?

– Gdzie się, do cholery, podziewasz? – Lawlor był wściekły. – Od kilku godzin usiłuję się z tobą skontaktować.

– Jestem u Tima Finneya w Kolorado.

– W Kolorado?! Dlaczego nie uprzedziłeś mnie, że nie będzie cię w mieście?

– Tak się złożyło, że musiałem wyjechać w ostatniej chwili. Co się tam u was dzieje?

– Nie wciskaj mi kitu – odparł Lawlor. – Przekonałeś Finneya, żeby zajął się sprawą Tracy, co? Wykorzystujesz jego grupę wywiadowczą. Zapomniałeś, że prezydent wyraźnie powiedział ci, żebyś się do tego nie wtrącał?

– Ludzie Finneya natrafili na pewien trop i przyleciałem tu, żeby go sprawdzić. Koniec, kropka. A teraz mów, co tak ważnego dzieje się w stolicy, że zostawiłeś pilną wiadomość u pielęgniarki Tracy?

Lawlor milczał przez chwilę, zastanawiając się, jak to podać. Gdy tylko Harvath usłyszy, co ma mu do przekazania, zupełnie nie będzie można go uspokoić. Uświadomiwszy sobie, że i tak tego nie uniknie, Lawlor powiedział wprost:

– Dziś w nocy w Coronado napadnięto twoją matkę.

22

Harvathowi zbierało się na wymioty, gdy słuchał o szczegółach napadu na matkę. Kiedy policjanci przyjechali pod jej dom, już na dworze usłyszeli krzyk. Sforsowali frontowe drzwi i podążyli za głosem, który dochodził z łazienki. Potrzeba było sił dwóch funkcjonariuszy i kilku minut, nim udało się otworzyć drzwi przyśrubowane do framugi.

Policjanci znaleźli matkę w wannie; nagą kobietę obsiadła chmara szarańczy. Owady, mające więcej niż pięć centymetrów długości, zdawały się żerować na jej ciele. Pracownik z ekipy technicznej wezwanej na miejsce przestępstwa zidentyfikował substancję, którą wysmarowano Maureen Harvath, jako karmę dla owadów dostępną w wielu sklepach zoologicznych.

Ofiara nie miała pojęcia, że obsiadło ją robactwo. Została oślepiona przez wpuszczenie do oczu czarnego atramentu. Lekarze w szpitalu wciąż nie wiedzieli, czy kiedykolwiek odzyska całkowicie wzrok. Przeżyła nieprawdopodobną traumę i teraz znajdowała się pod wpływem silnych środków uspokajających.

Ostatnia informacja z miejsca zbrodni spotęgowała wściekłość Harvatha. Na dnie kubła, w którym, jak podejrzewano, sprawca wniósł szarańczę do domu, było napisane czerwoną farbą: „Za przelaną krew płaci się przelaną krwią".

Finney i Parker, świadkowie rozmowy telefonicznej Harvatha, myśleli, że stan Tracy bardzo się pogorszył. Kiedy usłyszeli, że jego matka została napadnięta, powiedzieli tylko to, co przyjaciele mogą i powinni powiedzieć w takiej sytuacji:

– Czego potrzebujesz?

Harvath potrzebował należącego do kurortu odrzutowca i Finney zaczął przez krótkofalówkę uzgadniać szczegóły odlotu, nie słuchając nawet wyjaśnień Scota.

Parker miał w Departamencie Policji San Diego znajomych, którzy mogli skontaktować się z gliniarzami z Coronado, więc ruszył z powrotem do ośrodka wywiadowczego, żeby jak najprędzej zebrać dodatkowe informacje.

Wszystko wskazywało, że człowiek, który napadł Maureen Harvath, postrzelił wcześniej Tracy.

Harvath nie mylił się. Wchodziły w grę osobiste porachunki.

23

Gdy Harvath był już na pokładzie cesny Citation X i leciał w kierunku Coronado, cały czas kołatało mu w głowie coś, co Troll napisał podczas sesji w chat roomie.

Karzeł, mówiąc o krwi jagnięcia na drzwiach domu, powiedział, że to bardzo biblijne. Harvathowi z niczym się to nie łączyło – a w każdym razie nie w jakiś sensowny sposób. Teraz jego matka doświadczyła strasznego nieszczęścia. Plaga szarańczy to też biblijne.

Otworzył laptop będący na wyposażeniu samolotu i wszedł do Internetu. Wpisał do wyszukiwarki: „krew jagnięcia" i „szarańcza". Uzyskał ponad pół miliona trafień. Na pierwszym miejscu pojawiła się Wikipedia, a nazwa hasła od razu mówiła wszystko. Jagnięca krew i szarańcza pochodziły z dziesięciu plag egipskich. Harvath otworzył link.

Plagi egipskie zostały opisane w Księdze Wyjścia. Dziesięć przekleństw, które Bóg za pośrednictwem Mojżesza rzucił na Egipt, żeby przekonać faraona do wypuszczenia Izraelitów z niewoli.

Pierwszą plagą było zamienienie wód Nilu w krew. Po niej przyszła plaga żab, a następnie komarów i much oraz dziesiątkującej bydło zarazy. Potem Egipcjan nękały niegojące się wrzody, a po nich grad. Później Bóg zesłał szarańczę, ciemności i wreszcie śmierć pierworodnych.

Ktokolwiek postrzelił Tracy i napadł na matkę Harvatha, wykorzystywał dziesięć plag egipskich jako swego rodzaju scenariusz, tylko że odtwarzał je w odwrotnym porządku.

Dziesiątą plagą była śmierć pierworodnych w Egipcie. Jedynie domy Izraelitów z odrzwiami i progami oznaczonymi krwią ofiarnego baranka zostały oszczędzone. Bóg ominął ich domostwa i stąd wzięło się święto Paschy. Upamiętniało ono uwolnienie Izraelitów spod władzy faraona i narodziny narodu żydowskiego. Jak wiązało się to z Harvathem i zamachem na Tracy Hastings, zaczynało się powoli wyjaśniać.

Sprawca najwyraźniej czuł się aniołem śmierci. Ominął dom Harvatha i go oszczędził, ale w zamian spróbował odebrać życie Tracy.

Dziewiąta plaga sprowadzała ciemności i stąd celowe oślepienie jego matki. Bóg kazał Mojżeszowi wyciągnąć rękę do nieba i „nastała ciemność gęsta w całej ziemi egipskiej przez trzy dni".

Ósma plaga to szarańcza. Zamachy na życie Tracy i jego matki upewniły Harvatha w podjętej decyzji. Bez względu na to, co mówił prezydent lub ktokolwiek inny. Tego, kto stał za atakami, nie tylko trzeba schwytać, lecz także zabić – i to właśnie zamierzał zrobić.

Czytał dalej. Pozostałe plagi były równie okrutne, dlatego wolał sobie nie wyobrażać, jak wyglądałyby ich nowoczesne wersje. Mógł liczyć tylko na to, że powstrzyma sprawcę.

Popadał w coraz bardziej ponury nastrój, mnożąc pytania: Kogo ten świr upatrzy sobie na następną ofiarę? Najpierw Tracy, potem matka. Czyżby facet wyżywał się tylko na kobietach, które były Harvathowi bliskie, czy też zaatakuje także mężczyzn? Czy on, Harvath, ostrzeże przyjaciół? Nawet gdyby chciał, to co by im powiedział? „Uważaj: może cię nawiedzić plaga egipska?". Nie, należało raczej powstrzymać faceta, zanim znów zaatakuje. Ale przedtem konieczny jest moment zwrotny w śledztwie – istotny przełom. Tego potrzebowali.

24

Kiedy Harvath wszedł do pokoju szpitalnego i zobaczył matkę z twarzą opuchniętą i posiniaczoną, ogarnęła go wściekłość. Kto, do cholery, mógł się posunąć do czegoś takiego?

Mimo że chciał podejść do matki, nie mógł się na to zdobyć. Poczucie winy, że ucierpiała z jego powodu, i gniew w reakcji na niewyobrażalne okrucieństwo były przygniatające. Stał i patrzył ze ściśniętym gardłem. Kiedy popłynęły łzy, nawet nie starał się ich otrzeć.

W końcu podszedł do łóżka, wziął matkę delikatnie za rękę i powiedział:

– Mamo, tak mi przykro.

Przysunął sobie krzesło i usiadł. Gdy pogłaskał matkę po włosach, doznał nieprzyjemnego déjà vu. Poczuł się tak samo, jakby był w szpitalnym pokoju Tracy.

Dlaczego, do licha, to wszystko się działo? Dlaczego gdy wreszcie jego życie zaczynało się układać, ktoś postanowił rozerwać je na strzępy?

To pytanie Harvath zadawał sobie wielokrotnie po tym, gdy Tracy została postrzelona.

Jego związki z kobietami nie należały do udanych. Przez długi czas winił za to swój zawód i wymagającą wyrzeczeń służbę krajowi. Kiedy poznał Tracy, poprzysiągł sobie, że nie pozwoli, by praca po raz kolejny stała się dla niego wymówką nieudanego związku.

Swój lęk przed emocjonalnym zaangażowaniem przypisywał także doświadczeniom z domu rodzinnego. Kariera ojca dużo kosztowała matkę. Żyła w ciągłym stresie. Ale tak naprawdę tworzyli wspaniałe małżeństwo mimo niebezpieczeństw związanych z pracą Michaela Harvatha, który aż nazbyt często znikał na całe tygodnie, a nawet miesiące.

Pewnej nocy, gdy Tracy zasnęła, Scot, leżąc obok niej, rozmyślał; zajrzał głęboko w duszę, szukając powodu – rzeczywistego – jakim się podświadomie kierował, odpychając od siebie każdą wartościową kobietę, która zjawiała się w jego życiu.

Przed oczami zamajaczyła mu twarz Meg Cassidy. Poznał ją w niezwykłych okolicznościach, tak jak Tracy. W przypadku Meg było to porwanie samolotu. Później oboje zostali przydzieleni do wykonania niezwykle trudnej operacji. Wiele wskazywało, że powinni być idealną parą – może nawet równie doskonałą, jak teraz on i Tracy. Jednak związek nie przetrwał. Harvath bardzo żałował, że stracił cudowną, niepowtarzalną Meg.

Nie był to jednak obraz, przy którym chciałby dłużej się zatrzymywać. Dziewczyna ułożyła sobie życie na nowo. Poznała innego faceta i wkrótce miała wyjść za mąż.

Zapuścił się myślami dalej, w mroczny zakątek duszy, który zwykle starał się omijać. Trafił we właściwe miejsce. Poznał to po skręcającym żołądek uczuciu, które ogarnęło go, gdy wrócił myślami do jednego z najczarniejszych dni w życiu.

Wykonywał kolejne zadanie w Zespole Drugim SEAL. Wysłano ich do Finlandii w samym środku jednej z najgorszych zim w historii. Oślepiający, miotany wiatrem śnieg sprawiał, że nic nie było widać ani słychać. Oddział rozdzielił się na pary, gdy zbliżali się do celu.

Ludzie, których ścigali, jakimś sposobem podeszli ich od tyłu. Skąd wiedzieli, że na miejscu jest zespół „fok", Harvath nigdy nie zdołał ustalić.

Konfrontacja skończyła się tym, że on dostał kulkę w bark, a jego kolega zginął od strzału w głowę.

Mimo że Harvathowi udało się zabić wszystkich wrogów, zemsta nie przyniosła satysfakcji. Prześladowały go potworne wyrzuty sumienia. Kolega miał żonę i dwójkę małych dzieci.

Harvath nalegał, by osobiście przekazać jego żonie tragiczną wiadomość. Była opanowaną, silną kobietą, ale wyraz jej twarzy, gdy powiedział, co się stało, rozdarł mu serce. Poprzysiągł sobie wtedy, że nigdy więcej nie dopuści, by żona któregokolwiek z jego ludzi musiała cierpieć taki ból.

Przez lata myślał, że oznacza to dokładanie wszelkich starań, żeby podkomendni zawsze wracali z misji żywi. Szlachetny cel, lecz niemogący wyeliminować zagrożenia, ludzie czasami ginęli. Ryzyko takie mieli wpisane w zawód. Dlatego, o ile było to możliwe, Harvath wolał pracować sam.

Wtedy, leżąc obok Tracy, wreszcie zrozumiał, dlaczego odpychał kobiety, które kochał, i złożył sobie nową obietnicę. Jeśli Tracy okaże się tą jedyną, nigdy nie pozwoli jej odejść.

Z zadumy wytrącił go sygnał komórki.

– Harvath.

– Scot, tu Ron Parker. Mamy coś, co powinieneś zobaczyć.

– Co?

– Jak szybko możesz przyjechać do Marriotta w San Diego?

– Tego w zatoce? – Harvath spojrzał na matkę. Lekarze powiedzieli mu wcześniej, że jej stan jest stabilny, ale jeszcze co najmniej do rana będzie pod wpływem środków uspokajających. – Pewnie za jakieś piętnaście minut. A co?

– Zobaczysz na miejscu. Mój kontakt w Departamencie Policji San Diego czeka na ciebie. Detektyw Gold.

25

Ciemną nocą hotel Marriott niedaleko przystani w San Diego zdawał się wprost zjawiskową budowlą z giętego szkła i metalu. Niebieskie i czerwone odblaski z kogutów na dachach wozów policyjnych zaparkowanych przed budynkiem potęgowały jeszcze wrażenie jego niezwykłości.

Harvath musiał pokazać służbową legitymację i wdał się w pyskówkę z upartym funkcjonariuszem z prewencji, który nie chciał go wpuścić, zanim nie znalazł wreszcie detektywa o nazwisku Gold. Z jakiegoś powodu Parker nie wspomniał, że detektyw ma na imię Alison. Scot nie żywił żadnych uprzedzeń wobec kobiet detektywów, ale zdziwił się, że przyjaciel przemilczał taki szczegół.

Znając Rona, podejrzewał, że Gold gościła kiedyś w Walhalli i że mieli romans. Nie wspominając, że jest kobietą, Parker prawdopodobnie z nadmierną gorliwością starał się przedstawić ją jako kompetentnego gliniarza i kogoś, komu Harvath może zaufać. Nie było to konieczne. Skoro

Parker jej ufał, to Harvath też. Bardzo szybko zresztą wysoka, atrakcyjna kobieta o rudych włosach, chyba jeszcze przed czterdziestką, dowiodła, że jak najbardziej zasługuje na szacunek ich obu.

Alison Gold przedstawiła się i przeprosiwszy za funkcjonariusza z prewencji, zaprowadziła Harvatha do białej furgonetki dostawczej chevrolet express. Nie miała okien, tylne drzwi były otwarte, a w środku wykonywał swoją robotę zespół specjalistów z Oddziału Terenowego Prac Kryminologicznych. Detektyw wyjaśniła, w czym rzecz.

– Według świadka, który spacerował z psem w pobliżu domu pańskiej matki tuż przed napaścią, na ulicy stała biała firmowa furgonetka. Znaleźliśmy już na wozie ślady magnetyczne, które pasują do napisu, jaki widział świadek.

Popukała w bok furgonetki, żeby zwrócić uwagę jednego z techników i poprosić, aby pokazał Harvathowi, co odkryli, po czym mówiła dalej:

– Każdy, widząc furgonetkę, uznałby, że w domu pańskiej matki pękła rura albo coś innego wymaga pilnej naprawy. Policjanci w Coronado sprawdzili już wszystkie franczyzy Servpro w okolicy i żadna nie miała wezwań nigdzie w pobliżu domu pańskiej matki.

Harvath nie był zaskoczony.

– Co wiadomo o furgonetce?

– Jest z wypożyczalni samochodów w Los Angeles. Ten wątek też sprawdzamy, ale nie spodziewam się po nim zbyt wiele.

Harvath miał podobne przeczucie.

– Jeśli chodzi o odciski palców i włókna, wóz jest zupełnie czysty. Policjanci z Coronado w domu też nic nie znaleźli.

– I raczej nie znajdą – powiedział Harvath.

– Dlaczego?

– Facet jest profesjonalistą.

Pani detektyw uniosła brwi.

– Nie wiem, na ile jest pani zorientowana w sprawie i co przekazał Ron, ale parę dni temu moja przyjaciółka została postrzelona przed moim domem w Dystrykcie Kolumbii; sądzimy, że ten sam człowiek napadł teraz na moją matkę.

– Tak, akurat tyle Ron mi wyjaśnił. Mówił też, żebym nie pytała, kogo pan tak wkurzył, że atakuje pańskich bliskich na obu wybrzeżach.

Harvath popatrzył na nią, ale nic nie powiedział.

– Okej, nie ma sprawy – skwitowała jego milczenie. – Byłam w Elk Mountain. Rozumiem.

Nie miała bladego pojęcia, co się tam naprawdę działo, ale Harvath nie zamierzał wdawać się w szczegóły. Parker, równie oddany patriota jak Finney, nigdy nie wygadałby się ze sprawami bezpieczeństwa narodowego tylko po to, żeby ubarwić rozmowę w łóżku. Zmienił temat.

– Jak znaleźliście furgonetkę?

– Na podstawie relacji świadka przejrzeliśmy nagrania z kamer na moście. Zobaczyliśmy, że furgonetka przejechała do Coronado i z powrotem. Wykorzystując kamery drogowe, zdołaliśmy wytropić wóz aż tu.

Policja dobrze się spisała, wystarczyło jednak, że spojrzał w stronę przystani i setek zacumowanych tam łodzi, by wiedzieć, że facet dawno się ulotnił. Było jasne, w jaki sposób, ale i tak zapytał:

– Więc porzucił furgonetkę tu, a potem?

Gold wskazała ruchem głowy kamerę przemysłową hotelu.

– Zdobyliśmy już nagranie. Zgadzam się z panem, facet jest profesjonalistą. Wiedział, że przejrzymy taśmy. Ani razu nie popatrzył prosto w obiektyw. Dopilnuję, żeby pan dostał wszystkie kopie, ale nie sądzę, żeby się przydały. Facet ma wciśniętą na głowę bejsbolówkę, daszek zasłania twarz. Nosi też luźne ubranie i chodzi przygarbiony, żeby zamaskować rzeczywisty wzrost i wagę.

– Czekał na niego samochód czy poszedł do doków?

– Do doków. Pracownicy przystani mają surowy regulamin: zapisują, gdzie cumuje dana łódź, jakie ma numery i tak dalej, ale...

– Ale do tej pory prawdopodobnie facet trafił już do Meksyku.

Przyznała mu rację.

– Na jego miejscu przesiadłabym się w samochód w Ensenada albo nawet gdzieś dalej na wybrzeżu, a potem po prostu bym zniknęła.

Miała rację. Harvath też by tak zrobił i wkurzało go to. Byli tylko kilka godzin za człowiekiem, który strzelał do Tracy i napadł na jego matkę, ale równie dobrze mogłyby minąć całe dnie. Dysponując łodzią i przy ponad trzech tysiącach kilometrów wybrzeża półwyspu Baja, facet mógł znajdować się teraz gdziekolwiek.

Harvath miał pewność tylko co do jednego: sprawca nie zniknie na dobre. Pojawi się znowu, ale nie po to, by pogawędzić nad kubkiem herbaty constant comment i opowiedzieć łzawą historyjkę o tym, jak cierpiał w dzieciństwie, bo nikt go nie rozumiał.

W pewnym momencie będą musieli się na siebie natknąć, a wtedy tylko jeden z nich wyjdzie ze spotkania żywy.

26

Angra dos Reis,
Brazylia

Troll spojrzał znowu na listę, a potem odsunął notes. Był zdumiony.
Zdobycie listy graniczyło z cudem. Tym razem miał tak niewiele do
zaoferowania, że musiał zwrócić się o życiową przysługę do kogoś mają-
cego bardzo ważne stanowisko, kto siedział na informacji tak gorącej, że
wręcz radioaktywnej.

Kiedy uzyskał tę informację, powiększył swój kapitał przetargowy
i mógł szukać tego, na czym naprawdę mu zależało. Chociaż Harvath odebrał mu niemal wszystko, Troll wciąż trzymał kilka asów w swoim krót-
kim rękawie. I rozegrał je po mistrzowsku.

Wziął pustą filiżankę po kawie, zsunął się z krzesła i podreptał do
kuchni. Do domu wdarła się zimna bryza, zapowiedź deszczu. To jedna
z nielicznych wad jego prywatnego raju na wyspie. Tu nigdy nie padało normalnie, po prostu lało jak z cebra. Na szczęście opady zdarzały się
rzadko. Przy takiej pogodzie wszystkie transmisje satelitarne musiał odłożyć na później.

Litry otrzeźwiającej tureckiej kawy przepalały mu żołądek. Wyjął na-
poczętą bagietkę, kawałek camemberta i butelkę wody mineralnej, postawił na tacy i wrócił do stołu, gdzie jeszcze raz spojrzał na listę.

Myśli kłębiły mu się głowie, miał trudności ze skupieniem uwagi. Im
więcej elementów układanki odkrywał, tym bardziej obraz się zamazywał.

Jedną z najbardziej interesujących rzeczy, których się dowiedział, było
odkrycie, że nieco ponad pół roku temu Amerykanie potajemnie uwol-
nili pięciu szczególnie niebezpiecznych przestępców przetrzymywanych
w Guantanamo. Wstrzyknęli im do krwi izotop promieniotwórczy, chcąc
śledzić tych ludzi na wolności, ale plan spalił na panewce i Amerykanie
stracili więźniów z oczu.

To wszystko sumowało się, tworząc jedną stronę równania. Troll wiedział już mniej więcej, co się stało, wciąż jednak nie potrafił zrozumieć
dlaczego.

Czyżby w grę wchodziła jakaś potajemna wymiana? Jeżeli tak, to z kim?
I po co śledzić uwolnionych? Czy Amerykanie liczyli, że odbiorą ich z powrotem? W takim razie od kogo? I komu najbardziej zależało na jeńcach?

O ile Troll mógł się zorientować, więźniów nic ze sobą nie łączyło. Pochodzili z różnych krajów, należeli do różnych organizacji. Nic tu nie pasowało.

Podejrzewał, że w wypadku całej piątki udałoby się ustalić jakieś powiązania z al-Kaidą, jednak nie takie, które tłumaczyłyby grupowe zwolnienie. A z pewnością nie wypuszczono ich za dobre sprawowanie albo dlatego, że byli niewinni. Nie, byli to ludzie bardzo hardzi i groźni.

W aktach na ich temat znajdowały się liczne wzmianki o próbach ucieczki i wielokrotnych atakach na strażników z Połączonej Grupy Bojowej Guantanamo. Prawdopodobnie część personelu obozowego z ulgą się ich pozbyła, same Stany Zjednoczone musiały zażądać w zamian wysokiej ceny.

Tak przedstawiała się robocza hipoteza Trolla, lecz bez względu na to, jak bardzo się starał, nie mógł znaleźć odpowiedniego związku. Miał do czynienia z informacyjną czarną dziurą – fenomenem w świecie wywiadu, zwłaszcza przy jego umiejętnościach. Informacje można było ukryć, ale nigdy po prostu nie wyparowywały. Fakt, że musiał tak się napocić, żeby zdobyć to, co teraz leżało przed nim na stole, oznaczał dla niego jedno: Stany Zjednoczone nie chciały, by ktokolwiek dowiedział się o uwolnieniu więźniów.

Żołnierze, którym sześć miesięcy temu w deszczową noc kazano wypuścić jeńców, awansowali i opuścili Guantanamo. Stany Zjednoczone wykonały bardzo dobrą robotę, zacierając wszystkie ślady, ale dlaczego? Co starały się ukryć?

Troll pozostawił pytanie w zawieszeniu i skupił uwagę na innym elemencie układanki, który zdawał się nie pasować: na osobie agenta Scota Harvatha.

Ostatnie kilka godzin pokazało, że dysponuje on niezwykłym zapleczem, ale nie jest to z pewnością zaplecze należące do rządu Stanów Zjednoczonych.

Przeciwnie, z jakiegoś powodu władze amerykańskie traktowały go jako potencjalne zagrożenie i według źródeł Trolla wyłączyły agenta ze śledztwa w sprawie postrzelenia Tracy Hastings. Harvath działał na własną rękę.

Mimo to facet musiał mieć przyjaciół – bardzo utalentowanych przyjaciół. Troll wciąż pluł sobie w brodę, że tyle stracił. Swoje dane, całą fortunę, wszystko.

Zastanawiał się nad zakontraktowaniem zabójcy, który zlikwidowałby Harvatha, lecz byłoby to nie tylko zbyt kosztowne, ale też zachodziło niebezpieczeństwo, że po uśmierceniu agenta Troll nigdy nie zobaczy pieniędzy ani danych. Przynajmniej na razie nie miał wyboru i musiał czekać na rozwój wypadków. Gdyby w przyszłości trafiła się jakaś okazja, w co zresztą nie wątpił, mógłby wykonać odpowiedni ruch. Ale na razie musiał udawać współpracę.

Sięgnął po notes i jeszcze raz przestudiował listę. Jak powinien wyglądać jego następny ruch?

Gdy grzmot pioruna przetoczył się przez zatokę, Troll podniósł pióro, skreślił pierwsze nazwisko na liście, a potem zalogował się znowu na czacie. Harvathowi nie zaszkodzi, że nie będzie wiedział wszystkiego.

27

Ośrodek Programu Wywiadowczego „Sargas"
Elk Mountain
Montrose, Kolorado

Po rozmowie z lekarzami Harvath siedział przy łóżku śpiącej matki. Nie mogli go zapewnić, że odzyska wzrok, ale byli dobrej myśli. Z powodu poważnych obrażeń głowy chcieli zatrzymać chorą jeszcze przez kilka dni na obserwacji i powtórzyć badania.

Harvath kochał matkę bardzo mocno, ale bez względu na to, jak tego pragnął, nie mógł siedzieć dłużej bezczynnie przy jej łóżku i czekać, aż ktoś inny zostanie zaatakowany. Musiał działać. Dlatego oddając matkę pod opiekę przyjaciół gotowych przy niej czuwać, wrócił na pokład citation X i poleciał z powrotem do Kolorado.

Chociaż podróż przebiegła bez zakłóceń, Harvath nie zmrużył oka. Tracy leżała w śpiączce, bliska śmierci, a jego matkę napadnięto i poddano wymyślnym torturom. Do końca swoich dni będzie żył ze świadomością tego, co je spotkało.

Rozklejał się i zdawał sobie z tego sprawę. Zwykle nie pozwalał, by emocje brały górę, lecz teraz samokontrola zawiodła. Ofiarami były osoby, które znał i kochał. Czy będą następne? Prawdopodobnie. Czy sprawca rozzuchwali się i zacznie zabijać? Bardzo prawdopodobne – tak bardzo, że Harvath bał się nawet o tym myśleć.

Każdy, nawet wyjątkowo przebiegły zbrodniarz, zostawia jakieś ślady. Ten facet sam wysyłał sygnały, ale nie takie, które pozwoliłyby Harvathowi zorientować się, z kim ma do czynienia i jak go powstrzymać.

Zadręczał się pytaniami przez cały lot, a potem jadąc samochodem do kurortu.

Kiedy dotarł na miejsce, Finney i Parker już na niego czekali.

– Przespałeś się choć trochę w samolocie? – spytał Finney.

Harvath pokręcił głową.

Przyjaciel dał mu klucz magnetyczny w tekturowej kopercie z wydrukowanym numerem pokoju.

– Kimnij się trochę, okej?

– A co z naszym przystojniakiem z Ipanemy w Brazylii?

– Odezwał się tuż przed burzą. Przez jakiś czas nie będzie z nim kontaktu. Mamy wszystko pod kontrolą. Kiedy tylko pogoda się poprawi, damy ci znać.

Podziękował im i poszedł do swojego pokoju. Zanim przekroczył próg, podjął decyzję, żeby wyłączyć umysł i pozostawić wszystkie problemy na zewnątrz. Sen był orężem. Regenerował organizm, a Harvath bardzo potrzebował nowych sił.

Otworzył drzwi, ściągnął buty i padł na łóżko. Kurort słynął z gęsto tkanej, delikatnej pościeli, puchowych kołder i materaców, lecz Harvatha nie obchodziły te luksusy. Chciał tylko zasnąć.

Kilka chwil później zapadł w głęboki, mroczny sen.

28

Dochodziło południe, gdy Ron Parker zadzwonił do Harvatha i poprosił, żeby spotkali się w jadalni.

Scot wziął szybki prysznic, puszczając na koniec lodowatą wodę, żeby się dobudzić i otrząsnąć ze wspomnienia koszmarnego snu, powtarzającego się co noc, odkąd Tracy została postrzelona.

Włożył świeże ubranie, o które postarał się Finney, a potem zadzwonił do obu szpitali, żeby sprawdzić, co u matki i Tracy.

Parker już na niego czekał, zdążył nawet zamówić śniadanie. Harvath nalał sobie kubek kawy i zapytał:

– Gdzie Tim?

– Od rana siedzi przyklejony do monitora i śledzi ruch na giełdzie. Upatrzył sobie akcje jednej firmy w Ameryce Południowej.

Harvath zrozumiał, o co chodzi, i nie zadawał więcej pytań. Po śniadaniu Ron zawiózł go do ośrodka Programu „Sargas".

Kiedy weszli do sali konferencyjnej, Tim Finney i Tom Morgan już byli.

– Burza prawie minęła – powiedział Morgan, gdy Harvath nalał sobie kubek kawy i usiadł. – Nasz znajomy powinien się wkrótce odezwać.

– Jak tam twoja mama? – spytał Finney, siadając obok Harvatha.

– Niedobrze.

– Przykro mi. A Tracy?

– Bez zmian – odparł. Żeby uniknąć dalszych wyjaśnień na temat serii swoich nieszczęść, sam zadał pytanie: – Czy ten kurduplowaty wypierdek ruszył dokądkolwiek dupsko?

– Nie – odpowiedział Parker. Stał przed swoim laptopem, popijając kawę.

– Czy ktokolwiek odwiedził go na wyspie?

– Też nie.

Harvath rozsiadł się na krześle i rozmasował twarz.

– Czyli że znowu czekamy.

Finney postukał długopisem o blat.

– Owszem.

Wszystkie ekrany na ścianach były włączone i ukazywały chat room z ostatnią wiadomością od Trolla, który dał znać, że ma informacje dla Harvatha, ale będą musieli poczekać, aż minie burza.

– Jak Alison? – zagadnął Parker, przerywając milczenie. – Dobrze?

Harvath uśmiechnął się. Czekanie pozostawało czekaniem, a gliniarze tak samo jak żołnierze zawsze gadają wtedy o jednym.

– Tak. Wygląda bardzo dobrze.

– Gdyby udało mi się ją przekonać, żeby przeprowadziła się tu na stałe, może zaowocowałoby to czymś poważnym.

Finney prychnął kpiąco.

– I pozbawiłbyś wszystkie panie przyjeżdżające do kurortu swoich względów? Jakoś sobie tego nie wyobrażam.

Parker się roześmiał.

– Nie ma o czym mówić. Alison robi karierę w San Diego. Nie zrezygnuje z niej. Nawet dla mnie.

Harvath chciał dorzucić swoje trzy grosze, gdy Tom Morgan pstryknął palcami i wskazał jeden z ekranów. Troll wrócił.

29

Z początku prośba wydała się dziwaczna, ale z drugiej strony Harvath nie miał wprawy w szybkim maszynopisaniu, a Morgan zapewnił go, że nie narażą się na żadne ryzyko.

Kiedy założył słuchawki, a Tom skinął głową, że mogą zacząć, Harvath powiedział:

– Okej, jestem.

– Agencie Harvath, miło mi słyszeć twój głos – odparł Troll przez szyfrowane internetowe połączenie telefoniczne.

– Nawzajem. Masz dużo niższy głos, niż się spodziewałem.

Troll roześmiał się.

– Tym trudniej byłoby wam sporządzić jego adekwatny profil dźwiękowy. Program podsłuchowy, Echelon, którego używają wasze władze, jest całkiem niezły.

Harvath starał się rozpoznać jego akcent. Angielszczyzna Trolla była nienaganna, ale z subtelnymi naleciałościami jakiegoś słowiańskiego języka. Czeskiego? Czy może rosyjskiego? Scot swobodnie posługiwał się rosyjskim, a do tego znał wielu rodowitych Rosjan. Ale facet mówił trochę inaczej, jakby nie pochodził z samej Rosji. Może z Gruzji?

Mimo wszystko Harvath nie miał ochoty na gadkę szmatkę i przeszedł od razu do sedna.

– Wysłałeś wiadomość, że coś dla mnie masz. Słucham?

– Dzięki kilku źródłom, do których wciąż mam dostęp, udało mi się zdobyć listę nazwisk. Czterech nazwisk, mówiąc ściśle. – Troll skłamał. – Ludzie ci zostali zwolnieni z amerykańskiego obozu dla terrorystów w Zatoce Guantanamo.

– Dlaczego mieliby mnie interesować?

Troll zrobił dramatyczną pauzę.

– Dlatego, że jeden z nich jest tym, którego szukasz.

Harvath popatrzył na Finneya, Parkera i Morgana, którzy przysłuchiwali się rozmowie.

– O czym mówisz? – zapytał.

Usłyszał śmiech.

– Jak się okazuje, agencie Harvath, twój rząd wiele przed tobą ukrywa. Jest sporo rzeczy, które chciałby zachować w tajemnicy nie tylko przed tobą, także przed innymi.

– Na przykład?

– Na przykład fakt, że mężczyźni wypuszczeni z Guantanamo to wyjątkowo paskudne kreatury. Bezwzględni terroryści, którzy mają na koncie śmierć dziesiątków amerykańskich żołnierzy, agentów operacyjnych i prywatnych przedsiębiorców.

W głowie Harvatha kłębiły się pytania. Jedno z najważniejszych brzmiało: po jaką cholerę wypuszczono na wolność przestępców? Nie miało to żadnego sensu.

– Musisz mieć złe informacje.

– Też tak pomyślałem. Ale to jeszcze nie koniec. Zanim ich uwolniono, wstrzyknięto im do krwi izotop promieniotwórczy. To część ściśle tajnego programu, którym wasze władze posługują się od czasu do czasu, by nie tracić z oczu agentów operacyjnych wysyłanych w szczególnie niebezpieczne obszary, a także wypuszczanych więźniów.

W tym momencie Harvath uzmysłowił sobie kilka rzeczy naraz. Ich wyrazistość była przytłaczająca.

– Szkopuł w tym – ciągnął karzeł – że ten, kto wysłał samolot, którym więźniowie odlecieli z Guantanamo, wiedział o tajnym programie. Samolot był wyposażony w sprzęt pozwalający na wykonanie pełnej transfuzji krwi.

Harvath usiłował skupić myśli.

– Skąd wiesz to wszystko?

– Z raportu napisanego po tym, jak wasze władze straciły tych czterech z oczu, gdy samolot wylądował za granicą. Pojemniki ze skażoną krwią rozwieziono w cztery strony świata, a potem je porzucono. Ostatecznie odnalazła je Centralna Agencja Wywiadowcza.

– Wciąż nie rozumiem, co to ma wspólnego z...

– Krew, którą wymalowano ci drzwi – wszedł mu niecierpliwie w słowo Troll – zawierała ten sam unikatowy izotop, który wstrzyknięto tym czterem.

30

Nie mamy specjalnego wyboru, Scot – zauważył Finney, starając się być głosem rozsądku w grupie. – Jeśli odmówisz albo nie dotrzymasz jego warunków, jestem pewien, że facet zwieje.

– I co z tego? – odezwał się Parker. – Ucieknie, to go znajdziemy. Może to trochę potrwa, ale w końcu go wytropimy. Poza tym wszystkie jego konta świecą pustkami. Zaskórniaki w twardej walucie, jeżeli ma, na ile mogą mu starczyć? Nie na długo.

– Niewykluczone, że postanowi wykorzystać pieniądze, żeby zlecić zamordowanie Scota.

Parker brał to pod uwagę, ale uznał, że jest mało prawdopodobne.

– Wtedy naprawdę będzie miał przechlapane. Gdyby zabił Scota, nigdy nie odzyskałby ani pieniędzy, ani swoich danych.

– Ale mógłby zacząć od nowa – powiedział Finney. – Może nawet wymusiłby pieniądze za trzymanie języka za zębami od tych czterech terrorystów na liście. Mógłby zaproponować, że pozbędzie się dla nich Harvatha.

Ron pokręcił głową.

– Najpierw musiałby ich znaleźć, a sądząc po tym, co usłyszeliśmy, nawet władzom Stanów Zjednoczonych to się nie udało. Racja?

Parker zwrócił się do niego, lecz Harvath nie zareagował. Wciąż myślał o rozmowie, którą odbył z Garym Lawlorem wkrótce po tym, gdy rozłączył się z Trollem.

Wszystko, co karzeł powiedział, było logicznie spójne. Nie mylił się w sprawie programu śledzenia ludzi za pomocą izotopu i faktu, że krew, którą wymalowano wejście do domu Harvatha, zawierała taki izotop. Scot nie miał powodu podejrzewać, że informacja o mężczyznach uwolnionych z obozu w Guantanamo jest fałszywa.

Właśnie to nie dawało mu spokoju. Więźniowie, których uznano za szczególnie groźnych przestępców, jak twierdził Troll, nigdy nie powinni byli wyjść zza krat. Więc dlaczego ich wypuszczono? Co mogło skłonić władze Stanów Zjednoczonych do podjęcia takiej decyzji?

Ten tok rozumowania doprowadził Harvatha do jeszcze bardziej niepokojącego wniosku. Niemożliwe, by ci ludzie odzyskali wolność bez wiedzy prezydenta. Nagle Scot pojął, dlaczego prezydent nie chciał go dopuścić do śledztwa. Z jakiegoś powodu Rutledge osłaniał terrorystów. Jaki miał w tym interes?

Ochrona ich wydawała się równie bezsensowna jak wcześniejsze wypuszczenie na wolność. Harvath nie krył przed Lawlorem, że jest wstrząśnięty i zawiedziony postawą prezydenta, lecz szef nie okazał mu zrozumienia. Przypomniał Harvathowi, co powiedział Rutledge: żeby się nie wtrącał w dochodzenie. Potem Lawlor wręcz rozkazał, żeby Harvath wracał do domu.

Jeśli ktokolwiek wiedział, że w pewnych sytuacjach nie można grać według reguł, to właśnie Lawlor. Kiedy więc szef zdecydowanie zaprzeczył, by tak było w tym wypadku, Harvath nie tylko się wkurzył, lecz także poczuł się dziwnie osamotniony.

Parker pstryknął palcami Scotowi przed twarzą.

– Gadam tu tylko sobie a muzom, tak?

– Przepraszam. – Harvath wrócił do rzeczywistości. – O czym mówiłeś?

Ron przewrócił oczami.

– O Trollu. Przyjmujemy jego warunki czy nie?

Harvath zastanawiał się chwilę, zanim odpowiedział.

– Myślę, że powinniśmy mu zapłacić.

– Chyba sobie ze mnie żartujesz. – Parker jęknął, wyrzucając ręce w górę. – Jezu, Harvath.

– Tim ma rację.

– Ale... – Parker nie odpuszczał.

– Poza tym wiem, że gdyby rzeczywiście coś mi się przytrafiło – podjął Harvath – mam dwóch przyjaciół, którzy dopilnują, żeby za to zapłacił.

Finney obejrzał się za siebie najpierw przez jedno, potem przez drugie ramię, rozglądając się w poszukiwaniu wspomnianych przez Harvatha przyjaciół, a potem wykrzyknął:

– Aha! Masz na myśli nas.

Scot zignorował ich obu i wydał Tomowi Morganowi instrukcje.

Czterdzieści pięć minut później Troll przekazał swoją listę. Oprócz nazwisk czterech terrorystów określił też ich narodowość i dołączył trochę dodatkowych informacji. Każdy więzień pochodził z innego kraju. Harvath nie miał pojęcia, co mogłoby ich łączyć, ale to go nie obchodziło. Był przekonany, że ma swojego człowieka. Jego nazwisko figurowało na trzecim miejscu listy: „Ronaldo Palmera, Meksyk". Meksyk znajdował się tylko krótki rejs łodzią od San Diego.

Harvath wklepał nazwisko na komputerze i wcisnął klawisz „wyślij".

Podczas gdy Troll zabrał się do pracy, usiłując dowiedzieć się jak najwięcej o wyznaczonym celu, Parker i Morgan zajęli się własnym dochodzeniem. Finney i Harvath zostali sami.

– Czy którekolwiek z tych nazwisk coś ci mówi? – spytał Finney.

– Nie.

– Syria, Maroko, Australia i Meksyk? Coś mi tu śmierdzi. Myślę, że twój kumpel Troll robi nas w konia.

Harvath pokręcił głową.

– Jeśli nas wyroluje, sam na tym najwięcej straci. I ma tego świadomość.

– Ale co to za lista? Wygląda jak skład sędziowski na międzynarodowym turnieju łyżwiarstwa figurowego. Chodzi o czterech najgroźniejszych więźniów wypuszczonych z Guantanamo.

– No i co?

– Co ich łączy? Co takiego ci faceci mają ze sobą wspólnego, że wszyscy zostali uwolnieni w tym samym czasie? I komu zależałoby na tych dupkach tak bardzo, żeby wysłać po nich samolot, a w ramach rozrywki na pokładzie przetoczyć im krew?

Harvath nie miał żadnych argumentów.

– Może Ronaldo Palmera nam to powie.

– Może. – Finney wzruszył ramionami. – Ale najpierw musimy go znaleźć. Meksyk to duży kraj.

– Mówimy o facecie, który napadł na moją matkę i o mało nie zabił Tracy – odparł Harvath. – Nawet jeśli będziemy musieli zdemolować cały kraj, mam to gdzieś. Dorwiemy go.

31

Baltimore, Maryland

Od wywiadu z Tomem Gosse'em reporter „Baltimore Sun", Mark Sheppard, nie zmrużył oka. Zweryfikował twierdzenie Gosse'a, że jego przyjaciel Frank Aposhian wraz ze swoją dziewczyną, śledczą Sally Rutherford, zginęli w wypadku samochodowym. To prawda, ale okoliczności wypadku nie były tak jednoznaczne, jak przedstawił je Gosse.

Według Gosse'a Aposhian powiedział, że rzekomi agenci FBI ponownie przyszli do niego w nocy i grozili mu. Kazali zaprzestać rozpytywania o niezidentyfikowanego mężczyznę, którego zwłoki zabrali z kostnicy koronera. Nie chciał kłopotów, więc spełnił żądanie. Problemu, jak się okazało, nie stanowiła jednak ciekawość Aposhiana, tylko jego dziewczyny, Sally Rutherford.

Coś jej w tej sprawie śmierdziało i odmówiła złożenia broni. Nie zamierzała słuchać poleceń facetów podszywających się pod agentów FBI. Była pewna, iż nawet do głowy im nie przyszło, że ona i Aposhian są parą. Wiedzieli o niej tylko tyle, że jest śledczą w biurze koronera i na jego zlecenie sprawdziła odciski palców denata w bazie danych. Tak długo jak zachowywałaby ostrożność, ci pajace nie mogli mieć zielonego pojęcia o tym, co robiła.

Tak więc drążyła dalej, a sprawa stawała się coraz bardziej tajemnicza.

Sally unikała teraz kontaktów z Departamentem Policji w Charlestonie. Już raz poprosiła tam o pomoc i siłą rzeczy zastanawiała się, czy przypadkiem jakiś gliniarz od nich nie dał cynku mężczyznom, którzy pojawili się w domu Franka. Zgłosiła się do biura koronera.

Na podstawie zapasowej kopii akt, którą sporządziła, gdy po raz drugi odwiedzili Aposhiana „agenci" FBI, mogła stwierdzić, że jej niezidentyfikowany mężczyzna i ofiara strzelaniny w Charlestonie to jedna i ta sama osoba. Tyle że jej truposz zmarł z przedawkowania narkotyków, a nie od ran postrzałowych.

Nie można było złożyć wniosku o ekshumację zwłok, bo te zostały już skremowane. Kiedy spytała, kto wydał zgodę na kremację, w biurze koronera odpowiedzieli, że nie wiedzą, ale wyjaśnią i zostanie powiadomiona.

Nie mieli już jednak okazji. Tego samego dnia wieczorem Rutherford i Aposhian zginęli w wypadku; wjechali na skrzyżowanie na czerwonym świetle i zostali staranowani przez nadjeżdżający z boku samochód.

Kłótnia, której Gosse stał się przypadkowym świadkiem, zaczęła się od tego, że Aposhian powiedział Sally, żeby zostawiła sprawę niezidentyfikowanych zwłok w spokoju. Dziewczyna znalazła coś w Internecie, ale Frank nie chciał o tym słyszeć. Właśnie wtedy wypadła z jego gabinetu jak burza.

Tego samego wieczoru w domu pogrzebowym zastępca koronera odmówił wypicia drugiej szklaneczki maker's mark i zadzwonił na komórkę do Sally. Powiedział, że czuje się okropnie z powodu ich kłótni. Zgodził się podjechać po nią samochodem i właśnie wtedy Tom Gosse ostatni raz widział go żywego.

Gosse uważał, że ci, którym bardzo zależało, żeby Aposhian przestał się interesować sprawą, zlikwidowali go, pozorując wypadek.

Sheppard jednak miał wątpliwości. Dzięki kontaktom w Departamencie Policji w Baltimore udało mu się porozmawiać ze wszystkimi, którzy zajmowali się ustaleniem przyczyny wypadku Aposhiana. Ostatecznie stwierdzono, że zawinił kierowca, wjeżdżając na skrzyżowanie na czerwonym świetle. Samochód był w porządku, Frank nie używał telefonu komórkowego w chwili zderzenia, ale miał we krwi niewielką ilość alkoholu – co prawdopodobnie wyrzucał sobie Tom Gosse. Aposhian, nie przestrzegając przepisów, spowodował krakskę. Jak ujął to jeden z funkcjonariuszy, „biedny facet po prostu spieprzył sprawę".

Tak czy owak, wyglądało na to, że przed śmiercią Aposhian i Rutherford wpadli na trop dużej afery. Jeśli dorzucić do tego parę ciemnych typów udających agentów FBI, to nawet największemu cynikowi trudno będzie zlekceważyć przypuszczenie, że może chodzić o jakiś spisek.

Dlaczego ktoś miałby użyć niezidentyfikowanego trupa z Baltimore, żeby zainscenizować strzelaninę z policją w Karolinie Południowej?

Po chwili reporter już wiedział, gdzie szukać odpowiedzi. Charleston był małym miastem, zwłaszcza według metropolitalnych standardów Baltimore, a obywatele rzadko wdawali się tu w ostre potyczki z policją.

Wystarczyło, że przeczytał zaledwie połowę artykułu z pierwszej strony gazety, który znalazł przez Google, by zdecydować, jaki zrobi następny krok. Mark Sheppard musiał pojechać do Karoliny Południowej.

32

Meksyk

Była to gówniana kafejka w gównianym meksykańskim miasteczku, ale mieli w niej znośne kanapki, zimne piwo i – rzecz niewiarygodna – szybkie łącze internetowe.

Postęp, mruknął do siebie Philippe Roussard, gdy wytarł koszulą gwint butelki negro modelo i wklepał hasło.

Patent był prosty i używano go już od jakiegoś czasu, ale mimo całej swojej technologii Amerykanom nie udało się jeszcze znaleźć na niego sposobu. Dzięki czemu sprawdzał się idealnie.

Roussard i jego opiekun mieli na spółkę jedno darmowe, dostępne w sieci konto e-mailowe. Zamiast umieszczać szyfrowane wiadomości na elektronicznej tablicy ogłoszeń albo ryzykować dekonspirację poprzez przesyłanie listów w tę i z powrotem, po prostu zostawiali sobie nawzajem krótkie notatki, zapamiętując je w katalogu szkiców. Przeczytaną wiadomość wystarczało skasować. Po komunikacji nie pozostawał ślad, nie zachodziło też niebezpieczeństwo monitorowania korespondencji.

Roussard zrobił, co miał do zrobienia, wylogował się, a potem przyłożył zimną butelkę piwa do czoła. Co za kraj, pomyślał. Mają szybki Internet, ale nie mają klimatyzacji.

Dobrze było poczuć orzeźwiający chłód butelki na twarzy i na karku. Wcześniej tego ranka zatrzymał się na stacji benzynowej, znalazł łazienkę dla mężczyzn i się ogolił. Robił to codziennie. Mógł podziękować swojej matce za ciemną karnację i wyraziste rysy. Świeży zarost tylko pogarszał sprawę. Chociaż niektórzy w minionych latach brali go za Włocha, świat postrzegał go inaczej. Roussard nie mógł uciec od swoich korzeni. Wyglądał na tego, kim był – na Palestyńczyka.

Mówił biegle po francusku i miał francuski paszport. Żywił antypatię do Amerykanów, co oznaczało, że idealnie wtapiał się we francuskie społeczeństwo. Nie odwiedził tego kraju od lat. Wojna w Iraku pochłonęła go całkowicie.

Bycie Jubą, bycie wszędzie i nigdzie, zabijanie żołnierzy wrogiego mocarstwa, jednego po drugim za pomocą pojedynczych strzałów z karabinu, stało się jego życiem. A potem został schwytany.

Pomiędzy intensywnymi przesłuchaniami Roussard dużo rozmyślał. Doszedł do wniosku, że Ameryka nie przetrwa.

Samounicestwienie nie nastąpi w ciągu najbliższych miesięcy, nawet nie lat, ale za kilka dekad Ameryka padnie. Proces już się rozpoczął, lecz Amerykanie, zbyt syci i szczęśliwi, zbyt zajęci opychaniem się hamburgerami i gapieniem w telewizory, nie dostrzegali zagrożenia.

Roussarda zdumiewało, że dumny kiedyś naród mógł w zadziwiająco szybkim tempie upaść tak nisko. Sama materia amerykańskiego społeczeństwa się rozłaziła. Wystarczyło pociągnąć za jedną nić, a całość pruła się jeszcze łatwiej. Gdyby nie jej arogancja, Ameryka mogłaby nawet budzić litość. Osiągnęła wiele, ale podobnie jak w wypadku imperium rzymskiego, nienasycony apetyt na władzę i światową dominację przyspieszał upadek.

Nie mógł się doczekać, kiedy zacznie pracować. Uważał, że pomysł z plagami jest genialny. Dzięki temu katusze, jakie Scot Harvath będzie musiał wycierpieć, zyskiwały dodatkowy wymiar. Po uporaniu się z agentem, zamierzał wrócić do swojej roboty w Iraku. Chociaż Muzułmańska Armia Iraku miała świetnie wyszkolone oddziały snajperów, strach siany przez nich w sercach i umysłach wrogów nie mógł się równać z trwogą, którą wywoływał Juba.

Juba powracał w koszmarnych snach. Snajper, który uderza bez ostrzeżenia, sprawiał, że amerykańscy żołnierze nie mogli w nocy spać, ogarnięci paniką, czy będą następni. Był aniołem śmierci, on decydował, kto przeżyje, a kto umrze. Kiedy tylko wykonam to zadanie, powiedział sobie w duchu, mogę wrócić do irackich braci. Wtedy znowu będę w domu.

33

Ośrodek Programu Wywiadowczego „Sargas"
Elk Mountain
Montrose, Kolorado

Było późne popołudnie, gdy Scot Harvath spotkał się znowu w sali konferencyjnej ośrodka „Sargas" z Timem Finneyem, Ronem Parkerem i Tomem Morganem. Podczas obiadu przygotowanego przez szefa kuchni rozmawiali o rzeczach niezwiązanych ze śledztwem.

Gdy skończyli posiłek, Morgan rozpoczął swoją prezentację.

– Chciałbym najpierw zrobić krótkie wprowadzenie, a potem przejść do szczegółów. Przypuszczam – zwrócił się do Harvatha – że wie pan już dużo z tego, co powiem, ale myślę, że panowie Finney i Parker na tym skorzystają.

Scot uprzejmie dał Tomowi znak, żeby mówił dalej.

– Po jedenastym września zgarnięto sporo ludzi w Afganistanie, Iraku i innych krajach. Według moich źródeł więźniowie pochodzą z ponad pięćdziesięciu państw, choć nazwy tylko czterdziestu jeden z nich podano do publicznej wiadomości. Największa liczba więźniów pochodzi z Arabii Saudyjskiej, potem z Afganistanu, a następnie z Jemenu.

– Trudno się dziwić – zauważył Finney.

– Rzeczywiście – przyznał Morgan, gdy włączył laptop i na ściennych ekranach ukazał się pierwszy slajd pośpiesznie przygotowanej prezentacji w PowerPoincie.

– Jak ma się do tego Meksyk?

– Od dłuższego czasu zarówno amerykańskie, jak i meksykańskie agencje wywiadowcze wiedzą o wysoce wyspecjalizowanych, paramilitarnych obozach szkoleniowych rozsianych po całym Meksyku, z czego co najmniej kilka znajduje się w odległości najwyżej dnia jazdy samochodem od naszej południowej granicy. Obozy są prowadzone przez Zetas, ludzi z oddziałów meksykańskich wojskowych sił specjalnych, którzy zdezerterowali w połowie lat dziewięćdziesiątych, by za duże pieniądze zatrudnić się w kartelach narkotykowych.

Wyświetlił następny slajd: kolaż zdjęć wywiadowczych.

– W obozach często goszczą obywatele różnych krajów arabskich, a także azjatyckich włącznie z Tajami, Indonezyjczykami i Filipińczykami.

– Przedstawiciele wszystkich skupisk islamskich radykałów na świecie – wtrącił Finney. – Istny Disneyland dla terrorystów.

Morgan pokiwał głową i przeszedł do następnego slajdu.

– Mam w Waszyngtonie kolegę, który od dawna twierdzi, że za pośrednictwem Zetas terroryści badają możliwości wykorzystania kanałów przerzutowych karteli narkotykowych do szmuglowania ludzi, broni i materiałów wybuchowych przez naszą dziurawą granicę z Meksykiem. Myślę, że dochodzenia, które się obecnie prowadzi, pewnego dnia wykażą, iż ludzie i materiały wykorzystane w atakach na Manhattan trafiły do naszego kraju przez południową granicę.

– Skoro wiedzieliśmy o tym wszystkim wcześniej, dlaczego nic nie zrobiliśmy? Nie postawiliśmy ogrodzenia, nie zniszczyliśmy obozów, tylko siedzieliśmy bezczynnie, podczas gdy tamci dokonywali inwazji?

Morgan się skrzywił.

– To już pytanie do politologa. Amerykańskie środowiska wywiadowcze i nieliczni oświeceni członkowie Kongresu wiedzą, że barbarzyńcy nie są wcale u bram, lecz już się do nas przebili. Oprócz komórek al-Kaidy w północnym Meksyku dostrzegamy aktywność Hezbollahu, Islamskiego Dżihadu i innych grup. Oni wszyscy tam są.

Wyświetlił kolejny slajd.

– Nie dość, że tam są, to wcale się nie boją, że ktoś mógłby ich zaatakować. Czują się bezpiecznie, zaczęli nawet budować meczety, takie jak ten w Matamoros w północnym Meksyku, zaledwie kilka kilometrów od Brownsville w Teksasie, na drugim brzegu Rio Grande.

Harvath słyszał to wszystko wcześniej i widział dowody. Skorumpowany rząd meksykański nie miał ani chęci, ani odwagi, by wydać wojnę Zetas i kartelom narkotykowym. To, że obie grupy stanowiły oczywiste i realne zagrożenie dla bezpieczeństwa Stanów Zjednoczonych, zupełnie Meksykanów nie obchodziło.

Finney był zbulwersowany.

– Co jest, kurwa? To prawda, Scot?

Harvath milczał; wstydził się za swój kraj.

– Dlaczego prezydent albo Kongres czegoś z tym nie zrobią?

– To skomplikowane – odparł Harvath.

– To tak samo jak operacja prostaty, ale i tak robi się ją bez względu na ból w dupie. Druga możliwość jest nie do przyjęcia.

– Zgoda, Tim. Terroryści, narkotyki, narastająca fala nielegalnych imigrantów. Mam kumpli w straży granicznej. To naganne, ale sami sobie jesteśmy winni. Nie kapuję, jak możemy się uważać za najpotężniejsze państwo na ziemi, skoro nie potrafimy nawet zabezpieczyć własnych granic? Pozostajemy bierni wobec wielkiego najazdu i jeśli natychmiast nie zajmiemy się tym problemem, wkrótce obudzimy się w zupełnie innym kraju... Takim, który nie spodoba się nawet najbardziej liberalnym z nas.

– Co możemy na to poradzić?

Harvath uwielbiał Finneya, ale to nie była odpowiednia pora na dywagacje.

– Oprócz załadowania do twojego hummera pustaków oraz zaprawy i udania się na granicę, niewiele da się zrobić.

– Właściwie – odezwał się Morgan, skupiając uwagę na Harvacie – to nie do końca prawda.

34

Więc teraz przechodzimy do szczegółów prezentacji – powiedział Harvath.

– Dokładnie. – Morgan pokazał następny slajd: ziarniste zdjęcie zrobione z ukrycia. – Ronaldo Palmera, czterdzieści trzy lata, urodzony w Querétaro, dwie godziny drogi od miasta Meksyk. Instruktor z ramienia Zetas w kilku obozach, specjalizował się w taktyce bojowej grup paramilitarnych i w egzotycznych materiałach wybuchowych. Według przedstawicieli meksykańskich organów ścigania jeden z najbardziej bezwzględnych i okrutnych siepaczy kartelu. Znany z obmyślania straszliwych tortur dla swoich ofiar.

Im dłużej Harvath słuchał, tym bardziej był pewny, że znaleźli właściwego faceta.

– W którymś momencie – kontynuował Morgan – Palmera tak zaimponował przywódcom al-Kaidy, że zaproponowali mu furę pieniędzy, byle tylko przyjechał do Afganistanu i pracował w ich obozach szkoleniowych. Już wtedy mówił trochę po arabsku, ale nauczył się dodatkowo perskiego i pasztuńskiego. Wkrótce potem przeszedł na islam.

– Troll powiedział – przerwał mu Scot – że wszyscy ludzie z listy mają na koncie potwierdzone zabójstwa amerykańskich żołnierzy, pracowników wywiadu i prywatnych przedsiębiorców, więc przypuszczam, że Palmera nie trafił do Guantanamo tylko dlatego, że prowadził szkolenia w obozach al-Kaidy.

– Rzeczywiście. – Morgan wyświetlił kolejny slajd. – Po jedenastym września Stany Zjednoczone wszczęły operację pod kryptonimem „Trwała Wolność". Przed skierowaniem do Afganistanu wojsk lądowych dowództwo wysłało tam wyspecjalizowane grupy agentów CIA i oddziały operacyjne Sił Specjalnych, które miały zebrać informacje wywiadowcze, pomóc w tworzeniu sojuszy i tak dalej. Bez wątpienia była to najbardziej niebezpieczna i najważniejsza z misji przeprowadzonych tuż po jedenastym września, również jedna z najbardziej udanych, ale jeszcze większym cieszylibyśmy się sukcesem, gdyby nie Palmera. Z błogosławieństwem bin Ladena, zorganizował własne oddziały do tropienia Amerykanów, którzy przeniknęli do kraju przed ofensywą lądową, a których obecności al-Kaida się spodziewała. Pięć oddziałów amerykańskich, widocznych na tym zdjęciu, zostało zlikwidowanych przez Palmerę, wielu z tych żołnierzy zginęło śmiercią tak okrutną, że nie chcę nawet o tym mówić. Wystarczy powiedzieć, że Palmera wykonywał większość mokrej roboty osobiście, torturując i zabijając amerykańskich jeńców, gdy zostali już rozbrojeni i nie mogli się bronić. Podobno lubi zbierać trofea po tych, których zabił. W wypadku amerykańskich drużyn zwiadowczych były to języki. Odcinał je, gdy żołnierze i agenci CIA wciąż żyli, a potem kazał szewcowi z Kandaharu uszyć z nich parę butów.

Harvath pomyślał o Bobie Herringtonie – został ranny w Afganistanie, gdy pomagał kontuzjowanemu towarzyszowi z Delty, i wskutek tego musiał przejść do rezerwy. Mimo że pożegnał się z pracą, którą kochał, nie zawahał się, gdy ojczyzna znów go potrzebowała. Harvath wiedział, jakimi ludźmi byli żołnierze i agenci CIA, ofiary Palmera. Niewiarygodnie odważni, niewiarygodnie sprawni i służbę krajowi stawiali na pierwszym miejscu, tak jak Bob.

Postanowił, że gdy znajdzie Ronalda Palmerę, wymierzy mu karę nie tylko za to, co zrobił jego matce i Tracy Hastings.

Miał właśnie powiedzieć to głośno, gdy Ron Parker podniósł wzrok znad laptopa.

– Mamy gościa na czacie.

35

W Querétaro panowały tłok, brud i upał. Choć liczba mieszkańców wynosiła niecałe półtora miliona, większość z nich zdawała się tłumnie oblegać historyczne centrum miasta, wpisane na listę pomników Światowego Dziedzictwa UNESCO ze względu na dobrze zachowaną architekturę kolonialną. W zależności od tego, czy czytało się meksykańską, czy hiszpańską historię, Querétaro uznawano za kolebkę meksykańskiej niepodległości albo za matecznik rewolucyjnego fermentu. Właśnie w tym mieście narodził się spisek, by obalić hiszpańską władzę i wygonić Hiszpanów z powrotem za ocean. Tu również podpisano traktat pokojowy zwany traktatem Guadalupe Hidalgo, który zakończył wojnę meksykańsko-amerykańską i usankcjonował przejęcie przez Stany Zjednoczone terytoriów znanych obecnie jako stany Arizona, Nowy Meksyk, Kolorado i Wyoming, a także całej Kalifornii, Nevady i Utah. W zamian Stany Zjednoczone zgodziły się wziąć na siebie spłatę wynoszącego trzy i ćwierć miliona dolarów długu Meksyku wobec obywateli amerykańskich.

Mieszkającym tu radykalnym fundamentalistom muzułmańskim, jak i w znacznej mierze władzom meksykańskim zależało na upadku Stanów Zjednoczonych, więc Querétaro zdawało się dla Ronalda Palmery idealnym domem.

Gdy Troll przysłał wiadomość o obecnym miejscu jego pobytu, Ron Parker poczuł się wręcz zawiedziony, że Meksykanin nie zaszył się w którymś z obozów szkoleniowych. Mając w Elk Mountain do dyspozycji tylu byłych żołnierzy specjalnych oddziałów operacyjnych, liczył, że mogliby utworzyć własną grupę uderzeniową, prześlizgnąć się przez granicę i zlikwidować cały obóz.

Harvathowi taki pomysł też by się podobał, ale pochwycenie Palmery w Querétaro miało swoje zalety. Musieli jednak brać pod uwagę, że miasto znajdowało się na przecięciu szlaków komunikacyjnych Meksyku i miało jedną z najdynamiczniej rozwijających się gospodarek w całym kraju. Trafiało tu sporo amerykańskiego i europejskiego kapitału, a wraz z nim przybywało wielu zagranicznych biznesmenów. Ze swoimi wygolonymi głowami Parker i Finney nie mogli raczej uchodzić za typowych przedsiębiorców

– nie we dwóch i zwłaszcza nie Finney, który był takim wielkoludem, że wszędzie rzucał się w oczy. Harvath miał jednak pomysł, jak obrócić to na ich korzyść.

Pod względem operacyjnym Parker i Finney dysponowali dostatecznymi umiejętnościami i doświadczeniem, by podołać temu, co Harvath zamierzał zrobić. Co więcej, nie ośmieliliby się ruszyć na akcję z zespołem, który liczyłby więcej niż trzy osoby. Bez względu na wysokie umiejętności ludzi z Walhalli i Lokalizacji Szóstej tego typu operację najlepiej było przeprowadzić w małej grupie.

Kiedy ich odrzutowiec wylądował na międzynarodowym lotnisku w Querétaro, wbici w garnitury Finney i Parker zajęli pozycje ochroniarzy przy jeszcze lepiej ubranym Harvacie.

Po przejściu przez kontrolę celno-paszportową Finney i Parker wyjęli z bagażu krótkofalówki, schowali je pod sportowymi marynarkami i wetknęli do uszu małe słuchawki, jakich używają agenci Secret Service. Policjanci pilnujący terminalu śledzili uważnie ich ruchy, ale nie pilniej niż innych bogatych zagranicznych biznesmenów. Amerykanie i Europejczycy wciąż budzili w Querétaro zaciekawienie i zazdrość.

W połowie drogi do miasta Finney polecił Parkerowi skręcić. Piętnaście kilometrów jechali kiepsko utrzymaną drogą, którą trafili do najgorszych meksykańskich slumsów, jakie kiedykolwiek widzieli. Tu lepiej było nie pokazywać się za kierownicą lśniącego luksusowego samochodu.

Zawracali dwukrotnie, ale w końcu znaleźli to, czego szukali. Kiedy zatrzymali się przed maleńkim sklepem auto-moto z ręcznie malowanymi szyldami i zardzewiałymi kratami w oknach, Finney, spojrzawszy na Parkera, powiedział:

– Nie gaś silnika.

Wygramoliwszy się z wozu, Finney zauważył staruszka w koszulce z krótkimi rękawami i sandałach, który siedział w fotelu ogrodowym przed budynkiem. Starzec uśmiechnął się, odsłaniając rząd złotych zębów.

Finney zapytał go o drogę do Querétaro. Kiedy starzec podał uzgodnioną wcześniej odpowiedź, Finney zapytał, czy nie ma zapasowej opony, która pasowałaby do ich samochodu. Starzec podniósł się z chybotliwego fotela i skinął na Finneya, żeby wszedł z nim do środka.

Obaj z Parkerem przyglądali się temu, siedząc w samochodzie. Umowa nie przewidywała, że Finney wejdzie do środka, i żadnemu z nich to się nie podobało, ale nie mieli wyboru: musieli siedzieć i czekać.

Po kilku minutach Finney wyłonił się ze sklepu, niosąc oponę zawiniętą w dużą torbę na śmieci. Starzec podszedł do tyłu samochodu i dwukrotnie zapukał sękatym palcem w bagażnik. Parker otworzył klapę, a Finney ostrożnie włożył do środka oponę.

Dziesięć minut później zjechali na pobocze. Wysiedli, otworzyli bagażnik i zdjęli foliową torbę z „zapasowej opony". Do jej wnętrza było przymocowane taśmą przylepną wszystko, o co Harvath prosił. Karzeł słono sobie policzył za dostarczenie broni, ale oni nie mieli w Meksyku żadnego zaplecza. Scot nie chciał korzystać z pomocy znajomych w stolicy w obawie, że prezydent dowiedziałby się o akcji – musieli zgodzić się na zakup potrzebnego uzbrojenia od Trolla za pośrednictwem ludzi z jego siatki.

Harvath cieszył się, że ma broń. Jeśli Ronaldo Palmera był tak groźny, jak wszyscy mówili, z pewnością będzie potrzebna.

36

Mimo że Palmera mógłby mieszkać gdziekolwiek w Querétaro, wolał biedną dzielnicę El Tepe; tu ludzie nie wtykali nosa w cudze sprawy i nie zadawali zbędnych pytań.

Miał niepozorny jednopiętrowy dom niedaleko głównego rynku. Na tyłach znajdowało się patio, gdzie zrobił spory ogród, którego znaczną część zajmował równy rządek karłowatych drzewek owocowych.

Palmera późno zainteresował się ogrodnictwem. Odkrył, że jest to zajęcie kojące nerwy – pozwalało mu zapomnieć na chwilę o wszystkim, co widział i zrobił.

Aby upamiętnić pięć filarów religii muzułmańskiej, zasadził pięć gatunków drzew: jabłoń jako świadectwo wiary, morelę jako symbol codziennej modlitwy, wiśnię za obowiązek dawania jałmużny, nektarynę jako symbol poszczenia i brzoskwinię za pielgrzymkę do Mekki – podróż, którą Palmera wciąż musiał odbyć.

Kiedy pielęgnował drzewka, raz po raz przypominał sobie, że powierzył duszę Allahowi, i skupiał myśli na tym, co oznaczają dla niego poszczególne filary wiary. Ogród był dla Palmery sanktuarium, jego rajem na ziemi. Ale też najsłabszym punktem obrony jego domu.

Dość wcześnie Harvath porzucił pomysł porwania Palmery z ulicy – zbyt wielu świadków, zbyt wiele rzeczy mogło pójść nie tak. Największe szanse powodzenia mieli przy próbie pochwycenia go w domu.

Z materiałów wywiadowczych wynikało, że mieszka sam i nie korzysta z żadnej obstawy – reputacja stanowiła wystarczającą ochronę. Jedyną niewiadomą dla Harvatha było to, na ile terrorysta mógł liczyć na lojalność sąsiadów. Pieniężna pomoc lokalnym organizacjom charytatywnym, parafiom i rodzinom w potrzebie stanowiła doskonały sposób kupienia sobie wierności i czujnych par oczu, które ostrzegłyby dobroczyńcę, gdyby ktokolwiek próbował go szukać.

Harvath, Finney i Parker po prostu nie mogli wiedzieć, czy są pod obserwacją. W związku z tym musieli przyjąć, że każda osoba w promieniu czterech przecznic od domu Palmery jest na jego garnuszku i bezzwłocznie powiadomi go o zagrożeniu. Próby zakradnięcia się w pobliże domu nie miały szans powodzenia. Musieli się tam dostać na bezczelnego.

I tak zrobili.

Zaparkowali o przecznicę od domu Palmery i zapłacili paru sklepikarzom po sto dolarów na łebka, żeby mieli oko na samochód. Mimo że Finney mówił po hiszpańsku słabo, było całkiem jasne, co spotkałoby sklepikarzy, gdyby z wozem coś się stało.

Następnie wszyscy trzej skręcili za róg, w ulicę, przy której mieszkał Palmera. Harvath, z rulonem projektów architektonicznych pod pachą, energicznie gestykulował i mówił podniesionym głosem, pokazując palcem na mijane budynki.

Mając za sobą trzy czwarte drogi w głąb ulicy, przystanął w pobliżu wąskiego pasażu, który prowadził na tyły domu Palmery. Wyciągnął plany spod pachy, rozłożył na masce najbliższego samochodu i zaczął udawać, że uważnie je studiuje. Wyjął z kieszeni mały aparat cyfrowy, podał Parkerowi i kazał robić zdjęcia.

Ludzie z sąsiedztwa nie mieli pojęcia, kim jest facet z planami budowlanymi, ale sądząc po „gabarytach" jego ochroniarza, musiał być kimś ważnym. Jeśli przyjechał do El Tepe, mogło to oznaczać tylko jedno: rewitalizację. Czyli pieniądze, mnóstwo pieniędzy.

Przyglądali się, jak biznesmen studiuje plany, a jego asystent cyka zdjęcia sklepów i domów, podczas gdy czujny ochroniarz stoi nieopodal, gotów zniechęcić każdego, kto spróbowałby się zbliżyć.

Kilku sklepikarzy, chcąc przyciągnąć uwagę zagranicznego biznesmena, chwyciło za miotły i sprzątało chodniki przed sklepami.

Harvath znów zaczął gestykulować, wskazując długopisem na przewody instalacji elektrycznej, które łączyły kilka osobnych budynków. Zadowolony, że udało się wzbudzić odpowiednie zainteresowanie, studiował projekty jeszcze przez parę minut, po czym wskazał palcem na pasaż. Wetknął plany nowego padoku Tima Finneya w Elk Mountain z powrotem pod pachę i ruszył przed siebie. Wiedział, że to jeden z najbardziej ryzykownych momentów akcji.

Tom Morgan potajemnie podpiął się do systemu satelitarnego Agencji Bezpieczeństwa Narodowego, co pozwoliło mu monitorować na bieżąco operację z Kolorado. W tej chwili dom Ronalda Palmery był pusty. Jeśli zamierzali wejść do środka, nadarzała się okazja.

Odebrawszy w słuchawce komunikat „droga wolna", Ron Parker przekazał wiadomość Harvathowi i wszyscy jakby nigdy nic skręcili w wąski pasaż, zawalony śmieciami i cuchnący moczem.

Nie zwracając uwagi na smród, a nawet na szczura, który wyglądał, jakby mógł wystartować w derby Kentucky, Harvath ruszył w głąb pasażu.

Już miał wyciągnąć z kieszeni zestaw wytrychów, gdy zobaczył ciężkie drewniane drzwi obite żelaznymi sztabami i zdał sobie sprawę, że muszą wymyślić coś innego. Drzwi wyglądały, jakby były wyjęte ze średniowiecznego zamku albo warownej hiszpańskiej misji, a duży żelazny zamek budził respekt. Mogli tylko wdrapać się na wysoki kamienny mur.

Od strony ulicy nie było ich widać i Harvath nie tracił czasu.

Zrobił dwa kroki w tył, policzył do trzech, a potem podskoczył, chwytając się krawędzi muru. Dziękował Bogu, że nie nadział się na tłuczone szkło, często spotykane zabezpieczenie murów w krajach Trzeciego Świata. Podciągnął się, przerzucił nogi i zeskoczył do ogrodu po drugiej stronie.

Chwilę później usłyszał odgłos, który zmroził mu krew.

37

Psy wyskoczyły z byle jak skleconej budy i natarły na Harvatha ze zdumiewającą szybkością. Jego pole widzenia uległo natychmiastowemu zwężeniu. Widział tylko rozwarte pyski, obnażone kły i czarne ślepia.

Nie miał czasu ani na wyciągnięcie broni, ani na usunięcie się z drogi. Zareagował instynktownie, unosząc ręce, żeby osłonić twarz.

Psiska, warcząc, rzuciły się na niego z takim impetem, że zatoczył się, uderzając plecami o mur, i wtedy usłyszał dwa krótkie trzaski. Harvath uchylił się, chciał znów zrobić unik i dopiero po chwili zorientował się, że atak nie nadejdzie. Zobaczył siedzącego okrakiem na murze Rona, który trzymał oburącz pistolet z tłumikiem. Parker obrzucił wzrokiem teren i stwierdziwszy brak innych zagrożeń, zeskoczył.

– Tom Morgan przeprasza – powiedział. – W ogóle nie zauważył psów.

Harvath spojrzał na dwa martwe cielska na ziemi. Paskudne bestie wyglądały na nieudaną krzyżówkę pitbulla i dobermana. Na sam ich widok robiło się niedobrze. Mimo wszystko Harvath żałował, że trzeba je było zabić. Uwielbiał psy.

Gdyby nie Ron, bestie rozszarpałyby go na kawałki. Miał szczęście, że przyjaciel tak dobrze strzelał.

– Dzięki. – Harvath wyciągnął broń.

– Będziesz moim dłużnikiem – odparł Parker.

Finney wgramolił się na mur i zeskoczył.

– Nigdy nie widziałem brzydszych psów. – Wzdrygnął się z odrazą. Chwycił je za tylne łapy i zawlókł w stronę zadaszenia z blachy falistej, które służyło za budę.

Parker rozejrzał się, sprawdzając, czy nie dzieje się nic podejrzanego, a Harvath już otwierał wytrychem zamki w drzwiach.

Szybko się z nimi uporał, skinął na przyjaciół i wkradli się do środka.

Tak jak powiedział Troll, Palmera nie miał systemu alarmowego. Ale o dziwo, karzeł przeoczył obecność psów. Harvath zamierzał powiedzieć mu o tym przy następnej rozmowie.

Z bronią w pogotowiu obeszli dom, zaglądając do wszystkich pomieszczeń. Ani śladu czyjejkolwiek obecności. Harvath miał kilka minut na przeszukanie.

Kiedy Finney obstawił frontowe drzwi, a Parker wejście od ogrodu, Harvath sprawdził szafy na parterze, a potem pobiegł na górę.

Przeszperał wszystkie szafki, zajrzał pod łóżko i podstawiał sobie właśnie krzesło, żeby wejść na strych, kiedy Finney zawołał go na dół.

– Co jest? – rzucił Harvath ze szczytu schodów.

Tim postukał palcem w słuchawkę.

– Morgan mówi, że nadjeżdża samochód, który pasuje do opisu wozu Palmery.

– Ile mamy czasu?

– Najwyżej czterdzieści pięć sekund. Musimy się ustawić.

Harvath obejrzał się przez ramię w kierunku sypialni, gdzie znalazł zamaskowaną klapę na strych, ale z wejścia tam zrezygnował.

W połowie schodów usłyszał, jak przyjaciel mówi:

– Panowie, mamy mały problem.

Harvath zbiegł czym prędzej na parter i dołączył do Finneya, który stał przy oknach od frontu. Rzeczywiście mieli problem. Ronaldo Palmera nie był sam.

38

Palmera wysiadł z toyoty land cruiser w towarzystwie dwóch innych mężczyzn, którzy nie wyglądali na Meksykanów.

Obaj byli tylko trochę niżsi od mierzącego metr osiemdziesiąt parę Palmery i chyba spędzali dużo czasu na świeżym powietrzu. Skórę mieli ogorzałą od słońca i choć można by ich wziąć za mieszkańców Ameryki Południowej, rysy ich twarzy od razu zdradziły Harvathowi prawdziwe pochodzenie. Raczej się nie mylił, ci dwaj to Arabowie, najprawdopodobniej z jakiegoś obozu szkoleniowego Palmery.

Jeśli tak, to stanowili bardzo poważne zagrożenie. Harvath miał już w głowie plan działania.

Jedna z najbardziej popularnych w służbach specjalnych metod obezwładniania groźnego przestępcy polegała na zafundowaniu mu pięciosekundowej „jazdy na bizonie", jak mówią stróże prawa, za pomocą tasera X26. Gdy prąd z dwóch igieł wystrzelonych z paralizatora przebiegał przez ciało, centralny układ nerwowy i mięśnie szkieletowe ulegały natychmiastowemu porażeniu i delikwent upadał sparaliżowany. Niektórzy krzyczeli, lecz u większości mięśnie napinały się tak mocno, że po prostu przewracali się na ziemię, i łatwo można było skrępować im ręce i nogi, a usta zakleić kawałkiem taśmy.

W taki sposób unieszkodliwiło się taserem jednego przeciwnika. Gdy w grę wchodziło trzech facetów, sprawa wyglądała zupełnie inaczej.

Harvath sprawdził umieszczoną pod rączką tasera kieszeń na dodatkowy ładunek. Nie zdziwił się, że jest pusta. Prawdopodobnie używano go wcześniej. Do czego, nawet nie chciał zgadywać.

Brak drugiego ładunku oznaczał dla Harvatha problemy.

Finney i Parker nie uchyliliby się od niczego, byle wykonać zadanie. Nie bali się ubrudzić sobie rąk, ale nie mogli po prostu zastrzelić kumpli Palmery tylko dlatego, że wyglądają na Arabów. Choć prawdopodobnie to para sukinsynów mających niejedno na sumieniu, Harvath nigdy nie zabijał ludzi, którzy nie dali mu do tego powodu.

Potrafił na pierwszy rzut oka rozpoznać, z kim ma do czynienia. Może to rezultat szkolenia w Secret Service, a może wieloletniej niebezpiecznej pracy. W każdym razie jako ktoś, kto nieraz sam zabijał, umiał natychmiast rozpoznać taką zdolność u innych – ten kamienny, nieprzejednany wyraz twarzy, to stale czujne spojrzenie zawsze zdradzały zabójcę. Zdolność do odbierania życia jest jak fryzura za sto dolarów – nie można jej pomylić z niczym innym.

Harvath nie wątpił, że Palmera i jego towarzysze oznaczają kłopoty. Sztuka polegała na tym, żeby obezwładnić ich, zanim zdążą zareagować. Harvath, Finney i Parker stawiali na zaskoczenie. Problem w tym, czy z nagłym pojawieniem się dwóch dodatkowych graczy wciąż mogli wykorzystać przewagę? Nie mieli jednak wyboru.

Kiedy wszystko zostało ustalone, zajęli swoje pozycje.

Z taserem w garści modlił się, żeby jego plan się powiódł.

39

Ze stanowiska przy oknie Finney obserwował mężczyzn idących chodnikiem w stronę domu. Nagle wykrzyknął:

– Kurwa mać!

Scot wybiegł ze swojej kryjówki w samą porę, by zobaczyć, jak Palmera i jego kumple skręcają na tyły budynku.

Cały plan opierał się na założeniu, że wejdą frontowymi drzwiami. Teraz okazało się, że wejdą od tyłu, co oznaczało, że muszą przejść przez ogród. Psy nie zareagują na ich nadejście, i Palmera zorientuje się, że coś nie gra.

Jedyną rzeczą, której Harvath nienawidził bardziej od wymyślania w pośpiechu planu, było wymyślanie drugiego pośpiesznego planu, bo pierwszy wziął w łeb. Za każdym razem, gdy zmieniali taktykę, szanse powodzenia malały.

Harvath został wyszkolony, by radzić sobie w każdych okolicznościach – myśleć w biegu i działać skutecznie w najtrudniejszej sytuacji. Pomysł, który wpadł mu teraz do głowy, zrodził się z wojskowego instynktu wyrobionego latami praktyki.

Parker strzelał najlepiej z nich trzech, dlatego przypadło mu najtrudniejsze zadanie. Został przy frontowych drzwiach, a Harvath i Finney popędzili do ogrodu. Zajęli swoje miejsca, właśnie gdy Palmera wsunął klucz do solidnego żelaznego zamka.

Klucz zaczął się obracać, lecz po chwili znieruchomiał. Harvath wiedział dlaczego. Palmera spodziewał się, że coś usłyszy. Zwykle psy na pewno szczekały, gdy otwierał drzwi.

Harvath spojrzał na Finneya. Mogliby załatwić wszystkich trzech w pasażu, ale liczył się element zaskoczenia.

Finney zrozumiał sugestię. Podszedł do budy i zatrząsł blachą.

Obaj utkwili wzrok w drzwiach, czekając, aż zazgrzyta klucz. Cisza. Harvath wpatrywał się teraz w mur, przekonany, że lada moment Palmera albo któryś z jego kumpli wystawi głowę, by zobaczyć, co się dzieje.

Tak się nie stało, natomiast Palmera prowokacyjnie zagrzechotał kluczem w zamku. Droczył się z psami, chciał je rozdrażnić. Może były wytresowane jeszcze lepiej, niż Harvath przypuszczał. Jego zaatakowały dopiero, gdy przeszedł przez mur i zeskoczył do ogrodu. A to mogła być gra, którą Palmera lubił z nimi prowadzić: rozbudzał w nich agresję, by potem ukazać się jako „fałszywe zagrożenie". Scot znał wielu właścicieli czworonogów, którzy od czasu do czasu dobrodusznie drażnili się ze swoimi pupilami. Może jednak plan zadziała.

Kiedy klucz się obrócił i zamek ustąpił z trzaskiem, na wargach Harvatha zadrgał lekki uśmiech. Na pewno zadziała.

Najpierw zobaczył twarz Palmery. Dziobatą skórę po latach trądziku ledwo zakrywała żałosna namiastka brody, którą zapuścił ze względów religijnych. Miał czarne zmierzwione włosy i ciemne zmrużone oczy – powiedziały Scotowi wszystko, co potrzebował o nim wiedzieć. Harvath zamierzał go zabić, ale najpierw musieli odbyć krótką rozmowę.

Kiedy terrorysta wszedł do ogrodu, Harvath wyskoczył z kryjówki i potraktował go taserem. Para igieł paralizatora przebiła się przez cienką bawełnianą koszulę i utkwiła w piersi Palmery. Prąd natychmiast popłynął przez ciało i zabójca doświadczył „jazdy na bizonie".

Gdy jego mięśnie napięły się i Palmera runął twarzą na ziemię, Tim Finney całym ciężarem walnął w drzwi. Z ogłuszającym hukiem, który zabrzmiał jak wystrzał z karabinu, drzwi zatrzasnęły się, powalając kumpli Palmery na chodnik.

Jeden od razu stracił przytomność. Zanim drugi pojął, co się dzieje, Finney otworzył drzwi, skoczył na niego i jednym celnym ciosem w głowę wyeliminował z gry.

Parker miał przestrzelić Arabom kolana, gdyby sprawy przybrały zły obrót, ale teraz, gdy obaj leżeli znokautowani, przebiegł przez pasaż i pomógł Finneyowi zaciągnąć ich do ogrodu.

Harvath skrępował Palmerze ręce za plecami, zakleił taśmą usta, rozbroił go z półautomatycznego pistoletu, dwóch kozików, puszki gazu pieprzowego i kubotanu Keatinga. Nie mógł się doczekać, by wziąć w obroty tego przyjemniaczka. Miał nadzieję, że Palmera okaże się krnąbrny i przesłuchanie potrwa długo.

Przyciskał kolano z tyłu do czaszki Meksykanina, podczas gdy Parker i Finney zajęli się jego *amigos*. Spętali ich, zakneblowali, po czym wepchnęli do budy obok martwych psów.

Harvath poderwał na nogi dochodzącego do siebie Palmerę. Z zimną stalą tłumika przyciśniętą do żeber zabójcy nie musiał tłumaczyć, co się stanie, jeśli Meksykanin zrobi coś głupiego. Palmera był bystrym facetem i dobrze wiedział, co go czeka.

40

Ron Parker zaciągnął zasłony w salonie, gdy Harvath zerwał taśmę z ust Palmery i pchnął go na krzesło.

Kiedy facet bluzgnął stekiem przekleństw, wymyślając im od najgorszych, Harvath kopnął go w *maracas* tak mocno, że Palmera znalazł się na podłodze. Leżał, dysząc ciężko, gdy Scot złapał go za koszulę i posadził z powrotem na krześle.

– Ja zadaję pytania, a ty odpowiadasz. Tak to działa. Przy każdym odstępstwie od tej reguły stanę się nieprzyjemny. Jasne?

Palmera tylko łypnął nienawistnie na Harvatha.

Harvath wyciągnął paralizator z kabury przy pasie, przystawił Palmerze urządzenie do szyi i nacisnął spust. Nawet bez dodatkowego ładunku, który można było wystrzelić, taser nadal stanowił skuteczną broń obezwładniającą w kontakcie bezpośrednim.

Palmera zesztywniał i zwalił się z krzesła na twarz, rozwalając sobie nos.

Harvath znów go posadził, pochylił się i powiedział mu do ucha:

– Wiesz, że wszystkie przypadki śmierci wskutek porażenia taserem, o których mówi się w Ameryce, to bzdura. Przyczyną dziewięćdziesięciu dziewięciu procent zgonów jest wada serca. Jak tam twoje serducho, Ronaldo?

– Pierdol się – wykrztusił Palmera, z trudem łapiąc oddech.

Scot przyłożył mu taser z drugiej strony szyi.

– Możemy się tak bawić całą noc. Przyniosłem mnóstwo zapasowych baterii.

Meksykanin splunął mu w twarz, więc jeszcze raz odbył przejażdżkę na bizonie.

Potem Harvath znów posadził go na krześle i odczekał, aż terrorysta odzyskał dech.

– Jeśli wciąż nic do ciebie nie dociera, to możemy przygotować ci moczenie stóp i przynieść z twojego samochodu akumulator.

Palmerze ciekła krew ze złamanego nosa, więc Harvath skinął, żeby Finney przyniósł z kuchni ręcznik.

Owinął nim dłoń, złapał Meksykanina za nos i pociągnął.

Terrorysta zawył z bólu. Scot musiał teraz mówić głośniej, żeby tamten dosłyszał:

– Co robiłeś w Dystrykcie Kolumbii? Jak znalazłeś mój dom? Jak znalazłeś dom mojej matki? Mów!

Palmera był bliski zemdlenia.

– Dlaczego atakujesz moich bliskich? Pracujesz sam czy ktoś cię nasłał? Odpowiadaj!

Scot już chciał po raz kolejny potraktować kanalię paralizatorem, gdy Finney położył mu dłoń na ramieniu. Nie musiał nic mówić, gest wystarczył. Gdyby okazało się to konieczne, mieli na przesłuchanie całą noc. Chodziło o wydobycie informacji, a to się nie uda, jeśli on nie opanuje emocji.

Puścił nos Palmery i starał się wyprzeć ze świadomości wspomnienie tego, co przytrafiło się Tracy i matce. Będzie miał jeszcze mnóstwo czasu na wyładowanie całej złości, ale jeszcze nie pora.

Więzień miał zamglone, przymknięte oczy, podbródek opadł mu na pierś.

Harvath już chciał ocucić go uderzeniem w twarz, gdy Palmera zaczął mamrotać. Nie rozumieli słów. Pewnie recytował tylko wersy z Koranu, jak wszyscy muzułmańscy terroryści, kiedy się bali. Bez względu na to, za jakiego twardziela miał się Palmera, nie mógł się równać z Harvathem. Prawdopodobnie dostrzegł w Harvacie to, co tamten w nim: umiejętność i gotowość do zabijania.

Nie wiedział, co Meksykanin mówi, musiał więc traktować każdą wypowiedź jako potencjalnie ważną. Przyłożył mu taser do krocza, wysyłając wyraźny sygnał, że Palmera może zgrywać dalej twardziela, ale ze szkodą dla siebie.

Kiedy pochylił się do przodu i wsłuchiwał w mamrotanie terrorysty, rozległ się huk, jakby wielki dąb rozpękł się na pół od uderzenia pioruna. Harvathowi pociemniało w oczach i zatoczył się do tyłu.

Wpadając na stolik kawowy, stracił równowagę. Gdzieś z tyłu, za krzesłem, na którym siedział Palmera, posypało się z brzękiem rozbijane szkło i usłyszał desperackie krzyki Finneya i Parkera.

Parę sekund później z ulicy doleciał pisk opon, a potem głuchy łomot. Chociaż Harvath był zamroczony, w przebłysku świadomości skojarzył, że ktoś wpadł pod samochód. Modlił się, żeby to nie był Palmera.

Potrząsnął głową, usiłując pozbyć się gwiazd przed oczami. Ogarnęła go złość: nie powinien był dopuścić, żeby więzień zaatakował i powalił go ciosem z byka. Potem podźwignął się i wybiegł na ulicę.

Finney podniósł wzrok znad zmiażdżonego ciała Ronalda Palmery leżącego pod zderzakiem zielonej taksówki i pokręcił głową.

Scot ruszył w tamtą stronę, ale Parker chwycił go za ramię.

– Nie żyje. Wynośmy się stąd.

– Jeszcze nie. – Scot wyrwał się przyjacielowi i podszedł do zwłok.

Wokół zbierali się już gapie, ale on nie zwracał na nich uwagi. Wyjął z kieszeni aparat cyfrowy, zrobił zdjęcie i zdjął trupowi buty.

Wrócił na chodnik, gdzie stali Finney i Parker.

– Teraz możemy iść – powiedział im.

41

Charleston,
Karolina Południowa

Wszyscy znajomi ostrzegali Marka Shepparda, żeby w Charlestonie pamiętał o mówieniu „proszę" i „dziękuję". Od 1995 roku miasto chlubiło się nieprzerwanym pasmem zwycięstw w plebiscycie na „najlepiej wychowane" miasto w Ameryce i mieszkańcy nie tolerowali chamskiego czy gburowatego zachowania. Sheppard nie wiedział, czy podziękować za radę, czy się obrazić. W każdym razie nie zamierzał zatrzymywać się w Charlestonie tak długo, by pozostawić po sobie trwalsze wspomnienie.

Do wymiany ognia między przestępcami a policją dochodziło w Charlestonie bardzo rzadko, więc nie miał żadnych kłopotów ze znalezieniem tego, czego szukał. Z artykułów prasowych dowiedział się, że główną siłą reagowania na miejscu „strzelaniny" z niezidentyfikowanym trupem z Baltimore byli gliniarze antyterroryści, oddział SWAT przy Urzędzie Szeryfa Hrabstwa Charleston. Sheppardowi udało się nakłonić wysokiego rangą członka SWAT w Baltimore do przedstawienia mu dowódcy SWAT w Charlestonie, Maca Mangana.

Choć normalnie brylował w świecie mediów, Mangan nigdy nie przepadał za reporterami. Uważał, że mają jeden, jedyny cel: obsmarować i zmieszać z błotem jego i innych gliniarzy.

Konieczność stykania się z dziennikarzami śledczymi z własnego podwórka była dostatecznie nieprzyjemna, a teraz miał odpowiadać na pytania jankeskiemu pismakowi, który przyjechał tu, żeby na podstawie bzdurnych domysłów przedstawić jego oddział jako bandę tępaków, bez namysłu sięgających po broń. Gdyby on i żona nie przyjaźnili się z Richardem i Cindy Mossami z Marylandu, nigdy nie zgodziłby się na tę rozmowę.

Sheppard spotkał się z Manganem – bykiem pod pięćdziesiątkę – w kafejce Wild Wing na Market Street, gdzie zamówili lunch.

Do czasu, gdy jedzenie wjechało na stół, Sheppard myślał, że po typowo gliniarskiej, męskiej pogawędce udało mu się wzbudzić zaufanie rozmówcy i może przejść do tematu, który go naprawdę interesuje.

– Przypuszczam, że Dick Moss powiedział ci, dlaczego tu jestem?

Mangan pokiwał głową i nadgryzł kanapkę.

– Możesz mi opowiedzieć o tym, co się wydarzyło?

Dowódca SWAT wolno i starannie przeżuwał kęs, po czym wytarł usta serwetką.

– Zły facet zabarykadował się w budynku. Oddział SWAT przybył na miejsce. Pif. Paf. Nie ma faceta.

Sheppard uśmiechnął się.

– Kapuję. W hrabstwie Charleston nie lubicie złych facetów.

Mangan rozstawił kciuk i palec wskazujący, imitując pistolet, i puścił do Shepparda oko, zwalniając „kurek".

Reporter roześmiał się dobrodusznie.

– Dziennikarz „Post and Courier" podał trochę więcej szczegółów, ale wygląda na to, że nic nie przekręcił.

Dowódca SWAT rozdziawił usta i wziął następny duży kęs.

– Myślę, że może powinienem zadać swoje pytania, zanim dostaliśmy lunch.

Po raz kolejny Mangan strzelił z ręki i puścił do Shepparda oko.

Reporter zaczynał się wkurzać.

– Wiesz, Dick uprzedzał mnie, że będziesz rżnąć głupa jak jakiś durny południowy ciołek, ale nie sądziłem, że zaczniesz tak szybko.

Mangan przestał przeżuwać.

– Nie przerywaj sobie jedzenia – ciągnął Sheppard. – Póki płacę za twoją południową ucztę, chcę dopilnować, żeby smakował ci każdy kęs. A tak nawiasem, jaką zabawkę dają tu dzieciom do zestawu? Paczkę marlboro?

Dowódca SWAT wytarł usta serwetką i upuścił ją na talerz.

Sheppard przyglądał mu się, miał gdzieś, czy facet się wkurwił, czy nie. Nie przyjechał aż do Karoliny Południowej, żeby jakiś chłopek roztropek robił go w konia.

Na twarzy Mangana powoli wykwitł uśmiech.

– A mnie Dick uprzedzał, że możesz być trochę drażliwy.

– Tak powiedział?

Mangan pokiwał głową.

– Co jeszcze mówił?

– Że gdy już skończę pieprzyć głodne kawałki, powinienem odpowiedzieć na twoje pytania.

Sheppard zauważył, że lewą dłoń zwarł w morderczym uścisku na szklance coli. Roześmiał się trochę rozluźniony.

– Mam rozumieć, że skończyłeś z głodnymi kawałkami?

– To zależy – odparł Mangan. – A ty przestałeś odgrywać wrażliwą panienkę?

Typowe gliniarskie podśmiechujki. Sheppard powinien był się tego spodziewać. Gliniarze w Charlestonie niczym się nie różnią od tych z Baltimore. W odpowiedzi na pytanie Mangana pokiwał głową.

Dowódca SWAT uśmiechnął się.

– Dobra. A teraz mów, co chcesz wiedzieć o tej strzelaninie?

– Wszystko.

Mangan spoważniał.

– Skończmy z tymi bzdurami. Zero ściemy.

– Okej – odparł Sheppard, przyjmując warunki. – Dick mówił, że wszedłeś do domu pierwszy. Co zobaczyłeś?

– To pierwsza rzecz, którą musimy sprostować. Nie byłem pierwszy.

– Jak to?

Mangan dał Sheppardowi znak, żeby wyłączył dyktafon. Obejrzał się przez ramię i mruknął:

– Mogę ci to powiedzieć nieoficjalnie.

42

Park Olimpijski
Ośrodek Olimpijski w Utah

Philippe Roussard, zdrowy i atletycznie zbudowany, nie marzył o karierze sportowca. Zupełnie nie pojmował, co sprawiło, że ludzi ogarnęło szaleństwo na punkcie tak wielu różnych dyscyplin. Tylko zachodnie społeczeństwo takie jak Stany Zjednoczone mogło temu ulec.

Obserwował trening młodych zawodników amerykańskiej reprezentacji w narciarstwie akrobatycznym. Był jasny, bezchmurny dzień. Temperatura utrzymywała się na idealnym poziomie dwudziestu pięciu stopni, prawie nie wiało – wymarzone warunki do treningu.

Sceneria przypominała mu wsie, gdzie jego rodzina wynajmowała domki w czasie świąt. Oczywiście nie tak łatwo dostępne. Mieli tak silną potrzebę bezpieczeństwa, że nawet przy tych kilku okazjach w roku, gdy mogli być razem, wyjeżdżali tam, gdzie ryzyko, że ktoś ich zobaczy lub, co gorsza, spróbuje zabić, wydawało się najmniejsze.

Park Olimpijski w Utah rozciągał się na powierzchni stu sześćdziesięciu hektarów. Tu w 2002 rozgrywano zawody olimpijskie w bobslejach, saneczkarstwie i skokach narciarskich, a narciarze z amerykańskiej reprezentacji trenowali przez cały rok.

Z zebranych przez siebie informacji wywiadowczych dowiedział się, że zawodnicy muszą przećwiczyć wszystkie ewolucje w wodzie, zanim z nadejściem sezonu zimowego wykonają je na śniegu. Trzy pokryte plastikiem skocznie, zwane hopami, stanowiły wierne kopie właściwych skoczni śnieżnych, na których potem narciarze prezentowali swoje umiejętności akrobatyczne. Trenując poza sezonem, zamiast na śnieżnym zeskoku, lądowali w basenie z wodą.

Roussard bardzo chciał zobaczyć, jak to wygląda, i przy pierwszej wizycie w parku miał okazję obserwować kilka wyjątkowych sztuczek.

Skoczkowie, w neoprenowych kombinezonach, butach narciarskich i kaskach, wchodzili po schodkach na rampę, zdejmowali narty z grzbietów i wpinali w nie buty. Plastikowe rampy były nieustannie oblewane wodą i zawodnicy zjeżdżali po nich tak jak po śniegu.

Śmigali po pokrytym plastikiem stoku, najeżdżali na hopkę i wyskakiwali w powietrze, wykonując obroty, wygibasy i salta, które przeczyły prawu ciążenia. Ich popisy robiły wrażenie.

Powierzchnia basenu bulgotała od bąbelków powietrza, łagodzących uderzenie ciała o wodę. Wraz z linkami asekuracyjnymi i symulatorami skoków z trampoliny całość wymagała sporej przemyślności. Były to fascynujące obrazy, które zapamięta do końca życia. Cieszył się, że zdąży już dawno zniknąć, zanim jego plan się zrealizuje.

Siedząc na wzgórzu, skąd miał otwarty widok na basen, zieloną dolinę i ośnieżone górskie szczyty w oddali, zamknął oczy, delektując się ciepłem słońca na twarzy. W więzieniu codziennie zastanawiał się, czy kiedykolwiek odetchnie jeszcze świeżym powietrzem na wolności. Zjeździł kawał świata, ale niewiele znał miejsc tak spokojnych i kojących jak Olimpijski Park w Utah. Ale spokój wkrótce się skończy.

Kiedy opiekun skontaktował się z nim przez telefon komórkowy, który Roussard kupił w Meksyku, doszło do kłótni. Philippe chciał zakończyć swoje zadanie. Ciągłe kluczenie od jednej do następnej osoby z listy najbliższych Scota Harvatha było nie tylko niebezpieczne, lecz także zbyteczne. Nie bał się, że go złapią; miał przewagę wynikającą z zaskoczenia: tylko on wiedział, gdzie i kiedy znów uderzy.

Zdawał sobie jednak sprawę, iż przy każdym następnym ataku wzrasta ryzyko, że zostanie schwytany albo zabity.

Roussard wolał darować sobie resztę nazwisk i przeskoczyć od razu na koniec listy, lecz opiekun nie chciał o tym słyszeć. Ich stosunki stawały się coraz bardziej napięte. Ostatnia rozmowa w Meksyku skończyła się tym, że puściły mu nerwy, nakrzyczał na opiekuna i się rozłączył.

Kiedy rozmawiali kilka godzin później, zdążył ochłonąć, lecz wciąż czuł gniew. Chciał, żeby Harvath zapłacił za swoje czyny, ale istniały lepsze sposoby osiągnięcia tego celu. Zemsta powinna być bardziej wstrząsająca i okrutniejsza. Bliscy Harvatha poniosą śmierć, a on będzie czuć i widzieć ich krew na swoich rękach do końca życia.

Wreszcie opiekun ustąpił.

Roussard patrzył, jak narciarze po raz ostatni tego dnia wdrapali się na rampę, żeby oddać skoki. Już czas.

Ostrożnie założył plecak na ramię i zszedł aż do brzegu basenu. Brak ochroniarzy w ośrodku go zdumiewał. Widzowie i pracownicy uśmiechali się i witali go, gdy ich mijał. Nie domyślali się, jaki horror wkrótce tu rozpęta.

Pierwsze urządzenie było zapakowane w długą kanapkę i owinięte papierem firmowym z sieci fastfoodowej Subway. Wrzucił je do pojemnika na śmieci w pobliżu głównej bramy na basen.

Stamtąd spokojnie wyszedł przez otwartą furtkę i podążył w kierunku szatni. Był kameleonem, a dziewięćdziesiąt dziewięć procent kamuflażu stanowiło odpowiednie zachowanie. Doskonale opanował wyluzowany sposób bycia narciarzy i miłośników gór. T-shirt, iPod, dżinsy i buty Keen – dopełniały wizerunku człowieka, który wie, co robi i dokąd zmierza, tak iż każdy, kto na niego spojrzał, pomyślał, że Roussard jest albo narciarzem, albo pracownikiem ośrodka.

Niezaczepiany przez nikogo dotarł do szatni i szybko porozmieszczał resztę urządzeń. Kiedy skończył, wymknął się niezaopatrzonym w system alarmowy wyjściem awaryjnym i poszedł na parking.

Wetknął w uszy słuchawki iPoda, nasadził na głowę srebrny kask i zostawił butelkę ze swoją wiadomością w miejscu, gdzie dochodzeniowcy powinni ją łatwo znaleźć.

Wyjechał z parkingu sportowym motorem 2005 Yamaha Yzf R6, który ukradł po drugiej stronie granicy w stanie Wyoming, i powoli ruszył w dół górskiego zbocza.

U podnóża góry zjechał na pobocze i zaczekał.

Kiedy eksplodował pierwszy ładunek, wybrał w iPodzie kawałek, którego chciał posłuchać, dodał gazu i pomknął w stronę autostrady.

43

Gdzieś na południowym zachodzie

Wydostanie się z Meksyku było dla Harvatha największym zmartwieniem. Lecz gdy tylko bezpiecznie odlecieli, przyszło następne. Kiedy samolot Finneya osiągnął pułap rejsowy i znalazł się w przestrzeni powietrznej Stanów Zjednoczonych, zadzwonił telefon.

Finney rozmawiał z Tomem Morganem. Kończąc, polecił, by jego dyrektor wywiadu przesłał mu wszystkie informacje, jakie udało się zebrać ludziom z Programu „Sargas".

Potem Finney popatrzył na Harvatha i powiedział:

– Scot, mam złe wieści.

Harvathowi zamarło serce. Coś z matką? Z Tracy? Nie musiał nawet pytać, bo Tim włączył pilotem płaski telewizor na tyłach kabiny i wybrał któryś z kablowych kanałów informacyjnych.

Obraz z helikoptera pokazywał buchający ogień i mnóstwo karetek wokół jednego z głównych budynków Parku Olimpijskiego w Utah; Harvath znał to miejsce aż za dobrze.

– Co się dzieje?

– Ktoś podłożył kilka bomb nafaszerowanych śrutem na terenie ośrodka treningowego amerykańskiej reprezentacji w narciarstwie akrobatycznym. Co najmniej dwie wybuchły w szatni, gdy akurat przebywali w niej zawodnicy.

– Jezu. – Parker złapał się za głowę. – Oszacowali już liczbę ofiar?

– Morgan właśnie wysyła mi dane – odparł Finney. – Ale nie wygląda to dobrze. Na razie nie znaleźli nikogo żywego.

Harvath odwrócił się od telewizora. Nie mógł dłużej na to patrzeć.

– A co z trenerami?

– Morgan wyśle mi wszystko, co ma. – Finney włączył laptop, unikając spojrzeniem Harvatha.

Scot wyciągnął rękę i odsunął od Finneya laptopa.

– Morgan musiał mieć powód, żeby się z tobą skontaktować. Co z trenerami?

– Myślisz, że to ma związek z tobą? – spytał Ron.

Harvath nie odrywał wzroku od Finneya, gdy odparł:

– Siódma plaga egipska to grad i ogień.

Parker nie wiedział, co powiedzieć.

– Dwaj trenerzy byli ze mną w drużynie – mówił Harvath. – Dla mnie ci ludzie są jak rodzina. Nie chcę czekać na e-mail od Morgana. Powiedz mi, co od niego usłyszałeś.

Finney popatrzył mu w oczy.

– Brian Peterson i Kelly Cook zostali uznani za zmarłych razem z dziewięcioma zawodnikami reprezentacji.

Harvath miał wrażenie, jakby dostał cios w klatkę piersiową ołowianą rurą. Jakaś część jego duszy chciała krzyknąć: „Dlaczego?!" Ale wiedział dlaczego. To on był powodem.

Bardziej naglące pytanie brzmiało: kiedy ten horror się skończy? I też potrafił na nie odpowiedzieć: kiedy właduje kulkę między oczy temu, kto ponosi za to wszystko odpowiedzialność.

Stracili w głupi sposób Palmerę, ale nie miało to właściwie znaczenia. Mogli przesłuchiwać Meksykanina całą noc, a i tak gdyby w końcu zaczął sypać, jego informacje na nic by się nie zdały, bo nie tego człowieka szukali. Był nim ktoś inny z listy, a Harvath zamierzał go wytropić i dopaść, zanim ten zaatakuje ponownie. Tylko że miał coraz mniej czasu.

44

Ośrodek Programu Wywiadowczego „Sargas"
Elk Mountain
Montrose, Kolorado

Tom Morgan zakończył swoją prezentację, puszczając na przedzielonym ekranie jednocześnie wideo z kamery hotelu Marriott w San Diego i nagranie z Parku Olimpijskiego w Utah.

– Mimo że na nagraniach nie widać twarzy, policjanci znaleźli liścik z tą samą wiadomością, co w dwóch poprzednich miejscach przestępstwa: „Za przelaną krew płaci się przelaną krwią". Wszystko wskazuje, że mamy do czynienia z tym samym facetem.

Harvath się zgadzał.

– Prześlijmy nagranie obu szpitalom. Chociaż nie widać twarzy, poczuję się lepiej, wiedząc, że matka i Tracy są bezpieczniejsze, jeśli ochroniarze będą uważać na tego gościa.

– Skierujemy tam swoich ludzi – oznajmił Finney.

– Jak to?

– Wyselekcjonowaliśmy dwa zespoły do ochrony twojej mamy i Tracy – wyjaśnił Parker.

Harvath popatrzył na niego.

– To kosztuje fortunę. Nie mogę was prosić o coś takiego.

– Sprawa jest już załatwiona – powiedział Finney z uśmiechem. – Im szybciej dorwiesz dupka, tym szybciej będę mógł sprowadzić swoich ludzi z powrotem i dać im robotę, która się opłaca.

– Dzięki, wiszę ci przysługę.

– No, rzeczywiście, ale pogadamy o tym później. Teraz musimy się zastanowić, jaki będzie nasz następny ruch.

To nie był „ich" ruch, jak wyraził się Finney, tylko jego ruch – Harvatha. Kochał ich obu jak braci, ale wolał pracować sam. Mógłby działać szybciej i z poczuciem, że nikogo nie naraża. O ile Finney i Parker bardzo pomogli mu w Meksyku, teraz nie chciał, by dalej nadstawiali za niego karku.

I tak przygniatały go już wyrzuty sumienia. Musiał wprowadzić w swoim życiu pewne podziały – odgrodzić się od wszystkich, którzy mogliby się znaleźć w niebezpieczeństwie, a do nich zaliczali się Tim Finney i Ron Parker.

– Co wiemy o pozostałych trzech z listy? – zapytał Morgan.

Tom dał im tekturowe teczki, potem otworzył w komputerze inny plik. Nagrania wideo zniknęły z monitora, natomiast pojawiły się trzy zarysy głów i ramion, a pod nimi nazwiska i kraje pochodzenia.

– Niewiele. Strzępy informacji wywiadowczych. Kilka niepotwierdzonych pseudonimów operacyjnych. Żadnych znanych kontaktów. Obawiam się, że będziemy zdani na łaskę Trolla.

– Sprawdziłeś ich w naszych państwowych bazach danych? – Harvath położył swoją teczkę na stole i utkwił wzrok w ekranie monitora.

– Owszem, ale nie znalazłem żadnych wiz, podań o wizę, biletów lotniczych ani niczego, co sugerowałoby, że którykolwiek z nich przekroczył ostatnio granice Stanów Zjednoczonych.

Harvath nie zdziwił się.

– Ten facet nie zostawiłby takich śladów.

Morgan pokiwał głową.

– Czyli uważasz, że Meksyk to była tylko podpucha? – odezwał się Finney.

– Myślę, że bardzo chcieliśmy, żeby na Meksyku się skończyło, ale jak widać, nie będzie tak łatwo.

– Czy Troll nami manipuluje?

Harvath pokręcił głową.

– Myślę, że wyrwaliśmy się przed orkiestrę. Nie mamy pojęcia, dokąd nasz facet uciekł z San Diego. Możliwe, że w ogóle nie opuścił Stanów Zjednoczonych. Postawiliśmy na Meksyk, bo wydawał się najbardziej sensowny, a gdy Troll podał nam na tacy Palmerę, postąpiliśmy zbyt pochopnie.

– Więc?

– Więc może nie powinniśmy działać tak pochopnie.

– Kierowałeś się instynktem – sprostował Parker. – Nie postąpiłeś pochopnie. Instynkt stanowi część dobrej techniki wywiadowczej.

– Tak? Ale dowody też – odparł Harvath.

– Cóż, facet nie zostawia nam zbyt wielu tropów.

– Spójrzmy prawdzie w oczy – powiedział Finney. – W ogóle nie zostawia nam tropów.

Harvath przyjrzał się krajom pochodzenia pozostałych trzech terrorystów z listy: Syria, Maroko, Australia. Według Trolla jeden z tych mężczyzn odpowiadał za trzy przerażające ataki i wszystko wskazywało na to, że na nich się nie skończy. Skoro sprawca wzorował swoje akty przemocy na dziesięciu plagach egipskich, Harvath się zastanawiał, czy może odpowiedź nie kryje się w samych plagach.

A może to wszystko wiązało się raczej z Egiptem jako krajem? Tak czy inaczej, nie zbliżył się do rozwiązania tajemnicy. A najbardziej przerażało go, że zostało jeszcze sześć plag. Czy ten szaleniec połączy je tak jak w ataku na matkę Harvatha, czy też będzie odtwarzać każdą z osobna? Poza tym jaką rolę odgrywał w tym wszystkim prezydent? Co miał wspólnego z wypuszczeniem całej czwórki z Guantanamo? Coś takiego nie mogło się odbyć bez jego wiedzy.

Zebrawszy teczkę z dokumentacją i swoje notatki, Harvath przeprosił obecnych, opuścił salę konferencyjną i poszedł do gabinetu Toma Morgana.

Musiał sprawdzić, co u matki i Tracy. Najpierw zadzwonił do szpitala matki. Nie spała już i rozmawiał z nią przez dwadzieścia minut, zapewniając, że wszystko będzie dobrze i że odwiedzi ją, gdy tylko będzie mógł. Kiedy się żegnali, jeden z przyjaciół matki wszedł akurat do jej pokoju, co dodało Harvathowi otuchy. Chciałby też przy niej być, ale nie mógł się znajdować w dwóch miejscach jednocześnie.

Przełączył się na nową linię i zadzwonił do szpitala w Falls Church w Wirginii. Rodzice Tracy wrócili już na noc do hotelu. Pielęgniarka, Laverna, pełniła dyżur i dokładnie przedstawiła mu jej obecny stan. Zaczęły się pojawiać drobne oznaki, które sugerowały, że stan się pogarsza.

Zerknąwszy na scenę wędkarską na ścianie, Harvath poprosił Lavernę o przysługę. Kiedy przyłożyła telefon do ucha Tracy, opowiadał ukochanej o tym, na jakie cudowne wakacje wybiorą się we dwoje, gdy tylko ona wyzdrowieje.

45

Siedząc w fotelu za biurkiem Morgana, Harvath odchylił się do tyłu i zamknął oczy. Coś mu umykało. Nie widział czegoś istotnego, jakiejś nici rozpiętej tuż pod powierzchnią.

W tej chwili znał tylko jednego człowieka, który mógł odpowiedzieć na jego pytania. Mimo że już raz spotkał się z odmową, uznał, iż sytuacja zmieniła się na tyle, by mógł spróbować ponownie. Podniósł słuchawkę i zadzwonił do Białego Domu.

Zdawał sobie sprawę, że nie może poprosić prezydenta do telefonu. Rutledge go lubił, ale istniały liczne biurokratyczne bariery, uniemożliwiające bezpośredni dostęp do głowy państwa. Harvath mógł najwyżej liczyć na połączenie z szefem kancelarii, a i tak nie miał pewności, czy Charles Anderson przekazałby wiadomość prezydentowi.

Potrzebował kogoś, komu mógłby zaufać i kto od razu poprosiłby prezydenta do telefonu. Tym kimś była Carolyn Leonard, dowódca osobistej obstawy Jacka Rutledge'a.

Skontaktowanie się z agentką podczas pracy graniczyło z cudem. Kiedy Carolyn Leonard podniosła słuchawkę, nie była zadowolona.

– Masz pięć sekund, Scot.

– Carolyn, muszę porozmawiać z prezydentem.

– Nie może podejść.

– Gdzie jest?

– W betoniarce. – Tak w Secret Service nazywano Pokój Sytuacyjny, salę naszpikowaną elektroniką i urządzeniami telekomunikacyjnymi, gdzie prezydent zbierał się z doradcami w sytuacjach kryzysowych.

– Carolyn, błagam. To ważne. Wiem, kto podłożył bomby w Parku Olimpijskim w Utah.

– Powiedz, to mu przekażę.

Harvath wziął głęboki oddech.

– Nie mogę. Słuchaj, powiedz prezydentowi, że jestem na linii i że mam ważną informację na temat dzisiejszego zamachu bombowego. Będzie chciał wysłuchać tego, co mam do powiedzenia. Zaufaj mi.

– Ostatnim razem, gdy facet prosił mnie o zaufanie, skończyło się na ciąży bliźniaczej.

– Mówię poważnie. Od tego zależy ludzkie życie.

Carolyn zastanawiała się przez chwilę. Harvath wyraźnie naruszał hierarchię służbową. Kontaktując się z nią, szedł na skróty, co oznaczało, że sprawa jest bardzo pilna albo inne kanały komunikacyjne okazały się niedostępne.

Harvath był w Secret Service legendą, jego heroizm i oddanie służbie nie podlegały dyskusji, ale słynął także z częstego łamania przepisów, uważając je za zbędne. Ze względu na sposób działania, gdzie cel uświęcał środki, stał się też przykładem tego, jak nie należy postępować.

Często mówiono o nim, że to facet z jajami, ale ma ptasi móżdżek, i upominano agentów, by nie szli jego śladem. W organizacji panowało przekonanie, że swoje sukcesy w roli agenta Secret Service zawdzięczał przede wszystkim fartowi.

Leonard musiała dbać o własny tyłek. Jej praca polegała na ochronie prezydenta, a nie na decydowaniu o tym, które telefony powinien odbierać. Gdyby spełniła prośbę Harvatha, wyraźnie przekroczyłaby swoje uprawnienia, co mogłoby prowadzić do degradacji, przeniesienia albo czegoś jeszcze gorszego.

– Scot, mogę za to wylecieć.

– Carolyn, prezydent cię nie zwolni. On cię kocha.

– Tak samo jak były mąż, który zostawił mnie ze wspomnianymi bliźniętami, hipoteką i ponad dwudziestoma pięcioma tysiącami dolców długu z kart kredytowych.

– Nie mogę wykluczyć, że Jack Rutledge też jest na liście tego świra. Proszę, Carolyn, facet jest mordercą i trzeba go powstrzymać. Potrzebuję twojej pomocy.

Leonard zawsze lubiła i podziwiała Harvatha. Bez względu na to, co mówili o nim zwierzchnicy, działał skutecznie, a jego motywów nigdy nie kwestionowano. Wszyscy w Secret Service wiedzieli, że ojczyzna jest dla niego najważniejsza. Jeśli komuś bardziej należała się przysługa, to Leonard nikogo takiego nie znała.

– Poczekaj. Zobaczę, co da się zrobić.

46

Cztery i pół minuty później Jack Rutledge podniósł słuchawkę.

– Scot, słyszałem o twojej matce i chcę, żebyś wiedział, jak bardzo jest mi przykro.

Harvath odpowiedział wymownym milczeniem.

– Agentka Leonard mówi, że masz dla mnie ważną informację o dzisiejszym zamachu bombowym – podjął prezydent. – Podobno wiesz, kto za tym stoi.

– Ten sam człowiek, który postrzelił Tracy Hastings i napadł na moją matkę.

W Rutledge'u zagotowała się krew.

– Mówiłem ci, żebyś się w to nie mieszał.

Harvath nie wierzył własnym uszom.

– Kiedy ten facet atakuje ludzi, którzy są mi bliscy? Dwie osoby są już w szpitalu, dwie następne nie żyją, a wraz z nimi zginęło albo odniosło rany wiele innych, które po prostu znalazły się w złym miejscu o niewłaściwej porze. Przykro mi, panie prezydencie, ale nie mogę się nie wtrącać. Tkwię w tym po uszy.

Rutledge usiłował zachować spokój.

– Scot, nie masz pojęcia, co robisz.

– To dlaczego mi pan nie pomoże? Zacznijmy od grupy więźniów, których zwolnił pan pół roku temu z obozu w Guantanamo.

Prezydent zamilkł. Po długiej ciszy przemówił, ważąc każde słowo:

– Agencie Harvath, stąpasz po niezwykle cienkim lodzie.

– Panie prezydencie, wiem o izotopie promieniotwórczym, który miał pozwolić ich śledzić, i wiem, że znaleziono go we krwi, którą sprawca wymalował framugę moich drzwi. Jeden z wypuszczonych terrorystów mści się na mnie, atakując moich bliskich.

– A moje słowo, że ludzie, których wyznaczyłem do śledztwa, robią wszystko, co mogą, aby go dorwać, to dla ciebie za mało?

– Tak, panie prezydencie. Za mało. Nie może mnie pan dłużej trzymać w odstawce.

Rutledge spuścił głowę i ścisnął grzbiet nosa kciukiem i palcem wskazującym.

– Nie mam wyboru.

Harvath mu nie uwierzył.

– Jest pan prezydentem. Jak to możliwe?

– Nie mogę o tym z tobą rozmawiać. Musisz słuchać moich rozkazów, bo inaczej obaj będziemy mieć bardzo poważny problem.

– Wygląda na to, że go mamy; były już trzy ataki i będą następne, dopóki sam czegoś z tym nie zrobię.

Prezydent przerwał na chwilę, gdy szef kancelarii wręczył mu liścik. Przeczytał wiadomość.

– Scot, poczekaj, muszę przyjąć inny telefon.

Na linii czekał dyrektor centrali wywiadu, James Vaile.

– Obyś miał dla mnie jakieś dobre wieści, Jim.

– Przykro mi, panie prezydencie, nie mam. Właściwie pojawił się raczej pewien problem.

– Zdaje się, że trafił nam się pechowy dzień. O co chodzi?

– Jest pan sam?

– Nie, a dlaczego?

– To dotyczy operacji „Szkolna Tablica".

Prezydent miał nadzieję, że nigdy więcej nie usłyszy tego kryptonimu. Ale odkąd ktoś strzelił do Tracy Hastings, zdawało się, że rozmawia z dyrektorem wywiadu tylko o „Szkolnej Tablicy".

Poprosił szefa kancelarii, żeby wszyscy opuścili salę i zamknęli drzwi.

Kiedy wyszli, prezydent powiedział do telefonu:

– Teraz jestem sam.

47

Dyrektor CIA przeszedł od razu do rzeczy.

– Panie prezydencie, pamięta pan może, że jeden z więźniów Guantanamo wymienionych w ramach operacji „Szkolna Tablica" był żołnierzem meksykańskich Sił Specjalnych, który przeszedł na islam i pomagał szkolić oddziały operacyjne al-Kaidy. Nazywał się Ronaldo Palmera.

Chociaż prezydent pamiętał zazwyczaj tylko najważniejsze nazwiska w wojnie z terroryzmem, to nazwiska pięciu mężczyzn zwolnionych z Guantanamo utkwiły mu w głowie. Wtedy w głębi duszy lękał się, że pewnego dnia wrócą, by go prześladować. Teraz wyglądało na to, że nagle obawy zmieniły się w rzeczywistość.

– Co się z nim dzieje?

– Zginął. Potrąciła go taksówka w Querétaro, w Meksyku.

– Dobrze.

– Miał skrępowane ręce za plecami.

– To już gorzej, ale z tego, co wiem, wrogów mu raczej nie brakowało. Pracował dla jednego z tamtejszych karteli narkotykowych, zgadza się?

– Tak, panie prezydencie, ale nie w tym rzecz. Wygląda na to, że Palmera wyskoczył przez okno, a potem wybiegł na jezdnię. Widziano, jak z jego domu wyszli trzej mężczyźni, trzej biali mężczyźni – dodał z naciskiem. – Jeden z nich zdjął Palmerze buty, a potem wszyscy trzej się oddalili.

– Zdjął mu buty?

– Tak, panie prezydencie. Pamięta pan może, iż o Palmerze krążyły plotki: kazał sobie zrobić buty z języków żołnierzy naszych Sił Specjalnych i agentów CIA, których zabił w Afganistanie. Kiedy go schwytaliśmy, szukaliśmy tych butów, ale nie udało nam się ich znaleźć. Pewnie ukrył je gdzieś, a po wyjściu z Guantanamo po nie wrócił.

– Najwyraźniej. – Prezydent czuł nasilający się ból głowy. Mrugające światełko na telefonie sygnalizowało, że Harvath nadal czeka na drugiej linii. – A więc według twoich informacji za to, że Palmera ze skrępowanymi rękami wyskoczył ze swojego domu przez okno i wpadł pod taksówkę, odpowiada trzech *gringos*.

– Tak, panie prezydencie.

– Wtedy jeden z nich zdjął Palmerze buty i całe trio zbiegło z miejsca wypadku?

– Dokładnie tak. Przypuszczamy, że przylecieli samolotem od razu na lotnisko w Querétaro, więc staramy się zdobyć listę lotów, a także informacje z odprawy celnej i nagrania z kamer. Nie muszę panu mówić, jak to zaczyna wyglądać.

– Doskonale wiem, jak. Że złamaliśmy słowo. Żadnemu z tych ludzi nie powinien spaść włos z głowy. Nigdy.

– Ale trzeba przyznać, panie prezydencie, że gdybyśmy mogli ich śledzić, prawdopodobnie udałoby się temu zapobiec.

– Nie zamierzam się w to wdawać, Jim. – Prezydent był zdenerwowany. – Sekretarz Hilliman i jego ludzie w Departamencie Obrony mieli wszelkie powody wierzyć, że pomysł z izotopem się sprawdzi. Wciąż nie odkryliśmy, jak terroryści się o nim dowiedzieli.

– Ale się dowiedzieli. Transfuzje rozpoczęto, prawdopodobnie gdy tylko samolot opuścił przestrzeń powietrzną Kuby.

Prowadzili taką dyskusję wielokrotnie, aż do znudzenia. Departament Obrony obwiniał CIA o stracenie z oczu pięciu terrorystów wypuszczonych z Guantanamo, a CIA winiło Departament Obrony za to, że z izotopem postawili wszystko na jedną kartę. Każda ze stron uważała, że właśnie ta druga dopuściła do wycieku tajnych informacji o użyciu znacznika. Plan opierał się na założeniu, że będzie można nieustannie monitorować ruchy pięciu uwolnionych i niestety się nie powiódł. A teraz wszystkim odbijało się to czkawką.

Prezydent zmienił temat.

– Dlaczego nie informujesz mnie o postępach w tropieniu terrorysty, który prześladuje Harvatha?

– Prawdę mówiąc, nie ma postępów. Przynajmniej na razie.

– Cholera jasna, Jim. Jak to możliwe? Masz do dyspozycji wszystkie środki. Zapewniałeś mnie, że ludzie, których do tego wyznaczyłeś, są doświadczonymi agentami operacyjnymi. Obiecałeś mi, a ja obiecałem Harvathowi, że rozwiążemy tę sprawę.

– Tak będzie, panie prezydencie. Robimy wszystko, co możemy. Dorwiemy sprawcę. Zapewniam pana.

Vaile powtarzał się jak zdarta płyta, ale Rutledge na razie mu odpuścił. Miał inne problemy na głowie.

– To jak załatwimy tę sprawę w Meksyku?

– Będziemy musieli zmontować cholernie przekonujące oszustwo, a i tak nie wiadomo, czy uda się ich nabrać. Ostrzegali nas, co się stanie, jeśli któremuś z tych pięciu przytrafi się coś złego.

Prezydentowi nie trzeba było przypominać warunków umowy. Został zmuszony do paktowania z diabłem i głęboko przeżywał fakt, że złamał pierwsze przykazanie w wojnie z terroryzmem.

– Przejdźmy do konkretów.

– Najpierw musimy się dowiedzieć, kto ścigał Palmerę.

Rutledge rzucił okiem na migające światełko na telefonie.

– I co dalej?

– Musimy dołożyć wszelkich starań, aby działania tych osób nie można było w żaden sposób skojarzyć z panem, tą administracją i rządem Stanów Zjednoczonych.

– A potem?

– Potem musimy się modlić, żeby ludzie, z którymi musieliśmy zawrzeć pół roku temu umowę, kupili naszą wersję zdarzeń i nie spełnili swoich gróźb.

48

Ośrodek Programu Wywiadowczego „Sargas"
Elk Mountain
Montrose, Kolorado

Harvath z niedowierzaniem odłożył słuchawkę. Nie miał pojęcia, z kim prezydent rozmawiał, kiedy on czekał na linii, ale gdy usłyszał znów jego głos, Jack Rutledge był wściekły i rozmowa przyjęła jeszcze gorszy obrót.

Nakazał mu wycofać się ze śledztwa, a gdy Scot odmówił, Rutledge oświadczył, że w takim razie nie ma wyboru i musi go aresztować pod zarzutem zdrady stanu.

Zdrada stanu? Jak próby ratowania życia ludzi, którzy tyle dla niego znaczyli, a na dodatek byli obywatelami Stanów Zjednoczonych, można uznać za zdradę? Szokujące.

Prezydent dał mu dwadzieścia cztery godziny na powrót do Waszyngtonu i oddanie się w ręce władz.

– A jeśli tego nie zrobię? – zapytał.

– Wtedy nie będę mógł odpowiadać za to, co się z tobą stanie.

Więc tak się rzeczy miały. Scot wiedział już, na czym stoi.

– Zdaje się, że obaj musimy robić, co uważamy za słuszne – powiedział Harvath i odłożył słuchawkę.

Takiego obrotu spraw nigdy nie przewidywał. Prezydent Stanów Zjednoczonych groził mu śmiercią. Niepojęte, tak samo jak zarzut zdrady. Pomyślał, że to tylko zły sen, lecz realność sytuacji była aż nazbyt oczywista.

Pomimo wielu lat oddanej służby dla kraju teraz stał się zbędny. Doświadczenie, kariera zawodowa, nawet wierność okazały się niczym więcej jak tylko pozycjami w tabeli bilansowej, które można dowolnie zmieniać albo przesuwać z kolumny do kolumny. Prezydent okazywał mu wielokrotnie zaufanie, znając jego lojalność i dyskrecję, lecz to przestało się już liczyć.

Czuł się zdradzony. Jack Rutledge wybrał pomoc terrorystom, a nie jemu. Harvath nie mógł się z tym pogodzić.

Tak czy inaczej, nie utracił przynajmniej jednego: nadziei. Prezydent mógł mu grozić aresztowaniem za zdradę, a nawet czymś gorszym, lecz to tylko czcze pogróżki, póki Harvath nie da się złapać. A mając dwudziestoczterogodzinną przewagę, nie zamierzał do tego dopuścić.

Spojrzał na teczkę, pozostawioną na biurku Toma Morgana, i wyciągnął dokumenty, otrzymane tuż przed wyjściem z sali konferencyjnej.

Kiedy studiował listę pseudonimów wykorzystywanych przez uwolnionych więźniów, natknął się na jeden, znany mu z przeszłości. Tyle że należał do człowieka, którego zabił, widział, jak skonał. To oznaczało tylko jedno: ktoś inny używał jego pseudonimu.

49

Trzy i pół godziny później Harvath siedział ze słuchawkami na uszach i mówił do mikrofonu:

– Jesteś pewien?

– Tak. – Troll powtórzył informację: – Abdel Salam Nadżib jest syryjskim agentem wywiadu, który posługuje się pseudonimem Abdel Rafiq Suleiman.

Nadżib był trzecim ze zwolnionych więźniów Guantanamo na liście, a pseudonim Suleiman należał kiedyś do człowieka, którego Harvath zabił.

– A Tammam Al-Tal? – zapytał.

– Też z syryjskiego wywiadu, prowadzi Nadżiba. To jest ten związek, którego szukałeś, prawda? – spytał Troll.

– Może – uciął Harvath, nie chcąc się przed nim zdradzać. – Przyślij nam wszystkie informacje, jakie zdobyłeś na temat Nadżiba i Al-Tala.

– Już wysyłam.

Harvath wylogował się z komputera, zdjął słuchawki i odwrócił do kolegów.

– Zechcesz mi to wyjaśnić? – Finney założył splecione dłonie za głowę i spojrzał Harvathowi prosto w oczy.

– Dwudziestego trzeciego października 1983 roku żółta ciężarówka dostawcza marki Mercedes załadowana materiałami wybuchowymi podjechała pod Międzynarodowy Port Lotniczy w Bejrucie. W budynku stacjonował wtedy Pierwszy Batalion Ósmego Pułku Piechoty Morskiej z Drugiej Dywizji Marynarki Wojennej Stanów Zjednoczonych, który był częścią międzynarodowych sił pokojowych nadzorujących wycofywanie się OWP z Libanu. Kierowca ciężarówki okrążył parking tuż przed kompleksem budynków piechoty morskiej, a potem nadepnął na gaz.

Przedarł się przez ogrodzenie z drutu kolczastego, przejechał między dwiema budkami wartowniczymi, przez bramę i władował się do holu kwatery głównej.

– Dlaczego wartownicy nie zastrzelili tego idioty? – zapytał Finney.

– Nie pozwolono im używać ostrej amunicji – odezwał się Morgan, który stracił tamtego dnia dobrego znajomego. – Politycy bali się, że przypadkowy strzał mógłby zabić cywila.

Harvath mówił dalej:

– Według jednego z żołnierzy piechoty morskiej, który przeżył zamach, kierowca uśmiechał się, gdy wjeżdżał w budynek. Kiedy zdetonował ładunki, siła eksplozji była taka jak ponad dziewięćdziesięciu ton TNT. Akcja ratownicza trwała całymi dniami i utrudniał ją ciągły ogień snajperski. Śmierć poniosło dwustu dwudziestu żołnierzy marines, jedenastu marynarzy i trzech żołnierzy wojsk lądowych. To największe poniesione jednego dnia straty wśród żołnierzy piechoty morskiej od czasów II wojny światowej i bitwy o Iwo Jimę, oraz najbardziej śmiercionośny atak na amerykańskie siły zbrojne za granicą od II wojny, ale najbardziej interesujący z punktu widzenia walki z terroryzmem jest fakt, że jeśli nie liczyć pilotów kamikadze, był to pierwszy samobójczy zamach bombowy w historii.

Finney zaniemówił. Słyszał już o tym wydarzeniu, ale nie w takich szczegółach.

– Nigdy nie dowiedzieliśmy się dokładnie – podjął Scot – kto ponosił odpowiedzialność, więc oprócz kilku rakiet, które wystrzeliliśmy na Syrię, nie odpłaciliśmy większym odwetem. A teraz przenieśmy się w czasie do 2002 roku. Niejaki Asef Khashan był niezwykle sprawnym dowódcą oddziałów powstańczych i specjalistą w użyciu materiałów wybuchowych dzięki szkoleniu, jakie przeszedł w wywiadzie syryjskim. Stał się jednym z filarów organizacji terrorystycznej Hezbollahu na terytorium Libanu i przyjmował rozkazy z samego Damaszku. Kiedy Stany Zjednoczone zdobyły informacje, że Khashan brał udział w zaplanowaniu i zorganizowaniu zamachu z 1983 roku, uznano, że nadeszła pora wysłać go na wcześniejszą emeryturę.

Ron popatrzył na Scota z drugiego końca stołu i powiedział:

– A tobie zlecono wręczenie mu wymówienia.

Harvath pokiwał głową.

Finney wyjął zza ucha długopis i wskazał na ekran.

– Więc ten facet, Nadżib, prześladuje cię za to, co zrobiłeś Khashanowi?

– Jeśli mam rację, to mniej więcej tak to wygląda.

– Jak to „mniej więcej"?

– Nadżib jest związany z Khashanem tylko pośrednio, poprzez ich wspólnego agenta prowadzącego, Tammama Al-Tala. Khashan był jednym z jego najlepszych oficerów operacyjnych. Niektórzy twierdzą, że Al-Tal traktował go jak syna. Kiedy Khashan został zabity, on wyznaczył nagrodę za moją głowę.

– Jak w wypadku tajnej operacji dowiedział się, że akurat ty ją przeprowadziłeś?

– Wykorzystaliśmy syryjskiego oficera wojskowego, który wziął w łapę za pomoc w wytropieniu Khashana – wyjaśnił Harvath. – Nie podałem mu nigdy prawdziwego nazwiska, ale facet założył mi teczkę ze zdjęciami z inwigilacji i innymi informacjami z naszych spotkań. Kiedy wkrótce potem oskarżono go o defraudację, usiłował wykorzystać to dossier jako kartę przetargową. Ostatecznie dokumentacja trafiła w ręce Al-Tala, który użył swoich zasobów, by dopasować twarz ze zdjęcia do nazwiska. Reszta jest historią.

– Czy Al-Tal miał coś wspólnego z zamachem? – spytał Parker.

– Nie zdołaliśmy nigdy zebrać dość dowodów jego bezpośredniego udziału. Mamy za to coraz więcej świadectw, że Al-Tal pomagał w sprzedaży broni masowego rażenia, którą Saddam Husajn ukrył w Syrii wkrótce przed naszą inwazją.

– Ile wynosi nagroda za twoją głowę?

– Około stu pięćdziesięciu tysięcy dolarów. Rzekomo pieniądze te stanowią lwią część życiowych oszczędności Al-Tala i dlatego, że tak chętnie sfinansowałby z nich mój zgon, wierchuszka w Waszyngtonie postanowiła wyłączyć Syrię i Liban z obszaru mojej działalności.

– Zdaje się, że mamy aż nadto poszlak, by wierzyć, że Al-Tal stoi za atakami na Tracy, twoją mamę i drużynę narciarską – powiedział Finney.

– Wiesz, gdzie go szukać?

– Wiem, że przebywa w szpitalu w Jordanii, rak płuc w czwartej fazie.

– Skoro ma świadomość zbliżającego się końca – stwierdził Parker – prawdopodobnie jeszcze bardziej zależy mu, żeby cię dorwać.

Harvath przekrzywił głowę, jakby mówił: „Może".

– Ale co pseudonim Nadżiba ma wspólnego z Al-Talem?

Scot popatrzył na Rona.

– Abdel Rafiq Suleiman to pseudonim, którego używał Khashan, kiedy wytropiłem go w kryjówce Hezbollahu na przedmieściach Bejrutu.

– No i?

– Al-Tal nadał mu ten pseudonim.

– Wtórne wykorzystywanie fałszywych tożsamości to częsta praktyka – zauważył Morgan. – W niektórych wypadkach w ich fabrykację wkłada

111

się mnóstwo czasu i pieniędzy. Jeśli poprzedni agent nie zdekonspirował się, agencja albo oficer prowadzący może przekazać pseudonim innemu agentowi operacyjnemu.

W tym momencie Harvath wiedział już dokładnie, jak dopadnie Abdela Salama Nadżiba.

Zmusi oficera prowadzącego, by podał mu go na srebrnej tacy.

50

Baltimore, Maryland

Mark Sheppard wrócił do domu z materiałem, który zapowiadał się na prawdziwą bombę. Dowódca SWAT w Charlestonie okazał się lepszym źródłem, niż mógł przypuszczać.

Mimo że poprosił o wyłączenie dyktafonu i zaznaczył, że to rozmowa nieoficjalna, Sheppard szybko się zorientował, że bez niej artykuł się nie obejdzie. Strawił na to większą część popołudnia, ale ostatecznie udało mu się nakłonić policjanta do zgody na zacytowanie go jako anonimowego źródła.

Ze strzelaniną było coś bardzo nie w porządku, a Mangan nie chciał się mieszać w fałszowanie sprawy bardziej niż do tej pory. Fakt, że dziennikarz z „Baltimore Sun" przyjechał aż do Charlestonu, by z nim o niej porozmawiać, przekonał go, że powinien naprawić swoje błędy.

Sheppard słuchał uważnie, jak dowódca SWAT opowiadał o okolicznościach towarzyszących strzelaninie. Całą akcję podobno koordynowało FBI ze stolicy. Ale nikt z lokalnej agendy FBI w Kolumbii, w Karolinie Południowej, nie brał w niej udziału. Dwaj agenci, którzy przybyli do Charlestonu, by współpracować z oddziałem antyterrorystycznym, wyjaśnili, że biuro w Kolumbii zostało celowo odsunięte od sprawy. Istniało podejrzenie, że ścigany ma dostęp do kogoś z wewnątrz i aż do zakończenia wewnętrznego śledztwa organy ścigania w Charlestonie powinny zachować w tajemnicy zaangażowanie FBI.

Sheppard poprosił, żeby Mangan opisał dwóch agentów Biura, którzy w magiczny sposób zjawili się w mieście z informacjami o miejscu pobytu poszukiwanego. Byli to faceci, którzy na oczach Toma Gosse'a zabrali zwłoki z kostnicy koronera w Baltimore, a potem grozili Frankowi Aposhianowi. Dowódca SWAT opisał ich dokładnie tak samo, nawet nazwiska się zgadzały: Stan Weston i Joe Maxwell.

„Agenci" byli bardzo przekonujący. Zachowywali się uprzejmie, sprawiali wrażenie profesjonalistów i mieli odpowiednie dokumenty. Co więcej, przyjechali, żeby schwytać przestępcę, który zagroził zabiciem grupy dzieci. Wszyscy w Karolinie Południowej pragnęli postawić świra przed sądem.

Mangan i jego oddział antyterrorystyczny zostali wezwani do akcji, ale ich rola miała polegać na zapewnieniu osłony Westonowi i Maxwellowi. Agenci twierdzili, że chcą porozmawiać z podejrzanym w nadziei, że uda się wziąć go żywcem. Kiedy weszli do domu, gdzie się zadekował, rozległy się odgłosy strzelaniny; walili krótkimi seriami.

Zanim dym zdążył opaść, w drzwiach pojawił się Maxwell, który oznajmił Manganowi i jego ludziom, że podejrzany nie żyje, wobec tego trzeba wezwać wóz koronera.

Oficer dowodzący, Mangan, udał się do budynku, by obejrzeć miejsce zajścia, bo musiał sporządzić raport. Weston wyszedł mu na spotkanie i własnym ciałem zagrodził wejście. Stwierdził, że on i jego partner muszą zabezpieczyć wszelkie dowody i że póki tego nie zrobią, im mniej osób będzie łazić po domu, tym mniejsze ryzyko zadeptania śladów. Manganowi wcale się to nie spodobało. Ci faceci za bardzo się szarogęsili. Dał wyraz swoim odczuciom na tyle głośno, że w drzwiach pojawił się Maxwell, który kazał partnerowi wpuścić dowódcę SWAT do środka.

Mangan w pierwszym rzędzie chciał zobaczyć zwłoki. Denat był w sypialni na tyłach domu, w jednej ręce ściskał pistolet maszynowy, a obok na podłodze leżał obrzyn. Gdy przyjrzał się ciału, coś go tknęło. Liczne rany po kulach zaskakująco mało krwawiły.

W dokładniejszych oględzinach przeszkodził mu Weston, który poprosił, żeby się odsunął, bo muszą skończyć swoją robotę. Głos wewnętrzny mówił Manganowi, że ma wszelkie prawo zbadać zwłoki, zrobił jednak, co mu kazano.

Chwilę później Maxwell wziął go łagodnie pod łokieć i poprowadził w stronę frontowych drzwi. Wyjaśnił, że decyzją FBI zlikwidowanie przestępcy pójdzie na konto oddziału SWAT w Charlestonie. Chodziło o problem lokalny, a obywatele Karoliny Południowej poczują się znacznie lepiej, wiedząc, że złoczyńcę załatwiły tutejsze siły porządkowe.

Mimo że dla jego chłopców przyjęcie takiej wersji byłoby korzystne, coś w tym wszystkim Manganowi nie grało. Widział w życiu już dość trupów, by wiedzieć, że postrzelony lub pchnięty nożem człowiek nie krwawi tylko wtedy, gdy już jest martwy.

I nie pasowało mu coś jeszcze. Maxwell i Weston wyglądali i zachowywali się jak rasowi agenci, ale wyczuwał w nich coś dziwnego, choć nie potrafił określić co.

Po wyjściu z domu Mangan od razu poszedł do furgonetki SWAT i wgramolił się do środka. Chwycił czarną walizeczkę ze sprzętem inwigilacyjnym, kazał swoim ludziom przełączyć radio na inną częstotliwość i obserwować dom. Gdyby w oknie pojawił się któryś z agentów FBI, mieli go o tym poinformować, również jeśli zauważyliby, że agenci przygotowują się do wyjścia frontowymi albo tylnymi drzwiami.

Mangan wysiadł z wozu, schylił się, żeby nie było go widać z wnętrza domu i przekradł się na tyły budynku. Kiedy dotarł pod okno sypialni, gdzie znajdowały się zwłoki, wyjął z walizeczki specjalny stetoskop światłowodowy. Żałował, że nie może użyć również kamery, ale nie mógłby przewiercić się przez mur niepostrzeżenie.

Stetoskop światłowodowy, wyjątkowo czuły aparat, pozwalał na podsłuchiwanie, co dzieje się za drzwiami, oknem, a nawet za betonową ścianą. Mangan włączył urządzenie i włożył słuchawki.

Zakładając, że Maxwell i Weston zastrzelili trupa, nie dziwiło go, że teraz zajmowali się podkładaniem dowodów. Ale dlaczego to robili i na czyj rozkaz?

Sheppard po wysłuchaniu tej opowieści zrozumiał, dlaczego policjant wolał trzymać język za zębami i nie podważać oficjalnej wersji zdarzeń. Teraz piłeczka znalazła się po stronie reportera, który musiał bardzo ostrożnie zaplanować następny ruch. Zamierzał oskarżyć prezydenta Stanów Zjednoczonych o kilka niezwykle poważnych przestępstw, które wiązały się z obrzydliwie rozbudowaną akcją zacierania śladów.

51

Amman, Jordania

Obaj mężczyźni siedzieli w niebieskim bmw serii 7 zaparkowanym na cichej bocznej uliczce w pobliżu centrum miasta. Większość sklepów była zamknięta na czas popołudniowej modlitwy.

– Po tym będziemy kwita – powiedział mężczyzna na fotelu kierowcy, gdy podniósł z tylnego siedzenia niedużą torbę podróżną i podał ją pasażerowi.

Harvath odpiął suwak i zajrzał do środka. Znajdowało się tam wszystko, czego potrzebował.

– Jeśli tylko bezpiecznie opuszczę kraj – odparł z uśmiechem. – Dopiero wtedy będziemy kwita.

Omar Faris, wysoko postawiony oficer Generalnego Departamentu Wywiadu Jordanii, w skrócie GDW, pokiwał ciężką, okrągłą głową. Mierzący metr dziewięćdziesiąt Jordańczyk przywykł do zawierania rozmaitych układów. W świecie, w którym działał, stały się nieodzowne – zwłaszcza gdy chodziło o opanowanie rosnącej fali muzułmańskiego radykalizmu.

Co więcej, lubił Scota Harvatha, choć Amerykanin często działał niestandardowo. Bez względu jednak na stosowane metody operacyjne Harvath dotrzymywał słowa i można mu było zaufać.

Poznali się podczas współpracy w ramach Projektu „Apeks", gdy Harvath dopiero zaczynał służbę. Komórka jordańskich terrorystów zabiła dwóch dyplomatów amerykańskich i planowała obalenie rządów króla Abdullaha II. Chociaż oficjalnie GDW nie wiedział, że Harvath działa na terytorium kraju, Faris służył jako jego partner i kontaktował się bezpośrednio z królem.

Abdullah poprosił Harvatha tylko o jedno: niech dołoży wszelkich starań, aby doprowadzić członków komórki do aresztu żywcem. Stawiał niewiarygodnie skomplikowane i niebezpieczne zadanie. Znacznie łatwiej byłoby zabić terrorystów i mieć problem z głowy. Ale Harvath, narażając życie, spełnił prośbę króla.

Dokonawszy tego, zasłużył nie tylko na szacunek władcy, lecz także zarobił parę punktów u Farisa, który dzięki powodzeniu misji dostał awans.

– Oczywiście, jeśli twoja obecność wyjdzie na jaw, jego wysokość wyprze się jakiejkolwiek wiedzy o tobie i twojej operacji. Gdyby Syryjczycy, czy skoro już o tym mowa, ktokolwiek inny, odkryli, że pozwalamy nękać agenta, który przyjechał do naszego kraju na leczenie, byłoby to druzgocące dla wizerunku Jordanii... że nie wspomnę o reperkusjach dyplomatycznych – powiedział oficer GDW.

– Nie pieprz dyrdymałów, Omar. Wiesz równie dobrze jak ja, że Al-Tal to dla was także łakomy kąsek. Spora część arsenału, który Al-Tal pomaga Syryjczykom sprzedać, trafia do takich grup jak al-Kaida, a ta nie zawahałaby się użyć tej broni w Jordanii.

– Oczywiście, ale nie zmienia to faktu, że wizerunek ma dla nas największe znaczenie. Wiarygodność Jordanii wobec sąsiadów i państw sprzymierzonych doznałaby znacznego uszczerbku, gdyby nasze zaangażowanie w twoją operację wyszło na jaw.

– Zaangażowanie? – Harvath zapiął suwak torby.

Faris uśmiechnął się, wyciągnął spod swojego fotela pokaźną kopertę i wręczył ją przyjacielowi.

– Zgodnie z prośbą zebraliśmy kompletne dossier.

Harvath nie był zaskoczony tak dużą ilością materiałów. GDW był zwykle bardzo sumienny.

– Dzienne raporty z inwigilacji, zdjęcia, plan budynku. Całkiem imponujące dossier, biorąc pod uwagę, że poprosiłem o nie niecałe dwadzieścia cztery godziny temu.

– Mamy Al-Tala na radarze już od jakiegoś czasu. Odkąd odkryliśmy, że przekroczył granice naszego kraju pod fałszywym nazwiskiem i rozpoczął leczenie, inwigilujemy go przez całą dobę.

– Założyliście w apartamencie jakieś urządzenia wideo albo podsłuch?

– Oczywiście. Byliśmy bardzo zaniepokojeni sprzedażą broni. Wszelkie informacje, jakie udałoby się zdobyć, byłyby pomocne.

– Ale?

– Ale facet okazał się nadzwyczaj ostrożny. Często rozmawia przez telefon, niestety nic z tego, co podsłuchaliśmy, nie da się bezpośrednio wykorzystać. Podejrzewamy, że ktoś inny prowadzi transakcje za niego, a on tylko się leczy.

– Powiedziałeś, że nie zostało mu już zbyt wiele czasu.

– Tak mówią jego lekarze. Dają mu parę tygodni, maksimum miesiąc.

– A rodzina?

– Wszystko znajdziesz w dossier.

– Nie chcę, żeby został jakikolwiek ślad mojej wizyty w apartamencie. Usuńcie wszystkie pluskwy i kamery wideo.

– Raczej niemożliwe.

– Dlaczego?

– Kiedy tu przyjechał, z początku razem z rodziną prawie codziennie jeździł do szpitala. Teraz leży cały czas w domu. Zawsze ktoś jest przy nim. Żadnemu z moich ludzi nie udałoby się wejść i usunąć urządzeń.

– W takim razie sam je usunę – stwierdził Harvath. – Będą mi potrzebne szczegółowe plany ich rozmieszczenia.

Faris sięgnął do kieszeni na piersi.

– Spodziewałem się, że o to poprosisz.

– A co z zespołami inwigilującymi? – spytał Harvath, chowając kartkę do dossier.

– Wycofam je, gdy tylko wejdziesz do budynku.

– Wygląda na to, że wszystko dograliśmy.

Faris wręczył Harvathowi kluczyki do niepozornego, szarego mitsubishi lancera, które mu załatwił, a potem pokręcił głową.

– Uważaj na siebie, Scot. Może i Al-Tal umiera, ale chore i osaczone zwierzę jest zawsze najbardziej niebezpieczne.

Harvath wysiadł z samochodu i zanim zamknął drzwiczki, powiedział:

– Każ swoim ludziom przerwać inwigilację.

Faris był lekko zaskoczony.

– Nie zamierzasz najpierw przestudiować dossier?

– Wiem już wszystko, co trzeba. Im szybciej tam dotrę i zmuszę Al--Tala do współpracy, tym szybciej zarzucę wędkę i złowię Nadżiba.

Faris patrzył, jak Scot otworzył drzwiczki lancera, wrzucił torbę do środka i ruszył spod krawężnika. Chociaż wiedział, że Harvath jest zawodowcem, nie podobało mu się to, w co Amerykanin się pakował.

52

Kiedy żona i dwudziestoletni syn Al-Tala wrócili z meczetu, Harvath z twarzą osłoniętą czarną kominiarką już na nich czekał. Wydostał się z klatki schodowej na słabo oświetlony korytarz i przystawił pistolet Taurus 24/7 OSS kaliber 45 z tłumikiem do potylicy syna.

Matka już otworzyła usta do krzyku, gdy Harvath chwycił ją za gardło:

– Tylko piśnij – ostrzegł po arabsku – a zabiję was oboje.

Skrępował ich, zakneblował usta kawałkami taśmy, zabrał klucze i wślizgnął się do mieszkania. Przed wejściem do budynku przejrzał dossier; zorientował się w rozkładzie pomieszczeń w apartamencie i porządku dnia mieszkańców.

Przeczytał o osobistym ochroniarzu Al-Tala na tyle dużo, by wiedzieć, że to facet szczególnie niebezpieczny. Służył wcześniej w syryjskiej tajnej policji, gdzie zajmował się prowadzeniem przesłuchań; katował swoje ofiary, zmuszał często do oglądania, jak gwałci ich żony i dzieci.

Kiedy Harvath wkradł się do mieszkania, zobaczył rosłego ochroniarza w kuchni. Syryjczyk nosił skórzany pas z kaburą założony na przepocony T-shirt. Całą uwagę skupiał na patelni z tłustą jagnięciną, którą podgrzewał na kuchence. Podniósł wzrok w chwili, gdy Harvath wpakował mu dwie kulki w czoło.

Patelnia spadła z brzękiem na podłogę, Harvath wymknął się do przedpokoju, gdzie natknął się na pielęgniarza. Zapobiegliwy Al-Tal na pewno wybrał go ze względu na zwalistą posturę. Gdyby zrobiło się gorąco, mógłby liczyć na pielęgniarza jako na dodatkową pomoc w fizycznym starciu.

Harvath zdzielił go w twarz kolbą pistoletu i facet runął na podłogę jak długi.

Scot minął nieprzytomnego pielęgniarza i zajrzał do sypialni w głębi. Al-Tal siedział na łóżku, miał podłączoną kroplówkę z pompą PCA – mógł sam dawkować morfinę za pomocą małego urządzenia, które ściskał teraz w szponiastej dłoni.

– Coś za jeden? – zapytał po arabsku, gdy Scot wszedł do pokoju.

Zanim zdążył odpowiedzieć, siwowłosy Syryjczyk wsunął prawą dłoń pod kołdrę. Harvath wpakował trzy kulki w materac i Al-Tal natychmiast cofnął rękę.

Harvath zbliżył się do łóżka i odkrył kołdrę. Znalazł pod nią pistolet i zmodyfikowany karabin AK-47.

– Kim jesteś? – warknął Al-Tal, gdy Amerykanin zabrał mu broń. Oczy miał ciemne i zmrużone, ton głosu arogancki.

– Wkrótce się przekonasz – odparł Harvath, wiedząc, że facet mówi nienaganną angielszczyzną.

Przywiązał mu ręce i nogi do łóżka, zakneblował usta i wyszedł z sypialni.

53

Harvath skrępował pielęgniarza, przyniósł z klatki schodowej swoją torbę, a potem zawlókł do mieszkania żonę i syna Al-Tala, którzy zdążyli się już przekonać, że Harvath nie żartuje. Zaciągnął zwłoki ochroniarza do łazienki, zerwał plastikową zasłonę prysznicową, owinął w nią ciało i okleił dodatkowo taśmą, zanim wrzucił do wanny.

Korzystając z rysunku Omara, zdemontował wszystkie urządzenia podsłuchowe i kamery. Wierzył, że oficer GDW go nie oszukał, ale postanowił nie zdejmować kominiarki. Teraz musiał zająć się dalej bałaganem, którego sam narobił.

Nienawidził brać zakładników. Nie dość, że stanowili dodatkowy czynnik ryzyka, to jeszcze trzeba było ich karmić, wyprowadzać do łazienki, no i pilnować, żeby nie uciekli. Jednak w takim pośpiechu i z uwagi na fakt, że Al-Tal nie ruszał się już wcale z mieszkania, Harvath nie miał innego wyjścia.

Odwiązał Al-Tala od łóżka, odłączył mu kroplówkę i zawlókł do łazienki, żeby też mógł zobaczyć, jak skończył ochroniarz. Kiedy się już napatrzył, Harvath zaprowadził go do jadalni, gdzie przetrzymywał jego pielęgniarza, żonę i syna.

Odsunął od stołu krzesło i posadził na nim Al-Tala, przywiązał go mocno do mebla, potem odkneblował Syryjczykowi usta.

– Zginiesz. Obiecuję ci to – syknął Al-Tal.

– Interesująca pogróżka. – Harvath wziął drugie krzesło i usiadł naprzeciwko niego – zwłaszcza że wyznaczyłeś już nagrody za moją głowę.

– To ty. To ty zabiłeś Asefa.

– A nie Suleimana? Takie nadałeś mu nazwisko, prawda? Abdel Rafiq Suleiman?

Al-Tal nie odpowiedział.

Dla Harvatha nie miało to znaczenia. Wszystko, co potrzebował wiedzieć, wyczytał z jego twarzy. Syryjczyk był i wściekły, i przerażony.

– Wiem o tobie znacznie więcej, niż myślisz, Tammam.

– Czego chcesz?

– Informacji.

Al-Tal roześmiał się drwiąco.

– Nigdy nic ci nie powiem.

Harvath nienawidził w tym człowieku wszystkiego. Zwykle zabijanie nie dawało mu satysfakcji, lecz wiedział, że tym razem będzie inaczej.

– Dam ci tylko jedną szansę. Gdzie jest Abdel Salam Nadżib?

Al-Tal przestał się śmiać.

Harvath zajrzał mu w oczy.

– Jeśli wolisz, możemy go nazywać Suleiman. W końcu sam dałeś mu ten pseudonim po śmierci Khashana.

– Chciałeś powiedzieć: po tym, jak go zabiłem.

– Obaj nie mamy zbyt wiele czasu, Tammam. Nie kłóćmy się o słowa.

– Puść moją rodzinę wolno, a powiem ci wszystko, co chcesz wiedzieć.

Tym razem to Harvath się roześmiał.

– Wypuść przynajmniej pielęgniarza. On nie ma z tym nic wspólnego.

Harvath nie zamierzał spełniać żadnych życzeń tego potwora.

– Gdzie jest Nadżib? – powtórzył.

Gdy Al-Tal odmówił odpowiedzi, Harvath zerwał się z krzesła i chwycił żonę Syryjczyka. Nie chciał tego robić, ale nie miał wyjścia; przecież wiedziała, czym zajmuje się jej mąż.

Cały czas patrząc Al-Talowi w oczy, przyciągnął ją na odległość pół metra od niego.

– Co chcesz z nią zrobić?

– To zależy od ciebie. – Harvath wyciągnął spod marynarki pistolet i przystawił kobiecie do lewego ucha.

– Dla ludzi w naszym zawodzie rodzina jest nietykalna – wycedził Al-Tal. – Wiesz o tym.

– Kredo starego agenta wywiadu. Bardzo zabawne, zwłaszcza jeśli wziąć pod uwagę, co zrobiłeś z moją rodziną.

– O czym ty mówisz?

– O mojej matce, mojej dziewczynie... Nie udawaj głupa.

– O twojej matce? Skąd mam cokolwiek wiedzieć o twojej matce, skoro nie wiem, kim jesteś. Zabiłeś Asefa, ale nawet nie znam twojego nazwiska.

Harvath mu nie wierzył. Facet kłamał.

– To twoja ostatnia szansa.

– Bo inaczej co? Zastrzelisz moją żonę?

– Widziałeś, co zrobiłem z twoim ochroniarzem.

– Tak, ale zastrzelenie komuś żony albo matki to zupełnie co innego.

Miał rację. Harvath wcale nie zamierzał zabić kobiety. Ale gotów był torturować ją bez zmiłowania, byle oszczędzić własnej rodzinie i bliskim cierpień.

Schował broń do kabury. Na kościstej twarzy Al-Tala zaigrał uśmiech. Jego pewność siebie wręcz odrażała. Myślał, że rozszyfrował Harvatha. Ale miał się przekonać, jak bardzo się pomylił.

– Są rzeczy gorsze niż śmierć – powiedział Harvath, wyciągając z kieszeni marynarki niedużą puszkę Guardian Protective Devices OC. Nasadka miała przymocowaną długą rurkę z przezroczystego plastiku.

Chwycił żonę Al-Tala za włosy, unieruchomił jej głowę i wetknął do ucha rurkę.

– Byłeś kiedykolwiek wystawiony na działanie gazu pieprzowego, Tammam? – zapytał, gdy kobieta krzyknęła z zaklejonymi ustami.

– Zostaw ją.

Harvath zignorował go.

– Poczułeś, jak pali oczy, nos, gardło?

– Zostaw ją, powiedziałem!

– Gaz pieprzowy w kanale ucha to zupełnie inne przeżycie. Kiedy przycisnę nasadkę, mgiełka rozpylonego palącego płynu powędruje przez tę rurkę do ucha, a twoja żona poczuje taki ból, jakby jej czaszka wypełniła się płonącą benzyną.

– Ty zwyrodnialcu!

– I tak tobie nie dorównam. Ale strach, który teraz przeszywa ci ciało, jest niczym w porównaniu z wyrzutami sumienia, które będą cię prześladować po tym, co zrobię z twoją rodziną.

Kiedy Al-Tal nie odpowiedział, Harvath przysunął siedzącą na krześle kobietę do Syryjczyka.

– Przyjrzyj się dobrze jej twarzy. To, co się teraz stanie, to wyłącznie twoja wina.

Oczy kobiety były okrągłe ze strachu, tak samo jak oczy syna i pielęgniarza.

Harvath siłą rozwarł palce Al-Tala i wepchnął mu w dłoń puszkę. Potem podniósł palec wskazujący Syryjczyka i przycisnął nim nasadkę.

Żona Al-Tala krzyczała coraz głośniej. Wiła się, gwałtownie rzucała głową na boki, usiłując pozbyć się rurki w uchu.

– Dobra! – wrzasnął Al-Tal, nie mogąc dłużej znieść widoku torturowanej żony. – Powiem ci, jak się skontaktować z Nadżibem, ty bydlaku. Tylko zostaw moją rodzinę w spokoju.

54

Powiedz mu, że imam umiera. Musi przyjechać jak najszybciej, żeby mogli po raz ostatni poczytać wspólnie Koran.

Kiedy żona Tammama Al-Tala przekazała dokładnie przygotowaną wiadomość, Harvath zabrał telefon i przerwał połączenie. Teraz musieli poczekać.

Po kwadransie telefon zadzwonił. Pani Al-Tal nie trzeba było przypominać, co się stanie, jeśli nie wykona wszystkiego dokładnie tak, jak przećwiczyli.

Harvath znowu przystawił jej aparat do ucha i pochylił się, żeby pod-słuchiwać.

Abdel Salam Nadżib miał głęboki, rezonujący głos. Mówił szybkimi krótkimi zdaniami i tonem równie aroganckim jak jego mentor.

– Dlaczego imam sam nie zadzwonił?

– Jest za słaby – odparła żona Al-Tala po arabsku drżącym głosem.

– A więc umiera.

– Tak.

– Ile czasu mu jeszcze zostało?

– Powiedziano nam, że prawdopodobnie nie przeżyje tej nocy.

– Jesteście nadal u siebie?

– Tak. Lekarze chcieli go zabrać do szpitala, lecz Tammam odmówił.

– Powinnaś pamiętać, żeby nie wymieniać jego imienia przez telefon – upomniał ją Nadżib.

Harvath się zaniepokoił. Próbowała ostrzec Nadżiba czy tylko się po-myliła? Nie mógł tego wiedzieć. Wyciągnął z kieszeni scyzoryk wojsko-wy i przystawił jej ostrze do gardła. Przynajmniej w jednym zgadzał się z Nadżibem. Powinna była pamiętać.

Przerażona kobieta z trudem tłumiła łkanie.

– Imam pragnie, by zawieziono go z powrotem do Syrii, ale lekarze mówią, że podróż tylko przyśpieszyłaby śmierć.

– Lekarze mają rację – powiedział syryjski agent. – Imama nie wolno ruszać z miejsca. Kto jest z wami w domu?

Kobieta mówiła powoli, starając się przekazać informację w taki spo-sób, by znów się nie narazić.

– Nasz syn, oczywiście, a także pielęgniarz imama. I przyjaciel, który przyjechał z nami z ojczyzny, dba o bezpieczeństwo i wygodę imama.

Nadżib znał zarówno syna, jak i ochroniarza. Mógł im zaufać. Nie znał natomiast pielęgniarza.

– Nauczyłaś się, jak podawać mężowi leki?

Pytanie zbiło ją z tropu.

– Leki?

– Tak. Morfinę.

Nie miała pojęcia, co odpowiedzieć. Nie spodziewała się takiego pyta-nia. Spojrzała na Harvatha, który stanowczo pokręcił głową.

– Zupełnie się w tym nie wyznaję.

– To musisz się nauczyć. Niewiele będzie do zrobienia, zwłaszcza jeśli imam rzeczywiście umiera. Niech pielęgniarz pokaże ci, co masz robić, a potem go odpraw. Mamy z imamem ważne sprawy do przedyskutowania, zanim stanie przed obliczem proroka. Nie chcę, żeby pielęgniarz był w mieszkaniu, kiedy będziemy rozmawiać.

Harvath pokiwał głową. Pani Al-Tal odpowiedziała łamiącym się głosem:

– Tak zrobię.

Nadżib milczał przez dłuższą chwilę. Harvath zaczął się denerwować, że Syryjczyk coś podejrzewa. Zabrnął już zbyt daleko, by teraz pozwolić mu umknąć. Na co on, do cholery, czekał?

Wreszcie Nadżib się odezwał:

– Przyjadę przed wieczorną modlitwą. Czy imam życzy sobie, żebym mu coś przywiózł?

Niepewna, jak odpowiedzieć, kobieta spojrzała na Harvatha, który pokręcił głową.

– Nie. Tylko przyjedź szybko.

– Przekaż imamowi, że musi na mnie poczekać.

– Dobrze – odpowiedziała przez łzy.

Po zakończeniu rozmowy Harvath wziął telefon i odłożył go na miejsce. Nadżib połknął przynętę i niedługo nadzieje się na haczyk. Potem wystarczy zwinąć linkę na kołowrotek i wyciągnąć zdobycz z wody. Wiedział jednak, że nie należy świętować sukcesu, póki ryba nie trafi do koszyka.

55

Harvath umożliwił wszystkim pójście do toalety, lecz tylko pielęgniarz okazał się na tyle odważny, żeby skorzystać. Załatwił się tuż obok wanny, w której leżał zawinięty w folię trup.

Skoro pielęgniarz był już na nogach, Harvath skorzystał z okazji i ulokował go w gościnnej sypialni. Następnie przeniósł tam także żonę i syna Al-Tala, po czym wrócił do jadalni.

Al-Tal pocił się obficie, piżama w błękitno-szare pasy kleiła mu się do ciała. Potrzebował morfiny.

Harvath odwiązał go od krzesła i objąwszy wpół ramieniem, zaprowadził z powrotem do sypialni. Po dokładnym sprawdzeniu, czy nie ma czegoś pod poduszkami i prześcieradłem, pomógł Syryjczykowi ułożyć się pod kołdrą. Al-Tal był przeraźliwie chudy i Harvath poczuł się tak, jakby miał do czynienia nie z człowiekiem, tylko z kukłą z papier mâché.

Położył go do łóżka, podłączył kroplówkę i przykleił świeży plaster na rankę po igle wbitej w wierzch lewej dłoni. Jak u psa Pawłowa, wyschnięte usta Al-Tala zaczęły się ślinić w oczekiwaniu na falę ciepła, która miała rozlać się po wyniszczonym ciele.

Harvath położył dozownik pompy PCA na łóżku, lecz poza zasięgiem ręki Al-Tala. Kiedy ten pochylił się i próbował przysunąć, Harvath pchnął go z powrotem do tyłu.

– Nie tak prędko. Mam jeszcze kilka pytań.

– Zrobiłem wszystko, co chciałeś. – Rzucił mu wściekłe spojrzenie.

– I zrobisz coś jeszcze.

– Nie dość ci, że zdradziłem jednego ze swoich agentów? Człowieka, który ufa mi bez zastrzeżeń?

Harvath puścił te pretensje mimo uszu.

– Kto spowodował zwolnienie Nadżiba z Guantanamo?

– Nie wiem.

– Może przyprowadzę tu twojego syna i wezmę go w obroty? Jak ci się to podoba? – Wyciągnął z kieszeni scyzoryk i otworzył ostrze. – Zacznę od zdjęcia mu skóry z palców lewej ręki. I nie przestanę jej obdzierać, póki nie dojdę do nadgarstka, aż cała dłoń zmieni się w jedną piekącą ranę żywego mięsa. A kiedy ból przejdzie w odrętwienie, pójdę do kuchni, wycisnę całą miskę soku z cytryny i zamoczę w nim jego rękę. Ból będzie taki, jakiego nigdy jeszcze nie przeżył.

Al-Tal zamknął oczy.

– Odpowiem na twoje pytania.

Harvath powtórzył:

– Kto spowodował zwolnienie Nadżiba?

– Już powiedziałem, nie wiem.

– Na pewno twój syn dowie się, jaki okazałeś się pomocny, kiedy dobiorę mu się do skóry. – Harvath wstał.

– Mówię prawdę – wykrztusił Al-Tal. – Nie wiem dokładnie, kto to taki.

– Ale coś jednak wiesz.

Pokiwał głową, a jego spojrzenie powędrowało w kierunku pompy z morfiną.

– Nie ma lekko – powiedział Harvath, rozumiejąc milczącą prośbę. – Najpierw powiesz mi to, co chcę usłyszeć, a potem możesz dostać morfinę.

Al-Talowi opadły ramiona, gdy westchnął ciężko i osunął się na poduszki.

– Zwrócono się do mnie z ofertą.

– Jaką ofertą?

– Ta osoba twierdziła, że za odpowiednią cenę może doprowadzić do uwolnienia Nadżiba z rąk Amerykanów.

– I uwierzyłeś?

– Jasne, że nie, w każdym razie na początku. Nasz rząd starał się już o odzyskanie Nadżiba. Argumentowaliśmy, że schwytaliście niewinnego człowieka, zrozpaczona rodzina oczekuje jego powrotu.

– Ale rząd USA tego nie kupił, prawda?

– Nie, nie kupił. Więc spróbowaliśmy inaczej. Przyznaliśmy, że Nadżib jest bardzo groźnym przestępcą ściganym w Syrii za popełnienie wielu zbrodni. Obiecaliśmy, że postawimy go przed sądem, a nawet pozwolimy Amerykanom monitorować proces, ale też nie chcieli się zgodzić.

– A potem zgłosiła się owa tajemnicza osoba, która twierdziła, że może wydostać Nadżiba, o ile cena będzie odpowiednia.

– Mniej więcej.

– Czego zażądała w zamian?

– Musiałem się zgodzić na wycofanie nagrody za twoją głowę.

Harvath oniemiał ze zdumienia.

– O czym ty mówisz?

– Zawarliśmy umowę. Wycofałem nagrodę, a Nadżib wyszedł z więzienia.

Harvath zaczął podejrzewać, że Syryjczyk kłamie.

– Jak to możliwe, skoro nawet nie wiedziałeś, kim jestem?

– Wciąż tego nie wiem. – Al-Tal zrobił kolisty gest wokół twarzy: aluzja do kominiarki Harvatha. – Zwykle przestępcy, którzy biorą zakładników, ukrywają swoją tożsamość, bo w pewnym momencie chcą ich uwolnić. Czy dlatego nie pokazałeś twarzy?

– Dotrzymuję słowa i zamierzam nadal tak czynić. To, jak skończy się ta sytuacja, zależy wyłącznie od ciebie. Jeśli będziesz współpracować, wypuszczę twoją rodzinę.

– A pielęgniarza?

– Jego też.

– A mnie? – Zabrzmiało to tak, jakby już znał odpowiedź.

– To już będzie zależało od Nadżiba – odparł Harvath.

56

Prezydent Rutledge był wściekły.

– Nie chcę słyszeć żadnych wymówek, Jim – powiedział do dyrektora CIA, gdy przytrzymując telefon między uchem a barkiem, pochylił się, żeby zasznurować tenisówki. – Powinniście byli już schwytać tego faceta. Jeśli nie potrafisz wykazać się wynikami, to zastąpię cię kimś skutecznym.

– Rozumiem, panie prezydencie. – James Vaile zasłużył na reprymendę. Zespół, który wybrał do ujęcia terrorysty prześladującego Scota Harvatha, miał odpowiednie kwalifikacje, by podołać zadaniu. Szkopuł w tym, że ścigany przechytrzał pogoń na każdym kroku. Zacierał wszystkie ślady z wyjątkiem tych, które zostawiał celowo. Podczas gdy Vaile nie zamierzał przyjmować do wiadomości klęski, zwłaszcza że stawką było życie obywateli amerykańskich, to wszyscy – włącznie z prezydentem – zdawali sobie sprawę, że polują na bardzo grubego zwierza.

– A co ze stanem alarmowym? – zapytał Rutledge, gdy przeniósł uwagę z zabójcy na organizację, która za nim stała i groziła Ameryce.

– Nie wydaje mi się, żeby był konieczny – odparł szef CIA. – Na tym etapie – uściślił.

– Wyjaśnij mi to.

– Nawet jeśli terroryści rozpoznali Harvatha na nagraniach kamer z lotniska w Meksyku, wciąż możemy się wszystkiego wyprzeć. Powiemy, że zerwał się ze smyczy i robimy wszystko, co w naszej mocy, żeby go dopaść. Ostatecznie to przecież oni go sprowokowali.

– A my nie mogliśmy nad nim zapanować – stwierdził prezydent, zakładając na nadgarstek elektroniczny pulsometr. – Szczerze mówiąc, nie widzę wad tego rozwiązania. Po cichu wyślemy notę alarmującą do wszystkich stanowych oraz lokalnych służb porządkowych i poprosimy, żeby policjanci mieli oczy otwarte. Nie musimy mówić, że dysponujemy konkretnymi danymi wywiadowczymi o zagrożeniu atakiem terrorystycznym, bo to nieprawda. Nie wprowadzimy stanu wyjątkowego w całym kraju, tylko zatrzymamy się na poziomie lokalnym.

Szef wywiadu milczał, zastanawiając się nad odpowiedzią.

– Z tyloma gliniarzami i policją stanową w pogotowiu może nam się poszczęścić i zapobiegniemy potencjalnemu atakowi – dodał Rutledge.

– Możliwe – przyznał Vaile. – Ale może się też pojawić mnóstwo pytań, a gwarantuję panu, że ktoś w końcu skojarzy nasze działania z tym, co się stało w Charlestonie.

– Nie ma takiej pewności.

– Panie prezydencie, gliniarze rozmawiają między sobą i świetnie kojarzą fakty. Wielu z nich dojdzie do tego samego wniosku. Prasa w końcu podejmie ten trop. Kiedy tylko wiadomości o stanie alarmowym zaczną krążyć, nie uda nam się zamieść tego bałaganu pod dywan.

– Więc twój plan sprowadza się do tego, żeby nic nie robić?

– Właśnie. Terroryści, dowiadując się o alarmie, potraktowaliby to jako dowód naszej winy. Gdyby stwierdzili, że usiłujemy zabezpieczyć się przed takim atakiem, jakim nam grozili, uznają, że my stoimy za śmiercią Palmery.

Tego aspektu Rutledge nie brał pod uwagę.

– A co będzie, jeśli nie uczynimy nic, aby zapobiec atakowi, a oni go dokonają? Byłbyś w stanie żyć z konsekwencjami, zwłaszcza w tym przypadku? Bo ja nie.

– Ja chyba też nie – odparł szef CIA. – Ale nie uprzedzajmy faktów. Na razie chodzi o jednego człowieka z pięciu. O człowieka, dodajmy, który miał licznych wrogów i prawdopodobnie, raczej wcześniej niż później, zginąłby gwałtowną śmiercią.

Rozumowanie Vaile'a brzmiało sensownie. Choć w głębi duszy prezydent nie zgadzał się z planem dyrektora CIA, postanowił zaufać jego intelektowi.

– Ale co z Harvathem? Jego rola w tej rozgrywce jest wielką niewiadomą, swoim działaniem może wywołać totalny chaos.

– I tu przynajmniej mamy dobrą wiadomość – zapewnił Vaile. – Udało nam się faceta namierzyć. Jeśli nie odda się do pańskiej dyspozycji w wyznaczonym terminie, zgarniemy go bardzo szybko.

– Dobrze – powiedział Rutledge, gotowy do joggingu. – Mam tylko nadzieję, że wcześniej nie narazi narodu na większe niebezpieczeństwo.

57

Przez następne półtorej godziny Harvath przesłuchiwał Tammama Al--Tala, pozwalając mu od czasu do czasu na małą dawkę morfiny.

Choć Scot znał się na rzeczy, nie potrafił go w pełni rozgryźć. Syryjczyk miał bogate doświadczenie zarówno w prowadzeniu przesłuchań, jak i w zwodzeniu przesłuchującego, a to sprawiało, że Harvath nie mógł do końca wierzyć w nic, co z niego wydobył.

Powracał więc do już omówionych wątków, próbując przyłapać Al--Tala na kłamstwie, lecz nigdy mu się to nie udało. Syryjczyk zdawał się mówić prawdę. Nie miał rzekomo pojęcia, kto stoi za atakami na matkę Scota, na Tracy i na reprezentację narciarską.

Harvath przygotowywał się właśnie do następnej serii podchwytliwych pytań, gdy ciało, osłabione wysiłkiem i bólem, którego nie uśmierzała nawet morfina, odmówiło posłuszeństwa i Syryjczyk stracił przytomność.

Al-Tal nie mógł mu się już do niczego przydać.

Nadeszła pora, by skupić się na Nadżibie.

Odległość między Damaszkiem a Ammanem w linii prostej wynosiła sto siedemdziesiąt kilometrów. Przy założeniu małego ruchu na drogach i szybkiej przeprawy granicznej z Syrii do Jordanii, Harvath miał co najmniej jeszcze godzinę, zanim Nadżib zjawi się w mieszkaniu. Aż nadto czasu, by się przygotować.

Żona Al-Tala odebrała domofon i otworzyła drzwi na dole zgodnie z poleceniem, a gdy Abdel Salam Nadżib wszedł do mieszkania, Harvath powitał go ciosem kolby pistoletu Taurus 24/7 OSS prosto w grzbiet nosa.

Wziął Syryjczyka z zupełnego zaskoczenia. Z nosa Nadżiba trysnęła krew, padł na kolana, a Harvath zamachnął się i wymierzył następny cios. Gdy kolba trafiła w szczękę, rozległo się paskudne chrupnięcie, głowa odskoczyła do tyłu i Nadżib nieprzytomny przewrócił się na podłogę.

Harvath zabrał mu pistolet beretta kaliber 9 milimetrów, sztylet i brzytwę ukrytą w lewym bucie. Zostawił na nim tylko szorty i taśmą przytwierdził do krzesła w jadalni. Nie zamierzał drugi raz popełniać tego samego błędu co z Palmerą.

Przez kilka chwil obserwował zza zasłony, czy na zewnątrz nikt na Nadżiba nie czeka, a potem poszedł do kuchni, wziął wiadro i napełnił je zimną wodą.

Gdy chlusnął Syryjczykowi wodą w twarz, ten natychmiast się ocknął.

Zakaszlał i instynktownie cofnął głowę. Spojrzenie miał błędne, jego mózg jeszcze przetwarzał wszystko, co się stało.

Poruszył szczęką, żeby sprawdzić, czy nie jest złamana, spojrzał na zamaskowanego mężczyznę przed sobą i splunął mu krwawą śliną pod nogi.

Scot uśmiechnął się. Splunięcie na Bliskim Wschodzie to jak wystawienie środkowego palca na Zachodzie. Demonstrowanie brawury i mocnego charakteru.

Stał nieruchomo niczym posąg, gdy Nadżib rozglądał się po pokoju. Harvath zaczął odliczać po cichu: „jeden, dwa, trzy...” i wtedy Nadżib to zobaczył.

Na stole, po prawej od Nadżiba, leżały zmasakrowane zwłoki ochroniarza. Harvath wyłożył je tam niczym makabryczne danie na upiornym bankiecie. Płaty luźnej skóry zwisały z rąk i nóg, otwarta jama brzuszna wypatroszona tak, że po organach wewnętrznych zostały ziejące czarne dziury.

Nadżib był twardym facetem, lecz to, co ujrzał, wyraźnie nim wstrząsnęło.

– Porozmawiajmy o tym, jak opuściłeś Guantanamo – powiedział Harvath, przerywając milczenie.

Syryjczyk znów na niego splunął i zaklął po arabsku:

– *Chara bik!*

Al-Tal powiedział, że Nadżib jest jednym z najlepszych agentów operacyjnych, jakich kiedykolwiek poznał, lepszym nawet od Asefa Khashana. Uprzedził Harvatha, że bardzo trudno będzie go złamać. Z tego, co Al-Tal wiedział, jego podkomendny nie bał się niczego ani nikogo. Został wysłany do Iraku, by pomóc w organizacji buntów. Tym, którzy sprzeciwiali się jego rozkazom albo, co gorsza, zawiedli podczas zleconych przez niego zadań, osobiście wymierzał okrutne kary.

Siał w Iraku postrach jak mało kto. Jego sprawności na polu bitwy dorównywała tylko sprawność w izbie tortur. Mówiono, że to on wpadł na pomysł ucinania głów zachodnim zakładnikom krótkimi, celowo stępionymi nożami i nagrywania egzekucji na wideo. Jedno czy dwa cięcia długim mieczem nie wystarczały. Skazańcy musieli cierpieć katusze z rąk dzielnych wojowników Mahometa, a Nadżib był mistrzem katów.

Harvath znał ten typ aż za dobrze. Jedyny sposób uzyskania nad nim przewagi psychologicznej polegał na wstrząśnięciu nim tak mocno, by zupełnie wytrącić go z równowagi. Zmasakrowane zwłoki na stole stanowiły dobry początek, lecz Harvath wiedział, że to nie wystarczy.

Powtórzył pytanie, tym razem bardziej konkretnie i po arabsku.

– W nocy, gdy zwolniono cię z obozu w Guantanamo, wsiadłeś na pokład samolotu. Opowiedz mi o tym.

– Pierdol się – odparł Nadżib po angielsku. – Nic ci nie powiem.

Facet mierzył ponad metr osiemdziesiąt pięć i był dwa razy szerszy w barach od Harvatha. Potężny i umięśniony, należał do tych, którzy z natury są obdarzeni silną muskulaturą i nie muszą ćwiczyć na siłowni. Miał kruczoczarne włosy, ciemne oczy i cienką bliznę, która biegła pod brodą od ucha do ucha.

Harvath poczuł ulgę, że udało mu się wziąć go z zaskoczenia. Nikt rozsądny nie chciałby spotkać się z kimś takim w równym starciu.

Podszedł do stołu i wyjął z torby wiertarkę bezprzewodową. Zamocował grube wiertło widiowe i nacisnął lekko spust, żeby sprawdzić, czy dobrze je założył.

Następnie wziął gazik, który znalazł w apteczce pielęgniarza i nasączył go dezynfekującym roztworem betadyny. Wiedząc, że odkażanie skóry przed zastrzykiem wywołuje często większy lęk niż samo nakłucie, pochylił się i powoli wysmarował Nadżibowi prawe kolano.

Nie musiał mierzyć Syryjczykowi pulsu, by wiedzieć, że serce bije mu jak oszalałe. Wystarczyło spojrzeć na pulsującą tętnicę szyjną i pot, który wystąpił na czole i górnej wardze: twardziel był przerażony.

Ale to jeszcze nie oznaczało gotowości do współpracy. Harvath postanowił dać mu ostatnią szansę.

– Opowiedz mi o samolocie. Kto jeszcze z tobą leciał?

Nadżib skupił wzrok na jakimś przedmiocie w głębi pokoju i zaczął recytować wersety Koranu. Harvath dostał swoją odpowiedź.

Wepchnął Syryjczykowi do ust knebel, by krzyki się nie rozniosły, a potem przysunął go razem z krzesłem lewym bokiem do ściany, żeby nie przewrócił się na podłogę, gdy zacznie rzucać się z bólu.

Złapał Nadżiba pod udo, przyłożył końcówkę wiertła do rzepki i uruchomił wiertarkę.

Patrzył, jak ciało agenta sztywnieje i do oczu napływają łzy; gdy wiertło wryło się w mięso, doleciał gardłowy, stłumiony kneblem krzyk.

Nadżib wił się i szarpał, lecz przymocowane do krzesła kończyny i siła dopychającego go całym ciężarem do ściany Harvatha nie pozwalały mu na żaden ruch.

Wiercił powoli dalej. Kiedy natrafił na kość, z krwawej rany wzbił się obłok pyłu. Nadżib zadygotał na całym ciele, napinał ścięgna i mięśnie, usiłując wyrwać się Harvathowi.

Nagle rozległ się trzask i rzepka eksplodowała, wyrzucając w powietrze odłamki kości, a Nadżib zemdlał z bólu.

58

Harvath otworzył buteleczkę z amoniakiem i podetknął agentowi pod nos. Już po kilku sekundach Syryjczyk zakaszlał, cofając głowę.

Scot uniósł strzykawkę i odczekał, aż Nadżib skupił na niej wzrok.

– To morfina. Wystarczy, że ze mną porozmawiasz, a możesz jej mieć, ile chcesz.

Półprzytomny Nadżib popatrzył w dół i zobaczył kolano spuchnięte do podwójnych rozmiarów. Odwróciwszy wzrok, spostrzegł, że drugie kolano zostało niedawno przemyte betadyną. Tego było za wiele. Głowa zaczęła mu się kiwać na boki, znów był bliski utraty przytomności.

– Nie mdlej mi. – Harvath złapał go za brodę i podetknął pod nos amoniak.

Nadżib znów cofnął głowę i pokręcił nią, starając się nie wdychać oparów, które drażniły mu błony śluzowe i płuca.

Harvath wiedział, że amoniak wywołuje też odruchowe skurcze mięśni odpowiadających za oddychanie, i odczekał, aż Syryjczyk zachłysnął się powietrzem.

Podniósł strzykawkę i powiedział:

– Sprawa zależy od ciebie.

Z wykrzywioną z bólu i wściekłości, obitą twarzą Nadżib wolno pokiwał głową.

Harvath wbił igłę w udo. Nacisnął tłok, lecz nie wstrzyknął płynu do końca.

– Kiedy powiesz wszystko, dostaniesz resztę.

Wyciągnął rękę po knebel i dodał:

– Jeśli zaczniesz mnie zwodzić albo wołać o pomoc, zajmę się drugim kolanem. Potem rozwalę ci łokcie, a później zacznę po kolei rozwiercać kręgi szyjne. Jasne?

Nadżib kiwnął głową i Harvath wyjął knebel.

Po takim twardzielu spodziewał się jakiejś mściwej groźby – obietnicy, że weźmie odwet na nim i wszystkich jego bliskich, albo czegoś podobnego, lecz Nadżib go zaskoczył.

– Czy Al-Tal wciąż żyje? – wykrztusił.

Pytanie było aż nazbyt ludzkie i zupełnie nie po myśli Harvatha. Utrudniało mu zadanie. Byłoby znacznie łatwiej, gdyby Nadżib ział nienawiścią do Ameryki i oświadczył, że jest tylko kwestią czasu zwycięstwo muzułmanów nad niewiernymi i zatańczą kiedyś na dachu Białego Domu.

Mimo tego „ludzkiego" akcentu Harvath wiedział, że zrobi to, po co przybył. Wystarczyło, żeby pomyślał o wszystkich zbrodniach, które Nadżib popełnił w Iraku na amerykańskich żołnierzach, a od razu utwierdzał się w przekonaniu, że ma do czynienia nie z człowiekiem, tylko z bestią.

A na myśl, że może już nigdy Tracy go nie przytuli, serce zmieniało mu się w kamień i ogarniała go wściekłość.

– Los Al-Tala zależy od ciebie.

– Więc żyje? Udowodnij. Chcę go zobaczyć.

– Nie taką zawarliśmy umowę.

– Pokaż mi Al-Tala, bo inaczej nic nie powiem.

To tyle, jeśli chodzi o umowę, pomyślał Harvath, gdy wyszedł z jadalni do kuchni. Po paru chwilach wrócił z miską cytryn, wyjął z kieszeni scyzoryk i przekroił owoc na pół.

Podszedł do Nadżiba i wycisnął sok do rany w kolanie. Gdy kwas wżarł się w rozharatane mięso, z gardła Syryjczyka wydobył się skowyt. Harvath czym prędzej zatkał mu usta kneblem.

Kiedy ból osłabł i Nadżib się uspokoił, Harvath wyciągnął mu knebel i uprzedził:

– Następnego ostrzeżenia nie będzie. A teraz gadaj.

Agent wyglądał, jakby nie miał zamiaru posłuchać, lecz gdy Harvath wziął wiertarkę, przystawił ją do drugiego kolana i puścił wiertło w ruch, natychmiast zaczął mówić.

– Lecieliśmy liniowym samolotem pasażerskim. Boeingiem 737.

– Kto był na pokładzie? – Harvath wyłączył wiertarkę.

– Dwaj piloci i personel medyczny przebrany za stewardów.

– Widziałeś ich kiedykolwiek wcześniej?

Pokręcił głową.

– Nigdy.

– W jakim języku mówili?

– Głównie po angielsku.

– Głównie?

– I trochę po arabsku.

– Dlaczego leciał z wami personel medyczny?

– Nasza krew została skażona. Do organizmu wprowadzono nam jakąś substancję promieniotwórczą, żeby służby Stanów Zjednoczonych mogły nas śledzić. Kiedy tylko samolot osiągnął odpowiednią wysokość, przetoczyli nam krew.

– Kto wam powiedział, że macie skażoną krew? – Harvath cały czas trzymał wiertarkę przy jego kolanie.

– Personel medyczny.

– A skąd oni wiedzieli?

– Nie mam pojęcia. Zabrali nas z obozu. Tylko to się dla mnie liczyło.

– I tak po prostu daliście zrobić sobie transfuzję? A gdyby to był podstęp?

– Pomyśleliśmy o tym. Mieli dwa urządzenia, które wyglądały jak detektory promieniowania. Kiedy przesunęli nimi po naszych ciałach, pokazały napromieniowanie, ale kiedy zbadali tak załogę, czujniki nic nie wykryły. Przed wypuszczeniem z Guantanamo wszyscy od paru dni czuliśmy się niedobrze. Myśleliśmy, że to zatrucie pokarmowe, ale ci z personelu medycznego wyjaśnili nam, że to skutek uboczny promieniowania.

Harvath przyglądał mu się badawczo, lecz żadnej oznaki kłamstwa nie dostrzegł.

– Kto załatwił twoje zwolnienie?

– Al-Tal.

– Ktoś zwrócił się do Al-Tala – sprostował Harvath – i zaoferował pomoc w twoim uwolnieniu. Kto to był?

– Nigdy się nie dowiedziałem. Al-Tal zresztą też.

– Czemu komuś zależało, żeby załatwić twoje zwolnienie?

– Nie wiem.

– Kto był na tyle potężny, by tego dokonać? – Harvath nie odpuszczał.

– Nie wiem.

– Dlaczego spośród wszystkich więźniów Guantanamo ten cudowny dobroczyńca wybrał akurat ciebie?

Nadżib poczuł, jak wiertło przyciska się do rzepki kolanowej. Końcówka przebiła skórę.

– Przysięgam, że nie wiem! Nie wiem! Nie wiem!

Harvath cofnął wiertarkę.

– Czy inni więźniowie, których z tobą zwolniono, opowiadali ci o sobie? Widziałeś ich kiedykolwiek wcześniej?

– Nie. Trzymali mnie w izolacji. Miałem jednoosobową celę, a gdy wychodziłem na dwór, na spacerniaku nikogo nie było. Nigdy nie widziałem żadnego z więźniów.

– Wiem, co robiłeś w Iraku. – Czuł pokusę, by wepchnąć mu wiertło w gardło i pomścić wszystkich amerykańskich żołnierzy, za których śmierć ten człowiek odpowiadał. – Czy ci więźniowie byli związani z ludźmi, których poznałeś w Iraku?

– Obawialiśmy się, że w samolocie może być podsłuch, więc nie rozmawialiśmy o znajomościach ani o tym, co robiliśmy, zanim trafiliśmy do Guantanamo.

– To o czym gadaliście?

– Oprócz naszej nienawiści do Ameryki?

Harvatha kusiło, żeby przewiercić kanalii gardło, ale zapanował nad gniewem.

– Nie prowokuj mnie.

Nadżib rzucił mu nienawistne spojrzenie. Wreszcie powiedział:

– Rozmawialiśmy o domu.

– O domu?

– O ojczyźnie. O tym, gdzie mieszkaliśmy. O Syrii, Maroku, Australii, Meksyku, Francji.

– Chwila, moment – przerwał mu Harvath. – O Syrii, Maroku, Australii, Meksyku i jeszcze o Francji?

– Tak.

Harvath nie wierzył własnym uszom.

– Myślałem, że było was tylko czterech. Chcesz powiedzieć, że zwolniono z wami jeszcze piątego więźnia?

Nadżib wolno pokiwał głową.

59

Harvath miał wrażenie, że zamiast wychodzić z mrocznej dziury, w jaką został strącony, spadał coraz głębiej.

Z Guantanamo nie wypuszczono tamtej nocy czterech więźniów, lecz pięciu. Czy możliwe, że Troll nie wiedział o piątym uwolnionym? Harvath wątpił w to. Troll był mistrzem w zbieraniu najbardziej poufnych informacji wywiadowczych. Musiał wiedzieć.

Wydusił z agenta tyle, ile się dało, o rejsie, a potem przystąpił do realizacji ostatniego etapu planu.

Zawlókł Nadżiba najpierw do gościnnej sypialni i pokazał mu, że pielęgniarz, żona i syn Al-Tala są spętani, ale żyją. Potem w pokoju Al-Tala ściągnął z niego kołdrę, na dowód, że stary szpieg nie został skrzywdzony i spokojnie drzemie.

– Mam do ciebie jeszcze jedno pytanie – powiedział Harvath.

Nadżib popatrzył na niego.

– Tak?

– Dotyczy zamachu bombowego na kwaterę amerykańskiej piechoty morskiej w Bejrucie w 1983 roku. Asef Khashan był jednym z agentów operacyjnych podległych Al-Talowi. Wiemy, że brał udział w zaplanowaniu i zorganizowaniu zamachu.

– Stara historia – odparł Nadżib. Potwierdziło się jego podejrzenie, że zamaskowany mężczyzna, który go schwytał w pułapkę, jest amerykańskim agentem wywiadu.

Harvath puścił ten komentarz mimo uszu.

– Czy Al-Tal wiedział o zamachu wcześniej? Pomógł Khashanowi w zaplanowaniu i realizacji?

Nadżib nie zamierzał pomagać katowi w założeniu stryczka na szyję jego mentora. Po ponad dwudziestu latach śledztwa Amerykanom nadal nie udało się znaleźć dowodów winy Al-Tala. Gdyby było inaczej, zlikwidowaliby go tak samo jak Asefa.

– Chcę usłyszeć odpowiedź. – Harvathowi robiło się niedobrze na sam widok bydlaka winnego śmierci tylu amerykańskich żołnierzy.

– Nie. Asef miał wolną rękę, mógł planować i organizować akcje Hezbollahu w Libanie, jeśli uważał za stosowne.

I wtedy to zauważył – znak, lekki grymas wskazujący, że Syryjczyk nie mówi prawdy.

– Zapytam cię jeszcze raz. Zastanów się bardzo dobrze, zanim odpowiesz. Czy Al-Tal miał jakiś udział, pośredni lub bezpośredni, w zamachu na bejrucką kwaterę główną marines w 1983 roku?

Nadżib milczał przez chwilę, a potem się uśmiechnął. Wiedział, że Amerykanin przejrzał kłamstwo tak samo, jak wiedział, że nie uniknie teraz śmierci.

– Nie – odparł – Tammam Al-Tal nie był w żaden sposób zamieszany i nie posiadał wiedzy o zamachu, w którym zginęło dwustu dwudziestu waszych drogocennych marines.

Znowu ten sam grymas. Kłamał.

135

Harvath wyciągnął taurusa z tłumikiem i strzelił Nadżibowi prosto w czoło.

– Zapomniałeś o jedenastu marynarzach i trzech żołnierzach wojsk lądowych, którzy także wtedy zginęli, dupku.

Potem wycelował w Al-Tala; wpakował mu kulkę w głowę i cztery dodatkowe w klatkę piersiową. Przesadził i niepotrzebnie zmarnował cztery naboje, ale od razu poczuł się lepiej.

Zapakował swoje rzeczy do torby, zbiegł po schodach na parter, zdjął kominiarkę i wyszedł z budynku.

60

McLean, Wirginia

Kate Palmer i Carolyn Leonard mieszkały w tej samej okolicy w północnej Wirginii i należały do nielicznych kobiet w osobistej obstawie prezydenta Jacka Rutledge'a; szybko się zaprzyjaźniły. Carolyn była szefową Kate, ale służbowa zależność poza pracą nie miała znaczenia. O ile prezydent nie podróżował, soboty miały zazwyczaj wolne. Dzieci Carolyn co tydzień jeździły w odwiedziny do babci, w związku z tym przyjaciółki miały czas dla siebie, a oddawały się tym samym przyjemnościom.

Ich soboty zaczynały się od grupowego treningu na rowerach stacjonarnych w klubie Regency Sport & Health przy Old Meadow Road, a potem przez godzinę ćwiczyły na siłowni. Później zmęczone siedziały długo w saunie, brały krótki prysznic i były już gotowe do następnej sobotniej rozrywki, czyli do zakupów.

Specyfika pracy sprawiała, że musiały rywalizować pod wieloma względami z mężczyznami i oceniano je według tych samych standardów; Kate i Carolyn robiły wszystko, by im dorównać, ale chętnie wykorzystywały wolny czas w weekendy, żeby „potwierdzić swoją kobiecość". Łażenie po sklepach, postrzegane jako typowo babskie hobby, miało działanie odstresowujące. Już samo to, że mogą wybrać się dokądś tylko we dwie i nie muszą całego dnia spędzać w towarzystwie prawie samych facetów, stanowiło miłą odmianę.

Choć Leonard wciąż spłacała długi po mężu, potrafiła oszczędzać i jeszcze lepiej inwestować. Zawsze starała się zachomikować trochę pieniędzy na swoje wypady z Kate, bo je lubiła, a „praca i zero przyjemności" to nie był dla niej sposób na życie.

W galerii handlowej Tysons zawsze chodziły tymi samymi przetartymi szlakami. Najpierw zaglądały do takich sklepów, jak Salvatore, Ferragamo, Chanel i Versace, polując na wyprzedaże i okazje. Potem szły do Nicole Miller, Ralpha Laurena i Burberry, skąd rzadko wychodziły bez co najmniej jednej torby każda.

Lunch jadły w jednej z trzech restauracji: Legal Seafoods of Boston, P.F. Chang's albo Cheesecake Factory. Dziś wybrały P.F. Chang's.

W menu znalazły się chińskie gołąbki ze świeżych liści sałaty, sajgonki krabowe, eskalopki cytrynowe i pieczona kaczka po kantońsku; zapłaciły rachunek, dopiły wino i ruszyły na parking.

Gdy przechodziły przez Macy's, podszedł do nich jeden z najbardziej przystojnych facetów, jakich kiedykolwiek widziały. Miał co najmniej metr osiemdziesiąt pięć wzrostu, ciemne włosy i błękitne oczy o przeszywającym spojrzeniu. Wyglądał na Włocha i nosił nienagannie skrojony szary garnitur.

Mimo że był doskonałym snajperem, Philippe Roussard lubił też atakować ofiary z bliska. Uwielbiał słuchać, jak błagają o życie, a potem patrzeć na ich agonię. Czasami jednak musiał się bez tego obyć. W tym przypadku przeczyta o śmierci kobiet dopiero w gazecie – jeśli wiadomość w ogóle trafi do mediów.

– *Che bella donna.* – Mówił zupełnie szczerze: obie panie były bardzo atrakcyjne, znacznie bardziej niż na zdjęciach operacyjnych.

Włoch, pomyślała Carolyn Leonard, wiedziałam.

Chociaż zwykle nie wdawała się w rozmowę z nieznajomymi, wypiła trochę wina do obiadu, no i miała tego dnia wolne. Zresztą facet nie powinien sprawiać żadnych problemów. W końcu pracował w Macy's. Trzymał w dłoniach buteleczkę perfum i papierowe paski do wypróbowywania zapachów. Oczywiście, chciał im coś sprzedać; od takiego przystojniaka Carolyn kupiłaby wszystko.

Szefowa obstawy prezydenta Stanów Zjednoczonych uśmiechnęła się. Była wysoka, miała z metr siedemdziesiąt pięć, i bardzo szczupła. Rude włosy nosiła zaczesane do tyłu i związane w kitkę. Wyglądało, że jest wysportowana.

Roussard skłonił lekko głowę i też się uśmiechnął. Druga agentka, Kate Palmer, też mu się podobała, niższa o jakieś dziesięć centymetrów, zgrabna – zwrócił uwagę na jej jędrne, gibkie ciało, miała długie kasztanowe włosy i ciemnozielone oczy.

– Jesteście najpiękniejszymi kobietami, jakie widziałem tu przez cały dzień – powiedział po angielsku z mocnym obcym akcentem.

Carolyn Leonard zachichotała.

– Musicie mieć dziś bardzo mały ruch.

Roussard znów się uśmiechnął.

– Mówię prawdę.

– Skąd jesteś? – zapytała Kate.

– Z Włoch.

– Nie mów – zażartowała. – A skąd dokładnie?

– Z San Benedetto del Tronto. To w Marche, nad Adriatykiem. Byłyście tam kiedyś?

– Nie – odparła Carolyn. – Ale chętnie bym pojechała.

Roussard uniósł buteleczkę perfum, jakby demonstrował najnowszy cud techniki.

– Muszę udawać, że coś wam sprzedaję. Kierownik strasznie mnie pilnuje. Mówi, że za dużo flirtuję.

Carolyn znów się roześmiała.

– Daj spokój, mówisz tak, bo chcesz nam coś wcisnąć, co?

– Wam akurat nie.

– O, dobry jest – stwierdziła Palmer z uśmiechem. – Naprawdę dobry.

– Niestety, muszę cię rozczarować – powiedziała Carolyn. – Nie szukamy nowych perfum, prawda?

Palmer pokręciła głową.

– Może następnym razem.

Roussard uraczył je chłopięcym uśmiechem.

– Może chociaż wypróbujecie ten zapach. Jest całkiem fajny, a kierownik nie będzie się mógł czepiać, że nie wykonuję swojej roboty.

Carolyn popatrzyła na Kate, wzruszyła ramionami i powiedziała:

– Czemu nie?

Podał im flakonik i uprzejmie zrobił krok w tył. Kobiety psiknęły sobie perfumami na nadgarstki, wtarły je w szyję, a Palmer nawet spryskała sobie włosy.

– Jakoś specjalnie nie pachną – zauważyła Carolyn.

– To dlatego, że działają dopiero z chemią organizmu. Dajcie im trochę czasu, a zobaczycie. Są naprawdę niezwykłe.

Leonard oddała buteleczkę, a Roussard wręczył każdej karteczkę z nazwą produktu i jakimś hasłem reklamowym, chyba po włosku.

Kiedy szły na parking, żadna nie zdawała sobie sprawy, że ich życie zmieni się wkrótce w horror.

61

Mały, niepozorny domek otoczony zielenią stał na końcu Graves Road nad brzegiem St. Patrick's Creek – małej zatoczki Potomacu, niecałe pięćdziesiąt kilometrów przed miejscem, gdzie rzeka wpływała do Chesapeake.

Samochody zaparkowane na podjeździe też niczym się nie wyróżniały – SUV-y i pikapy, jakich można by się spodziewać przed domkiem właściciela firmy budowlanej z Baltimore.

Mężczyźni, którzy wysiadali z wozów i wchodzili do domku, też nie wzbudziliby zainteresowania sąsiadów. Różnili się wzrostem, ale wszyscy byli szczupli i mieli ogorzałe od słońca twarze – niechybny znak, że pracowali w tym samym zawodzie, co właściciel domu. Gdyby ktokolwiek zwrócił na nich uwagę, uznałby, że przyjechali na ryby.

Łowiska stanowiły jeden z wielu powodów, dla których tereny wokół Coltons zwano „jednym z najlepiej strzeżonych sekretów południowego Marylandu". Slogan izby handlowej stał się pretekstem do wygłaszanych z przymrużeniem oka porozumiewawczych uwag w kręgu nielicznych wybrańców z CIA, którzy wiedzieli o kryjówce na Coltons. Ludzie z Langley uwielbiali ironię.

Sześciu specjalnie wyszkolonych mężczyzn, którzy zebrali się w domku, nazywano w żargonie CIA Zespołem Omega. Nazwa pochodziła od ostatniej litery greckiego alfabetu i odnosiła się do dosłownego kończenia czegoś. Zespołów Omega nie nazwano tak przez przypadek. Wykonywały bardzo brudną i niewdzięczną robotę. Ich misje, rzadko kiedy jawne, wymagały chirurgicznej precyzji.

Dowódca zespołu otworzył skórzaną walizeczkę i rzucił na stół pięć teczek z dokumentacją. On teczki nie potrzebował. Zdążył zapamiętać najważniejsze rzeczy.

– Wiem, że wielu z was bierze obecnie udział w innych operacjach – mówił – ale od tej chwili macie się skupić wyłącznie na tym jednym zadaniu.

Jak większość grup terenowych CIA, Zespoły Omega składały się z osób obdarzonych bystrym umysłem, błyskotliwą inteligencją i oddanych krajowi. Jeden z członków zespołu podniósł wzrok znad dokumentów i zapytał:

– Czy to na pewno nie pomyłka?

– Oczywiście nie wolno wam tego nikomu powtarzać, ale rozkaz pochodzi od samego dyrektora Vaile'a.

– Ale ten facet jest bohaterem narodowym – zauważył inny agent. – To tak, jakbyś nam, kurwa, kazał zastrzelić Lassie.

Dowódca nie przejmował się krytyką.

– Co to ma być? Książkowy klub dyskusyjny? Nikt was nie pyta o zdanie. Obiekt stanowi znaczące zagrożenie dla bezpieczeństwa narodowego. Odmówił podporządkowania się mimo wielokrotnych próśb samego prezydenta. W określonym terminie miał się oddać w ręce władz i tym razem też się nie stawił.

– Chwila, moment. Jaka jest w tym rola prezydenta Rutledge'a? A tak w ogóle, co się temu facetowi zarzuca? – zapytał któryś.

– Nie wasz zakichany interes. Musicie wiedzieć tylko tyle, że sprzeciwiając się bezpośrednim rozkazom prezydenta, naraża na niebezpieczeństwo życie niewinnych ludzi.

– Gówno prawda – oświadczył inny członek zespołu. – Wszyscy czytaliśmy jego życiorys. To naprawdę ostry zawodnik. Jeśli mamy stawić czoło komuś tak doświadczonemu i groźnemu, to zasługujemy, żeby wiedzieć, o co mu tak naprawdę chodzi. Dlaczego sprzeciwia się rozkazom prezydenta?

Dowódca nie miał zamiaru wyjaśniać swoim ludziom ani motywów działania poszukiwanego, ani decyzji dyrektora CIA i prezydenta Stanów Zjednoczonych.

– Powiem tylko raz, więc zamknijcie się i słuchajcie. Zarówno dyrektor Vaile, jak i prezydent Stanów Zjednoczonych zgodzili się, żebyśmy zlikwidowali poszukiwanego. Nasze zadanie polega na powstrzymaniu Scota Harvatha wszelkimi możliwymi sposobami. To wszystko, co musicie wiedzieć. Koniec, kropka.

62

Harvath był wykończony fizycznie i psychicznie. Nerwy miał napięte jak postronki i prawdopodobnie w ogóle nie powinien był działać w terenie. W tej chwili mógł myśleć tylko o jednym: Karzeł go okłamał. Z Guantanamo wypuszczono nie czterech terrorystów, lecz pięciu. Nie mógł się doczekać, kiedy go dorwie.

Wcześniej z pokładowego telefonu zadzwonił do Kolorado, żeby przekazać Finneyowi i Parkerowi, czego się dowiedział, a oni natychmiast zaczęli obmyślać strategię. Spodziewali się, że do czasu, gdy wróci, będą mieć co najmniej kilka różnych scenariuszy.

Scot spędził kilka następnych godzin, analizując swoje plany. To całkiem wyczerpało jego uszczuplone zapasy energii. Po starcie z lotniska w Islandii, gdzie nabrali paliwa, zmęczenie ostatecznie pokonało go i zapadł w głęboki sen. A z nim pojawiły się koszmary.

Koszmar, który nawiedzał go regularnie od postrzelenia Tracy, tym razem rozwinął się jeszcze gorzej. Przyśniło mu się, że stoi pośrodku długiego mostu linowego między dwiema grupami bliskich, a obu grozi niebezpieczeństwo. Mógł ocalić tylko jedną grupę, lecz zamiast dokonać wyboru, po prostu stał, sparaliżowany strachem.

Niezdecydowanie dużo go kosztowało. Patrzył bezradnie, jak demoniczny sadysta zabija po kolei osoby w obu grupach, czerpiąc rozkosz ze znęcania się nad ofiarami, ich cierpienia i bólu. A on, sparaliżowany niemocą, nie był zdolny zapobiec rzezi.

Dźwięk dzwonka w kabinie uwolnił Scota z koszmaru. Otworzył oczy, wyjrzał przez okno i zobaczył, że znajdują się nad lądem, choć nie miał pojęcia, gdzie dokładnie. Podniósł słuchawkę i połączył się z kokpitem.

– Co się dzieje? – zapytał, kiedy odebrał drugi pilot.

– Mamy poważną awarię techniczną.

– Jaką?

Pilot, ignorując pytanie, powiedział:

– Jesteśmy około osiemdziesięciu kilometrów od lotniska. Proszę nie wstawać z fotela i upewnić się, że ma pan prawidłowo zapięty pas. – Potem połączenie zostało zerwane.

Harvath usłyszał trzask zamka w drzwiach do kokpitu. Może była to standardowa procedura w sytuacji zagrożenia, lecz coś mu tu nie pasowało.

Spojrzał na zegarek i spróbował obliczyć, gdzie teraz są. Okazało się, że przespał wiele godzin.

Zgodnie z przepisami każdy prywatny samolot po znalezieniu się w przestrzeni powietrznej Stanów Zjednoczonych musiał wylądować w pierwszym dużym mieście na trasie, gdzie pasażerowie mieli przejść odprawę celno-paszportową, ale Tom Morgan wykorzystał swoje znajomości i udało mu się uzyskać zwolnienie z tego obowiązku zarówno przy podróży do Meksyku, jak i teraz.

Powinni więc znajdować się gdzieś nad Kanadą albo Wielkimi Jeziorami, lecz teren w dole wyglądał raczej jak Wschodnie Wybrzeże Stanów Zjednoczonych. Coś tu się nie zgadzało.

Citation X przechylił się gwałtownie i zaczął szybko tracić wysokość. Cokolwiek ten manewr oznaczał, wzbudzał niepokój.

Harvath poczuł wysuwające się podwozie i poprawił naciąg pasa bezpieczeństwa.

Wyjrzał przez okno i gdy rozpoznał miejsce lądowania, oblał się zimnym potem.

Odrzutowiec nie znajdował się nawet w pobliżu Kolorado. Schodził do lądowania na waszyngtońskim narodowym lotnisku Ronalda Reagana.

Teraz zrozumiał, dlaczego piloci zamknęli drzwi do kokpitu. Nie było żadnej awarii. Ktoś dotarł do Tima Finneya. Ktoś, kto wiedział, że Harvath jest na pokładzie, i kto skierował maszynę do lądowania w Dystrykcie Kolumbii.

Harvath musiał zaplanować następny ruch.

Wiele zależało od tego, którą z sił porządkowych wysłano po niego na lotnisko.

Siedział z nosem przyklejonym do okna, gdy citation X zszedł do lądowania na pasie, a potem dotknął ziemi z lekkim podskokiem kół. Na płycie lotniska czekały wozy strażackie i dwie karetki, które pojechały za samolotem na drogę do kołowania.

Nie było ani policyjnego radiowozu, ani nieoznakowanego samochodu rządowego. Mimo to Scot miał się na baczności.

Odrzutowiec skręcił z drogi na miejsce postojowe i wyhamował. Kiedy się zatrzymał, otoczyły go wozy strażackie, których ekipy wzięły się od razu do roboty.

Harvath odpiął pas i podszedł do okna na drugiej burcie, żeby zobaczyć, co się dzieje.

W tym momencie drzwi do samolotu otworzyły się i odgłos pracujących silników Rolls-Royce'a, w które został wyposażony citation, wypełnił kabinę.

Chwilę później weszło kilku strażaków. W ich krótkofalówkach słychać było komendy ekip ratunkowych. Dla Harvatha stanowiło to tylko szum w tle. Całą uwagę skupił na strażakach.

W kombinezonach i kaskach wyglądali jak wszyscy inni strażacy, jakich Harvath kiedykolwiek spotkał. Szczupli, atletycznie zbudowani, mieli ściągnięte brwi i poważne twarze, których wyraz nie pozostawiał wątpliwości, że mają robotę do wykonania.

Problem polegał na tym, że takie miny Harvath widział nieraz u żołnierzy elitarnych jednostek i agentów organów porządkowych, których poznał i z którymi pracował przez lata najpierw w SEAL, a potem w Secret Service.

Wstał i przeszedł na czoło samolotu. I właśnie wtedy to spostrzegł. Drugi „strażak" przyciskał coś do pleców faceta przed sobą.

W wypolerowanych powierzchniach szafek w części kuchennej zobaczył odbicie, które do złudzenia przypominało taser X26. Takiego samego paralizatora sam użył niedawno przeciwko Ronaldowi Palmerze.

Harvath znalazł się w potrzasku.

63

Wiele lat wcześniej podczas szkolenia Scot musiał poddać się porażeniu taserem, żeby przekonać się, jak to działa. Mówiąc w skrócie, przeżycie było mocne – takiego szoku nie doznał nigdy wcześniej. Nie zamierzał powtarzać tego doświadczenia, więc teraz po prostu uklęknął i założył ręce za głowę. Dwudziestoczterogodzinna przewaga zniknęła prędzej, niż się spodziewał.

Z kolanem „strażaka" na karku i twarzą przyciśniętą do podłogowej wykładziny Harvath poczuł pieczenie na nadgarstkach, gdy skrępowano mu ręce za plecami za pomocą specjalnych plastikowych kajdanek.

Obchodzili się z nim szczególnie szorstko. Przekaz dostał jasny: „Jeśli zaczniesz fikać, zrobimy się dużo bardziej nieprzyjemni".

Przy schodkach samolotu czekał czarny yukon denali. Harvath nawet nie dotknął stopami ziemi.

Rzucono go na tylne siedzenie, po bokach usiedli dwaj faceci, jednocześnie zatrzaskując drzwi. Jeden zapiął mu pas, gdy drugi kazał kierowcy ruszać.

Nawet nie zobaczył kaptura, gdy zaciągnięto mu go na głowę i wszystko zrobiło się czarne.

Jechali długo. Każda minuta pozbawienia bodźców zmysłowych w tej nieprzeniknionej ciemności zdawała się trwać godzinę. Kiedy SUV wreszcie się zatrzymał, któryś z mężczyzn wysiadł i wyciągnął Harvatha z wozu.

Scot usłyszał ćwierkanie ptaków i warkot jakiegoś silnika w oddali. Mogła to być kosiarka do trawy, lecz biorąc pod uwagę drgania, zgadywał, że to raczej motorówka. Prawdopodobnie byli w pobliżu wody.

Para potężnych dłoni chwyciła go z drugiej strony i „stróże" gdzieś go prowadzili. Gładka asfaltowa nawierzchnia ustąpiła miękkiej trawie, a potem drewnianym schodkom.

Kazano mu po nich wejść i zaraz otworzyły się jakieś drzwi. W środku zalatywało stęchlizną i rozchodził się słaby zapach płynu czyszczącego pine-sol.

Szli długim korytarzem i zatrzymali się przed następnymi drzwiami. Ściągnęli mu kaptur, wepchnęli Scota do jakiegoś pomieszczenia. Drzwi się zatrzasnęły i rozległ się zgrzyt zamka.

Najpierw widział tylko biel. Powoli oczy przyzwyczaiły się do światła i zaczął rozpoznawać błękity i brąz starej drewnianej podłogi. Pierwszym obiektem, na którym zdołał skupić wzrok, okazały się ręcznie malowane boje poławiaczy homarów. Potem obraz rozszerzył się, obejmując cały pokój.

Wystrój zdawał się wyjęty prosto z magazynu „Coastal Living": boazeria na ścianach, modele żaglowców, poduszki uszyte z marynarskich chorągiewek. Harvath wyobrażał sobie wiele więziennych cel, w jakich mógłby go zamknąć prezydent, ale żadna nie przypominała tego lokum.

Kiedy podszedł do okna, zdziwił się, że nie można go otworzyć. Bardziej zaskoczyła go szyba z kuloodpornego szkła, grubego na ponad trzy centymetry. A więc nie był to zwyczajny pokój.

Zawieźli go do jakiejś kryjówki. Przypuszczał, że właścicielem jest CIA, choć w grę mogła wchodzić każda inna agencja.

Harvath widział w życiu sporo lokali konspiracyjnych, a jakość wystroju w tym mieszkaniu sugerowała hojną rękę Centralnej Agencji Wywiadowczej.

Szafa była pusta, nic też nie znalazł w szufladach biurka stojącego pod ścianą naprzeciw okna. W nocnej szafce natrafił na Biblię ze stemplem świadczącym, że jakoby dostarczyło ją tu towarzystwo Gideons – ktoś uznał to, widać, za zabawne.

Zwrócił uwagę, że modele statków zostały nazwane na cześć uniwersytetów z Ligi Bluszczowej. Wybrano dla niego kryjówkę CIA, ale dlaczego tu się znalazł?

W pokoju znajdowało się dwoje drzwi. Jedne prowadziły do łazienki, gdzie brakowało normalnych sprzętów, takich jak drążek na ręczniki czy lustro, które można by wykorzystać jako broń. Harvath odkręcił kran i z papierowego kubeczka napił się wody, a potem wrócił do sypialni.

Drugie drzwi, naprzeciw łazienki, były zamknięte. To go nie zaskoczyło. Przypuszczał, że po drugiej stronie stoi co najmniej jeden, a może nawet dwóch strażników. Znając skłonność ludzi z CIA do inwigilacji elektronicznej, domyślał się też, że w pokoju zamontowano podsłuch i kamery.

Nie miał nic innego do roboty, więc wyciągnął Biblię z nocnej szafki i usiadł na łóżku. Jako wychowanek Szkoły Serca Jezusowego Scot zawstydził się, że od tak dawna nie miał w ręku Pisma Świętego. Z szacunkiem przekartkował stronice, aż dotarł do drugiej księgi Starego Testamentu, do Księgi Wyjścia.

Księga dzieliła się na sześć części, a on znał je wszystkie. Przeczytał o niewoli Izraelitów i wyjściu z Egiptu. Fragment o dziesięciu plagach wywołał teraz jeszcze boleśniejsze odczucia.

Jeśli zamach bombowy w Parku Olimpijskim, gdzie zginęli członkowie reprezentacji narciarskiej, miał naśladować grad i ogień, to wciąż czekało go jeszcze sześć plag.

Myśl o następnych atakach sprawiała, że obecna sytuacja stała się dla Harvatha jeszcze trudniejsza do przyjęcia. Musiał się jakoś wydostać i powstrzymać człowieka, który za to wszystko odpowiadał.

Położył Biblię na nocnej szafce i wstał z łóżka, rozglądając się po pokoju. Musiało się w nim znaleźć coś, co pomogłoby mu w ucieczce. Nie obchodziło go, że mogą go obserwować. Nie mógł po prostu siedzieć z założonymi rękami.

Obejrzał dokładnie szafę i zamierzał jeszcze raz sprawdzić łazienkę, gdy usłyszał głosy za drzwiami. Patrząc na obracającą się powoli gałkę, pomyślał, że jego czas dobiegł końca.

64

Kiedy otworzyły się drzwi, zaskoczył go widok człowieka po drugiej stronie.

Zanim zdążył otworzyć usta, mężczyzna uniósł taser i wycelował mu w pierś. Rzucił kajdanki i powiedział:

– Prawy nadgarstek do ramy łóżka, już.

Harvath się zawahał, a mężczyzna wrzasnął:

– Już!

Wykonał rozkaz.

Kiedy więzień nie stwarzał już zagrożenia, mężczyzna schował broń do kabury, odwrócił się do strażnika za drzwiami i skinął głową.

Gdy tylko strażnik zamknął drzwi i trzasnął zamek, mężczyzna z taserem rzucił Harvathowi kluczyki do kajdanków.

– Mamy na rozmowę tylko piętnaście minut. Tyle czasu trwa ponowne ładowanie serwerów instalacji inwigilacyjnej.

– Co się, do cholery, dzieje? – spytał Harvath, gdy zdjął z nadgarstka kajdanki i odrzucił kluczyki Rickowi Morrellowi.

Morrell był paramilitarnym agentem operacyjnym CIA, z którym Harvath kiedyś pracował przy okazji kilku zadań. Po dość trudnych początkach znajomości nabrali do siebie zawodowego szacunku, a nawet się polubili. Nie wiedział, czy obecność Morrella to dobry, czy zły znak. W świecie wywiadu więzi przyjaźni aż nazbyt często wykorzystywano, na pierwszym miejscu stawiając względy bezpieczeństwa narodowego. Nie zapomniał, że prezydent Rutledge rozkazał go ścigać za zdradę stanu.

– Narobiłeś sobie kłopotów. Tkwisz po uszy w gównie. Zdajesz sobie z tego sprawę?

Harvath doskonale o tym wiedział. Nie potrzebował, by Rick Morrell lub ktokolwiek inny mu przypominał.

– Na moim miejscu postąpiłbyś tak samo.

Morrell pokiwał głową.

– Moje zadanie nie staje się przez to łatwiejsze.

Zabrzmiało to niepokojąco.

– A na czym właściwie ono polega?

– Z rozkazu prezydenta mam nie dopuścić, abyś powziął jakiekolwiek dalsze kroki w związku z atakami na Tracy Hastings, twoją matkę i reprezentację narciarską.

– Więc prezydent jednak uwierzył, że zamachu na narciarzy dokonała ta sama osoba.

– Tak. Na miejscu zbrodni znaleziono taką samą wiadomość jak przy dwóch poprzednich atakach.

– To w czym problem?

– W tym, że prezydent nie chce, żebyś się wtrącał.

– Mam wszelkie prawo, żeby...

Morrell mu przerwał.

– Nie masz żadnych praw. Jack Rutledge jest prezydentem Stanów Zjednoczonych. Jeśli mówi ci, że masz coś zrobić, robisz to.

– Mnie to nie wystarcza.

– Będzie musiało – skwitował Morrell.

Harvath pokręcił głową.

– Nie do wiary, jaki z ciebie dupek. Przed chwilą przyznałeś, że na moim miejscu postąpiłbyś tak samo.

– I nadal podtrzymuję.

– To z czym masz, kurwa, problem?

– Mój problem polega na tym, że mnie i pięciu podlegającym mi członkom Zespołu Omega za tymi drzwiami wydano rozkaz usunięcia ciebie, jeśli odmówisz współpracy.

Odpowiedź zaskoczyła Scota.

– Mamy cię wziąć żywego albo martwego – dodał Morrell, widząc jego minę.

Harvath poczuł się zdradzony już wtedy, gdy prezydent zwrócił się przeciwko niemu, ale teraz po prostu brakowało mu słów na wyrażenie tego, co czuł.

– I jeszcze, żeby cios bardziej bolał, wybrano na dowódcę grupy likwidacyjnej akurat ciebie. Mam cię nazwać Brutusem czy może bardziej pasowałby Judasz?

– Nie wybrał mnie Rutledge, tylko dyrektor Vaile.

– Co za różnica? I tak przyjąłeś zadanie.

– Przyjąłem, owszem. Bardzo przekonująco przedstawił mi sprawę.

– Nie wątpię – odparł Harvath z goryczą. – Zawsze lubiłem Vaile'a, ale on wyraźnie nigdy nie miał o mnie podobnego zdania. Cholernie dobry z niego pokerzysta. Dałem się nabrać.

– Tak dla porządku – powiedział Morrell – Vaile gra w karty jak ostatnia dupa. Ale żebyś wiedział, to naprawdę porządny facet. Jest prawdopodobnie jednym z najlepszych dyrektorów w dziejach Agencji. Patriota, stawia dobro kraju na pierwszym miejscu.

– O czym ty mówisz?

Morrell szerokim gestem wskazał na pokój.

– To dzięki niemu przywieziono cię tu, a nie do jakiegoś federalnego aresztu. I dzięki niemu to ja dowodzę zespołem.

– Nie kapuję.

– Vaile bardzo cię szanuje. Chociaż nie uważa, że otwarty sprzeciw wobec prezydenta jest mądrym posunięciem karierowym, rozumie, dlaczego tak postąpiłeś. Ale rozumie też posunięcia prezydenta. Krótko mówiąc, Vaile wie, że nie jesteś zdrajcą.

– W takim razie, co ja tu robię? Dlaczego w ogóle o tym rozmawiamy?

Mimo że wszystkie urządzenia monitorujące powinny być wyłączone, Morrell pochylił się do Harvatha i powiedział prawie szeptem:

– Vaile czuje się po części odpowiedzialny za to, co się stało... Za Tracy, twoją matkę, reprezentację narciarską, za to wszystko. Dlatego chce, żebyś wiedział, w czym rzecz.

65

Czas uciekał, więc Morrell mówił szybko.

– Jedna z naczelnych zasad polityki rządu Stanów Zjednoczonych mówi, że nie wolno negocjować z terrorystami. Wszyscy znamy to pierwsze i najważniejsze narodowe przykazanie w wojnie przeciw terroryzmowi: „Nie będziesz negocjował z terrorystami".

Scot doskonale o tym wiedział.

– Ale ktoś je złamał. – Przypomniał sobie o pięciu więźniach wypuszczonych z Guantanamo.

Morrell pokiwał głową.

– Każda reguła ma swój wyjątek.

– Czy prezydent był bezpośrednio zaangażowany w uwolnienie więźniów?

Morrell zerknął na drzwi, a potem znów spojrzał na Scota.

– Tak.

Harvath podejrzewał, że prezydent był w to zamieszany, lecz teraz uzyskał potwierdzenie.

– To, co ci powiem – uprzedził Morrell – nie może wyjść poza ten pokój. Mimo twojego obecnego statusu zbiega wciąż obowiązuje cię przysięga wierności i zobowiązanie do zachowania tajemnicy państwowej, które podpisałeś przed podjęciem służby najpierw w Białym Domu, a potem w Departamencie Bezpieczeństwa Narodowego. Czy to jasne?

– Jak słońce.

Morrell wziął głęboki oddech.

– Istnieje tylko jeden wyjątek, gdy Stany Zjednoczone gotowe są złamać swoją zasadę i negocjować z terrorystami.

Harvath nigdy z czymś takim się nie spotkał. Nawet nie wyobrażał sobie sytuacji, która skłaniałaby do odstępstwa od tej zasady.

Jako agent operacyjny zaangażowany w wojnę z terroryzmem widział w życiu mnóstwo strasznych rzeczy. Jakaś część jego psychiki wzbraniała się wręcz przed przyjęciem do wiadomości istnienia tego wyjątku, ale jednocześnie musiał się dowiedzieć, dlaczego prezydent nie pozwala mu stanąć w obronie ludzi, na których tak bardzo mu zależy. Musiał się dowiedzieć, dlaczego jakiś zwyrodniały terrorysta mógł bezkarnie krzywdzić niewinnych obywateli Stanów Zjednoczonych.

– Dopuszcza się wyjątek wtedy – wyjaśnił Morrell – gdy terrorysta albo organizacja terrorystyczna weźmie na cel dzieci.

– Chcesz powiedzieć, że prześladowca moich bliskich zaatakował także dzieci?

– Nie. Ci zwolnieni przebywali w Guantanamo, kiedy doszło do ataku. Ugrupowanie, które wynegocjowało ich wypuszczenie, użyło porwanych dzieci jako karty przetargowej. Wiem, przez co przeszedłeś, ale jeśli to jakaś pociecha, prezydent nie miał po prostu żadnego wyboru.

Harvath nie potrafił wybaczyć Rutledge'owi tak szybko. Musiał dowiedzieć się więcej i dał znak, by Morrell mówił dalej.

– Na dwa dni przed wypuszczeniem tej piątki, w Charlestonie w Karolinie Południowej zaginął szkolny autobus wiozący dzieci, wśród których były nawet pięciolatki. Terroryści zagrozili, że zaczną zabijać dzieci po jednym co pół godziny, póki Stany Zjednoczone nie spełnią ich żądań. Natychmiast utajniono sprawę, żeby nic nie wydostało się do mediów, a władze federalne robiły wszystko, by znaleźć autobus. Przeprogramowano satelity, zmobilizowano Oddział Odbijania Zakładników w FBI i rzucono do akcji żołnierzy Delty, Zespołów Szóstego i Ósmego SEAL, a nawet agentów CIA. Zostaliśmy postawieni wobec bezpośredniego ataku na naród amerykański, a jego skutki psychologiczne mogły być bardzo poważne. Prezydent nie cofał się przed niczym.

Terroryści udowodnili, że to nie przelewki, zabijając kobietę, która prowadziła autobus; zostawili jej zwłoki za kierownicą, gdy porzucili wóz. Kiedy nadeszła wieść o jej śmierci i okazało się, że nie poszukujemy już jaskrawożółtego autobusu, wszyscy jeszcze bardziej się zaniepokoili. Terroryści albo przetrzymywali dzieci w jednym miejscu, albo, co gorsza, rozdzielili je na grupy. Odżyły obrazy z masakry w rosyjskiej szkole w Biesłanie. Próba odbicia dzieci siłą mogłaby się okazać straszliwym, zabójczym błędem. Gdyby terroryści zostali zaatakowani, prawdopodobnie nie zawahaliby się zginąć śmiercią męczenników, ale najpierw zabiliby dzieci. Wszyscy rozumieli, że Stany Zjednoczone nie mają wyjścia i muszą negocjować.

Po chwili milczenia mówił dalej.

– Porywacze żądali wypuszczenia wszystkich więźniów Guantanamo. Negocjatorom powoli udało się zmniejszyć tę liczbę do pięciu, pod warunkiem że prezydent podpisze zobowiązanie, iż Stany Zjednoczone zamkną wszystkie tajne ośrodki zagraniczne, gdzie przesłuchiwano jeńców, że więźniom obozu Guantanamo zapewni się lepsze wyżywienie i opiekę medyczną oraz częstsze wizyty obserwatorów z Czerwonego Krzyża, a poza tym, że wszyscy więźniowie zostaną osądzeni, a ich procesy będą jawne i otwarte dla obserwatorów zagranicznych, którzy zagwarantowaliby ich uczciwy przebieg.

– I prezydent się na to zgodził?

– Nie miał wyboru. Przystawili mu pistolet do głowy; grozili, że zamordują pierwsze dziecko. Przywódca polecił prezydentowi zajrzeć na stronę internetową, gdzie umieszczono zdjęcie, zrobione telefonem komórkowym, dziecka wybranego przez porywaczy na pierwszą ofiarę. Z tego, co słyszałem, na widok tych zdjęć krajało się serce. Upatrzyli sobie najmniejszego i najbardziej uroczego dzieciaka z całej grupy. Fotografie wyglądałyby bardzo, bardzo źle w telewizyjnych wiadomościach. Agencja Bezpieczeństwa Narodowego i eksperci z kilku innych organizacji rządowych rozpracowywali stronę internetową, a prezydent zamknął się ze swoimi doradcami w sztabie kryzysowym. Musiał podjąć bardzo trudną i potencjalnie doniosłą historycznie decyzję.

– I wszyscy wiemy, jak to się skończyło.

Morrell uniósł dłoń.

– Niestety, nie. O żadnym końcu nie ma mowy. Sprawa miała dalekosiężne konsekwencje. Dla Stanów Zjednoczonych kłopoty dopiero się zaczęły.

66

Harvath nie wiedział, co o tym wszystkim myśleć. Prezydent starał się działać dla dobra kraju i z pewnością w tej przerażająco trudnej sytuacji postąpił słusznie, ale to wciąż nie wyjaśniało, dlaczego odsunął go od śledztwa.

Zastanawiał się, czy Rick Morrell zna odpowiedź na to pytanie, ale liczyła się każda informacja, bo jednak coś wnosiła do sprawy. Zostało im mało czasu, więc postanowił powstrzymać się od pytań.

Morrell też zdawał sobie sprawę, że czas ich goni. Po raz trzeci zerknął na zegarek, a potem powiedział:

– Sekretarz obrony zasugerował prezydentowi, by pięciu mężczyzn, którzy mieli zostać zwolnieni, śledzić za pomocą ściśle tajnego i zaawansowanego technicznie programu.

– Z użyciem izotopu promieniotwórczego. – Harvath wyczuł, dokąd Morrell zmierza. – To akurat wiem.

– Strona rządowa nie miała pojęcia, z kim właściwie negocjuje, a jeszcze mniej wiedziała o tym, co łączy ludzi, których zgodziła się uwolnić. Uważano, że gdyby można było śledzić ich ruchy, udałoby się zlokalizować organizację odpowiedzialną za porwanie autobusu i wymierzyć jej sprawiedliwość albo chociaż wziąć odwet.

Szkopuł w tym – ciągnął – że jakimś sposobem druga strona dowiedziała się o programie izotopowego oznaczenia krwi, i wszystkim pięciu uwolnionym zrobiono transfuzję już na pokładzie lecącego samolotu. A potem terroryści wykorzystali wytoczoną krew do zmylenia tropu. Pojemniki z nią trafiły na różne śmietniska i do bagażników kilku samochodów. Departament Obrony obwinił CIA za zgubienie więźniów, a z kolei CIA miała pretensje do Departamentu Obrony za zastosowanie programu, który nie okazał się tak ściśle tajny, jak sądzono.

– Więc Stany Zjednoczone straciły więźniów z oczu. Tyle już wiem.

– Ale nie nie wiesz o tym, że terroryści obwarowali umowę z prezydentem kilkoma warunkami.

– Jakimi?

– Takimi, że mężczyźni, których zwolniliśmy, nie będą nigdy ścigani i nie zostaną skrzywdzeni ani znowu uwięzieni. Jako polisę ubezpieczeniową terroryści dostarczyli zdjęcia wywiadowcze ponad stu szkolnych autobusów z różnych miejsc w kraju. Przekaz był jasny. Jeśli złamiemy umowę, oni wrócą, a wtedy sprawy przybiorą znacznie gorszy obrót. Amerykańskie dzieci stałyby się ofiarami terrorystów i tym razem nie byłoby żadnych negocjacji.

– Więc dlatego prezydent nie dopuścił mnie do śledztwa.

Morrell położył mu dłoń na ramieniu.

– Nie chciał tego robić, po prostu nie miał wyboru. Postawiłeś go w bardzo trudnej sytuacji.

– I co z tego? Nie powiedział mi nawet, kogo wyznaczono do rzekomego pościgu za sprawcą.

– Czy to by coś zmieniło? Czy gdyby zdradził ci swoje decyzje personalne, stałbyś bezczynnie z boku, widząc, jak ten wariat poluje na twoich przyjaciół i rodzinę?

Harvath zamyślił się, zanim odpowiedział na to pytanie.

– Prawdopodobnie nie.

– Scot, prezydent wie, że byłeś w Meksyku, gdy zginął Palmera.

– A skąd może to wiedzieć?

– CIA dysponuje nagraniami z kamer lotniska w Querétaro. Wiemy, jakim samolotem przyleciałeś i do kogo maszyna należy. Właśnie dzięki temu udało nam się ustalić, że wracasz z Ammanu.

Harvath poczuł się winny. Jeśli miał być skończony, nie chciał ciągnąć za sobą na dno innych, zwłaszcza takich porządnych, kochających ojczyznę Amerykanów jak Tim Finney i Ron Parker.

– Moi kumple z Elk Mountain nic o tym nie wiedzieli.

– Obaj wiemy, że to nieprawda – odparł Morrell. – Widać ich na nagraniach z lotniska razem z tobą. Na waszą korzyść świadczy jedynie to, że są świadkowie, którzy twierdzą, że Palmera wybiegł na ulicę i został przejechany przez taksówkę. Władze Meksyku uznały, że najprawdopodobniej chodziło o porachunki karteli narkotykowych. Czy terroryści, którzy wynegocjowali jego uwolnienie, uwierzą w tę historyjkę, to już inna sprawa.

– Co to oznacza dla nas?

– Muszę się dowiedzieć, co się stało w Ammanie. Dlaczego tam poleciałeś? Z kim się spotkałeś?

Harvath pokręcił głową.

– Posłuchaj mnie, Scot. Sprawę Palmery można przedstawić jako skutek dawnych porachunków. To tylko jedna śmierć i mimo że jest podejrzana, o niczym nie przesądza. Dwa zabójstwa oznaczałyby jednak duże kłopoty i na pewno zrobiłby się smród. Nie mamy pojęcia, ile szkolnych autobusów ta organizacja może porwać. Nasza jedyna nadzieja uniknięcia ataków wiąże się z jak najszybszym opanowaniem sytuacji, a nie możemy tego zrobić, jeżeli nie dostarczysz nam potrzebnych informacji. Co się stało w Ammanie?

– Gdyby prezydent był ze mną od początku szczery, może nie...

– Scot, co się stało?

– Abdel Salam Nadżib nie żyje. I jego agent prowadzący.

– Kurwa.

– A czego się spodziewałeś? Czego w ogóle wszyscy się spodziewaliście? Stawką tu jest życie moich bliskich. Nie mogłem siedzieć z założonymi rękami.

Rick Morrell wstał i zmierzał do drzwi.

– Poczekaj! – rzucił Harvath. – To wszystko? Myślałem, że mi pomożesz.

– I pomogłem – odparł Morrell, nie zatrzymując się. – Prezydent powiedział „martwego lub żywego". Nadal żyjesz.

Harvath uzmysłowił sobie, że wyjawiając, co się stało w Jordanii, dał się podpuścić. Przy dwóch więźniach z Guantanamo zabitych, nie ma mowy, by teraz go wypuścili.

To, co nastąpiło chwilę potem, było pośpieszne, nieprzemyślane i po prostu głupie, lecz zważywszy na okoliczności, tylko taki ruch mógł Harvath zrobić.

67

Dowódca Zespołu Omega brał już za klamkę, gdy Harvath przygrzmocił mu pięścią w podstawę czaszki.

Kolana ugięły się pod Morrellem, stracił przytomność, a Harvath łagodnie położył go na podłodze. Zerknął na zegarek.

Czy Morrell mówił prawdę o tym, że serwery zostały na piętnaście minut wyłączone? Jeśli nie, to ludzie z Zespołu Omega powinni wpaść do pokoju lada chwila. Policzył do pięciu. Spokój.

Nie okłamał go przynajmniej w sprawie kamer, a to oznaczało, że Harvath miał teraz niecałe dwie minuty, by wydostać się z domu niepostrzeżenie.

Zabrał swojemu, byłemu już teraz kumplowi kluczyki, wyciągnął mu z kabury taser i zapukał dwukrotnie w drzwi.

Usłyszał ciężkie kroki strażnika po drugiej stronie, a potem zgrzyt przesuwanej zasuwy. Uniósł paralizator i przygotował się do strzału.

Kiedy drzwi się otworzyły i zobaczył wartownika, nacisnął spust. Igły tasera wbiły się w pierś mężczyzny, porażając go prądem. Runął na twarz, wpadając do pokoju; Scot przeturlał go na plecy i po serii mocnych ciosów w głowę wartownik stracił przytomność.

Harvath zabrał mu glocka kaliber 45, kluczyki, krótkofalówkę i składany nóż bojowy.

W przeciwieństwie do paralizatora, którego użył w Meksyku, ten taser miał zapasowy ładunek i Scot szybko nabił broń. Ludzie, którzy dostali pozwolenie, by go zabić, nadal postrzegał jako oddanych Ameryce patriotów; wykonywali tylko swoją robotę. Nie chciał zabić żadnego z nich, gdyby nie okazało się to konieczne.

Wyszedł ostrożnie na korytarz. Z głównej części domu dobiegły go głosy, więc ruszył w przeciwnym kierunku.

Kiedy przekradał się w głąb korytarza, słyszał dźwięk włączonego telewizora i odgłos jakby toczenia metalowej kulki po twardej powierzchni, przerywany od czasu do czasu trzaskami. Nie miał pojęcia, co to takiego, póki nie rozległ się okrzyk.

Wyjrzał ostrożnie za framugę i już wiedział, że nie uda mu się uciec niepostrzeżenie. Dwaj członkowie Zespołu Omega grali w piłkarzyki na jednym z najbardziej rozklekotanych stołów, jakie kiedykolwiek widział. Tuż za nimi znajdowały się drzwi wyjściowe. Problem polegał na tym, że Scot mógł oddać z tasera tylko jeden strzał.

Zerknął jeszcze raz za framugę, starając się ogarnąć wzrokiem jak najwięcej szczegółów i najdokładniej je zapamiętać.

Obaj mężczyźni byli uzbrojeni, lecz Harvath miał po swojej stronie element zaskoczenia. Mógł wparować do pokoju z uniesionym glockiem i rozkazać im paść na podłogę, lecz niekoniecznie musieli go posłuchać. Gdyby domyślili się, że blefuje, znalazłby się w bardzo trudnym położeniu. Nie chciał ich zabijać, nawet po to, by odzyskać wolność, ale zrobiłby to, gdyby musiał. Mógł postrzelić obu w kolana, lecz huk broni zaalarmowałby innych agentów. Oddając pierwszy strzał, z pewnością zostałby potraktowany jako zagrożenie wymagające natychmiastowej likwidacji. Tym samym podpisałby na siebie wyrok śmierci.

Powodzenie ucieczki zależało od tego, na ile uda mu się zminimalizować hałas.

Za drzwiami rozległ się kolejny okrzyk i Scot zerknął do pokoju. Jeden z graczy wbił gola, a przeciwnik przygotowywał się do wykopania piłki. Facet naprzeciwko trzymał obie ręce na metalowych drążkach, gotowy do akcji. Wtedy Harvath zauważył, że większość drążków starego stołu nie ma rączek. Gracze zaciskali dłonie na gołym metalu.

Poczekał na wykop piłeczki. Kiedy drugi gracz chwycił za drążki, Scot uniósł paralizator, wychylił się za drzwi i nacisnął spust.

Udało mu się trafić obu jednym strzałem. Ich mięsiste, spocone dłonie wciąż spoczywały na metalowych drążkach, a teraz przebiegł po nich prąd o ładunku pięćdziesięciu tysięcy woltów. Nagłe i gwałtowne porażenie było dla nich zupełnym zaskoczeniem. Harvath dopełnił dzieła bezpośrednim przyłożeniem tasera do ciała. Teraz nic nie stało już na drodze ucieczki.

Nawet nie pozbawił ich przytomności, tylko czym prędzej popędził do drzwi i wybiegł na zewnątrz.

Schylony przekradł się pod ścianą do frontu budynku i wyciągnął z kieszeni kluczyki zdobyte od Ricka Morrella. Gdy nacisnął guzik pilota, zapaliły się światła srebrnego chevroleta tahoe. To doskonały samochód do ucieczki, tylko że stał na samej górze podjazdu, zablokowany przez inne wozy.

Wyjął drugi zestaw kluczyków i powtórzył całą czynność. Tym razem zapaliły się światła forda pikapa za chevroletem Morrella i Harvath otworzył nóż, który zabrał strażnikowi pod drzwiami celi.

Przebił opony innych wozów, wskoczył do pikapa, wsunął kluczyk do stacyjki i przekręcił. Nic się nie stało, nie rozległo się nawet złowróżbne cyk, cyk rozrusznika ani rzężenie rozładowanego akumulatora.

Nie wchodziła w grę ucieczka na piechotę. Wielu agentów miało specjalne przeszkolenie wojskowe i z łatwością by go wytropili. Pozostawała woda. Ucieczka jeśli nie łodzią motorową, to przepływając wpław zatoczkę. Musiałby tylko oddalić się na tyle, by nie mogli go zobaczyć, zanim wróciłby na ląd i odjechał autostopem albo ukradł następny samochód.

Już miał wyskoczyć z forda i pobiec nad wodę, gdy odkrył przełącznik antywłamaniowy.

Parę sekund później ruszył z podjazdu i pojechał na północ w kierunku Dystryktu Kolumbii. Miał zamiar zmusić pewnego człowieka do udzielenia mu kilku odpowiedzi.

68

Północna Wirginia

Philippe Roussard pogardzał Ameryką i Amerykanami z wielu powodów. Odrazę budziło w nim ich obżarstwo, lenistwo, arogancja. Większość Amerykanów nigdy nie wyjeżdżała za granicę, a mimo to uważali się za pępek świata, a swój styl życia za najlepszy i jedynie właściwy.

Pogardzał nimi dlatego, że mieli imperialistyczne zapędy, wtrącając się ciągle w sprawy innych państw. Nienawidził ich nie tylko za globalizację, lecz i za samą jej ideę. Wiedział, że jeśli Ameryka nie zostanie powstrzymana, wydzielane przez nią trucizny będą docierać do wszystkich narodów na ziemi, aż ropne wrzody kapitalizmu i demokracji pokryją całą planetę. To była największa wina Ameryki, przekonanie, że na świecie istnieją tylko dwa rodzaje ludzi: Amerykanie, i ci, którzy chcą być Amerykanami.

Bez względu jednak na to, jak nienawidził Ameryki, potrafił docenić urodę jej krajobrazów. Przejeżdżając teraz przez wiejskie obszary Wirginii, opuścił szyby w samochodzie i podziwiał widoki.

Zdumiewało go nawet, dlaczego Allah tak pobłogosławił niewiernym, w szczególności Ameryce i jej zachodnim sprzymierzeńcom, obdarowując takim bogactwem, obfitością i pięknem przyrody, podczas gdy swym prawdziwym i oddanym wyznawcom aż nazbyt często kazał marnieć w urągających godności warunkach gdzieś w odległych zakątkach świata.

Roussard wiedział, że nie powinien kwestionować wyroków Allaha, lecz często zastanawiał się nad tym pytaniem. Jego Bóg był wielki i litościwy. W swej mądrości wyznaczył swoim ludom takie miejsca w życiu, by mogli walczyć w jego imieniu i dowieść, że są godni jego uznania. Dzień triumfu muzułmanów był bliski. Wkrótce ich walka, ich dżihad wyda owoc – dojrzały, jędrny owoc ciężki od soczystej słodyczy: pokonają wrogów i oczyszczą ziemię z niewiernych.

Jeden z braci mudżahedinów powiedział kiedyś, że wyznawcy Mahometa, pokój niech będzie z nim, nie spoczną, póki nie zatańczą na dachu Białego Domu. Na myśl o tym zawsze się uśmiechał.

Zastanawiał się właśnie, czy doczeka w życiu tak wspaniałego wydarzenia, gdy zawibrował telefon komórkowy, który kupił dzień wcześniej. Numer podał tylko jednej osobie.

– Tak – powiedział Roussard, gdy podniósł aparat do ucha.

– Przeczytałem o zmianach, które wprowadziłeś w planie.

– I?

Chociaż obaj zmieniali telefony komórkowe po każdej rozmowie, opiekun nie lubił komunikować się tą drogą. Amerykanów i ich programów podsłuchowych nie można lekceważyć.

– Poświęciłem sporo czasu na opracowanie planu twojej wizyty. Zmiany, które do niego wprowadziłeś, są...

– No jakie? – rzucił ze złością Roussard. Nie podobało mu się, że opiekun stara się przewidzieć skutki wszystkich jego działań. Nie jest dzieckiem. Zdaje sobie sprawę z ryzyka, jakie podejmuje.

Nastąpiła pauza. Roussard wiedział, co opiekun właśnie myśli. Błąd został popełniony nie w Kalifornii, tylko przed domem Harvatha. Tracy Hastings powinna była zginąć, a nie leżeć w szpitalnym łóżku podłączona do podtrzymującej życie aparatury. Akurat w ostatnim momencie się odwróciła. Przeklęte szczenię zapiszczało czy drgnęło, albo zrobiło coś innego, i kobieta poruszyła lekko głową, tak że kula Roussarda trafiła ją, ale nie tam, gdzie celował.

Może zresztą dobrze się stało. Dzięki temu Harvath odczuwał jeszcze dotkliwszy ból. Miało być dziesięć plag, każda wymierzona w którąś z bliskich mu osób. Musi cierpieć przez ich cierpienie, zanim wreszcie sam straci życie. To kara za to, co uczynił.

– Twoje zmiany mnie niepokoją – odezwał się opiekun.

– Wszystkie czy tylko niektóre? – Roussard był na niego wściekły.

– Proszę. To nie jest...

– Odpowiedz na pytanie.

Opiekun wciąż mówił spokojnym tonem.

– Galeria handlowa to miejsce szczególnie niebezpieczne: zbyt wiele kamer, za duże ryzyko, że któraś z nich cię uchwyciła. Powinieneś był to zrobić w klubie sportowym.

Roussard milczał.

– Ale co się stało, to się nie odstanie. Obaj jesteśmy z tej samej gliny.

Skrzywił się na samą sugestię.

– Nie zamierzam cię okłamywać – ciągnął opiekun. – Poddawanie się impulsom i zmiany w planie, bez względu na to, na ile będą efektywne, są niebezpieczne. Kiedy odchodzisz od planu, zapuszczasz się w nieznane. Gdy odpychasz prowadzącą cię rękę, narażasz na wielkie ryzyko nie tylko siebie, ale i mnie.

– Jeśli moje wyniki cię nie satysfakcjonują, może wyrzucę cały twój plan do kosza i załatwię sprawę po swojemu.

– Nie. Żadnych więcej odstępstw. Musisz dokończyć robotę tak, jak uzgodniliśmy. Ale teraz pojawił się inny problem: zostaliśmy zdradzeni.

– Przez kogo?

– Przez człowieczka, którego twój dziadek wykorzystywał kiedyś do zbierania informacji.

– Przez Trolla?

– Uhm.

– Jesteś pewien? – Roussard był bardzo poruszony.

– Mam swoje kontakty i dojścia do źródeł. Uważasz, iż to zbieg okoliczności, że zjawiłeś się przed domem Harvatha w tym samym dniu, w którym Troll przysłał swój prezent?

– Nie – przyznał Roussard.

– Więc mi zaufaj. Karzeł wie, że zostałeś wypuszczony, i szuka o tobie informacji.

– Czy Amerykanie dowiedzieli się, co zaplanowaliśmy?

– Nie wydaje mi się. Jeszcze nie.

– Chcesz, żebym się nim zajął?

– Wolałbym, żebyś nie opuszczał kraju przed zakończeniem zadania, ale z tym problemem trzeba coś zrobić, zanim nabrzmieje, a tylko tobie mogę zaufać. Tylko ty możesz załatwić sprawę, jak należy.

– Troll jest mały i słaby. Z przyjemnością nim się zaopiekuję.

– Nie wolno ci go lekceważyć – upomniał go opiekun. – To groźny przeciwnik.

– Gdzie teraz przebywa?

– Wciąż próbuję go wytropić.

– Nie ma go w Szkocji?

– Nie. Przeszukaliśmy już pałac i teren posiadłości. Nie pojawia się tam już od jakiegoś czasu.

– Pomogę ci go znaleźć.

– Nie. Skup się na następnym celu. Sam go znajdę.

– A potem?

– A potem postanowię, jak się go pozbyć, a ty dokładnie wypełnisz moje polecenia. Czy to jasne? Jesteśmy już bardzo blisko. Nie życzę sobie żadnych niespodzianek.

Chociaż żółć podeszła mu do gardła, Roussard stłumił gniew. Kiedy będzie po wszystkim, zajmie się także opiekunem. Ściszonym głosem odparł:

– Tak, jasne.

69

Philippe Roussard zjechał z wysypanej drobnym żwirem dróżki dojazdowej i zgasiwszy silnik, pozwolił, by samochód stoczył się trochę niżej. Z tego miejsca wóz powinien być niewidoczny zarówno z głównej drogi, jak i z małego kamiennego domu farmerskiego około kilometra dalej.

Wyjął z bagażnika rzeczy, których potrzebował, i ruszył na piechotę w dalszą drogę.

Dzień był piękny. Świeciło słońce, po niebie płynęły tylko małe obłoczki. Roussard czuł zapach świeżo skoszonej trawy z sąsiedniego gospodarstwa.

Kiedy szedł przez las, w koronach drzew ćwierkały ptaki, lecz oprócz tego nie słyszał nic poza odgłosem własnych kroków.

Na skraju lasu wyciągnął z plecaka lornetkę i usiadł. Nie musiał się śpieszyć.

Dwadzieścia minut później pojawiła się kobieta z biegającym swobodnie psem. Najwyraźniej nie bała się, że zwierzak ucieknie. Harvath zostawił jej owczarka zaledwie parę tygodni temu, lecz przeklęty pies, ledwo wyrośnięty szczeniak, łatwo przywiązywał się do każdego, kto okazywał mu zainteresowanie.

Starsza kobieta, ale nie staruszka, zbliżała się do siedemdziesiątki, lecz wciąż trzymała się prosto. Wysoka, ładnie opalona, wyglądała atrakcyjnie. Stalowo siwe włosy opadały jej na ramiona i poruszała się z wyniosłą pewnością siebie, charakterystyczną, jak przypuszczał Roussard, dla każdego, kto kiedykolwiek pracował w Federalnym Biurze Śledczym.

Zajmowała się swoimi codziennymi obowiązkami gospodarskimi: powybierała jajka z kurnika, nakarmiła kurczaki, a potem wzięła siano i porozrzucała je w zagrodzie z dwoma końmi.

Na farmie była też para paskudnych, pękatych prosiaków, które tylko kultura tak zdegenerowana jak amerykańska mogła hołubić jako zwierzęta domowe, a także zgraja kotów, które z rozkoszą utwierdzały swoją dominację nad młodziutkim psiakiem.

Gdy Roussard przyglądał się kobiecie, nieoczekiwanie przypomniała mu się jego matka. Było to zupełnie nieprofesjonalne i nieodpowiednie. Musiał wykonać zadanie, a to, czy Amerykanka jest podobna do jego matki, nie wiązało się w żaden sposób z tym, co miał zrobić.

Nieproszona myśl pobudziła go do działania. Nie zamierzał przesiadywać samotnie w lesie, pogrążony w zadumie. Już czas.

Postanowił zaatakować kobietę w stodole. Pies mógł sprawić kłopot, ale wierzył, że i z nim da sobie radę.

Gdy kobieta zniknęła za jednym z zabudowań, Roussard podniósł plecak i pobiegł.

Jak na pragmatyka przystało, zatrzymał się przy kamiennym domku i unieruchomił samochód. Gdyby coś poszło nie tak, nie chciał zostawiać jej łatwego środka ucieczki.

Podkradł się pod sam dom i przywarł do muru. Mimo porannego ciepła kamienie wciąż były chłodne w dotyku.

Wyjrzawszy za winkiel, odczekał, aż kobieta znów się pojawiła. Kiedy zobaczył, jak odwija długi szlauch, żeby wyczyścić koryto dla koni, znów ruszył.

Wolał nie biec, bo bał się spłoszyć konie. Szedł za to szybkim, stanowczym krokiem z dłonią zaciśniętą na kolbie pistoletu z tłumikiem, który wyciągnął z plecaka. Gdyby kobieta go zauważyła i próbowała krzyczeć albo uciekać, nawet z tej odległości mógłby ją z łatwością trafić jedną kulą.

Kiedy wkradł się do stodoły, ukrył plecak i przygotował się. Między deskami ściany, za którą się schował, była szpara, mógł więc obserwować zbliżającą się kobietę.

Serce łomotało mu w piersi, uwielbiał to uczucie. Nic nie podniecało go tak bardzo jak czatowanie na ofiarę. Zmieszana z adrenaliną krew buzowała w żyłach. Wszystko inne, każde życiowe doznanie i doświadczenie, to tylko blady i niepełny sen o rzeczywistości. Moc zabijania i korzystanie z tej mocy – oto, na czym polegało prawdziwe życie.

Pot wystąpił mu na czoło. Roussard stał nieruchomo, gdy kropelki potu powoli łączyły się i spływały po twarzy i szyi. Już niedługo, powtarzał sobie w duchu.

Kobieta pojawiła się znowu, odchodząc od zagrody. Zabójca oddychał teraz spokojnie, miarowo, serce biło normalnie. Pole widzenia zawęziło się, aż w końcu widział tylko kobietę ze szczenięciem przy nogach. Stał nieruchomo, włókna mięśni zwinięte niczym sprężyny tylko czekały, żeby odskoczyć, uwalniając zgromadzone napięcie.

W miarę jak kobieta podchodziła, zabójca wstrzymywał oddech. Była już prawie w otwartych na oścież drzwiach. Sekundę później jej cień wlał się do stodoły.

Wreszcie gdy przekroczyła próg, Roussard wyskoczył.

70

Gdy tylko oddalił się dostatecznie od kryjówki CIA, zaczął powoli objeżdżać nabrzeże i domy na północ od cypla Coltons. Szybko znalazł to, czego szukał.

Był zdumiony, że w tak dużym i eleganckim domu nie zainstalowano systemu alarmowego. Niemal komiczne, jak mało ludzie przejmowali się bezpieczeństwem, gdy tylko opuścili wielkie aglomeracje.

Kluczyki do wspaniałego jedenastometrowego jachtu motorowego chris craft corsair wisiały na kołku, zupełnie na widoku. Choć Harvath nie lubił brać rzeczy, które do niego nie należały, tym razem musiał wziąć. Corsair miał naładowany akumulator i bak pełen paliwa, więc silnik od razu zaskoczył. Harvath „pożyczał" łódź o wartości ponad trzystu pięćdziesięciu tysięcy dolarów i przysiągł sobie, że zwróci ją właścicielom w takim samym doskonałym stanie, w jakim wziął.

Wypłynął smukłym luksusowym jachtem na Potomac, skierował dziób na północ i wrzucił pełny gaz. Bliźniacze czterystodwudziestokonne silniki Volvo penta ryknęły niczym lwy wypuszczone z klatki, dziób uniósł się, gdy łódź wyrwała do przodu.

Harvath podwinął rękawy i nawet nie zmrużył oczu, gdy w powietrze wzbiły się drobne kropelki rozbryzgiwanej wody, siekąc go po twarzy. Zanim wsiadł na pokład, zaparkował pikapa w garażu, lecz nie miał pojęcia, jak blisko może być pościg.

Wiedział za to, że nawet z Rickiem Morrellem na czele Zespół Omega nie cofnie się przed niczym, nawet przez zabójstwem, byle go unieszkodliwić.

Wpływając do przystani w Waszyngtonie, zdławił silnik, markując kłopoty z napędem, i przycumował łódź. Obsługa zostawiła go w spokoju, żeby mógł porozmawiać przez telefon ze sprzedawcą chris craftów w Marylandzie; Harvath zadzwonił po taryfę i dziesięć minut później jechał już na parking przy Lotnisku imienia Reagana.

Ponieważ podróż do Jordanii była nie tylko osobista, lecz także bardzo delikatna, zostawił legitymację Departamentu Bezpieczeństwa Narodowego, służbowy telefon komórkowy blackberry i broń Ronowi Parkerowi w Elk Mountain.

Gdy taksówkarz czekał, Harvath znalazł swojego czarnego chevroleta trailblazera. Z wnęki pod tylnym zderzakiem wydobył zapasowe kluczyki, owinięty gumką rulon banknotów dziesięcio- i dwudziestodolarowych, kartę debetową i duplikat prawa jazdy, które były mu niezbędne, a po zatrzymaniu w samolocie Tima Finneya, Rick Morrell zabrał mu rzeczy osobiste.

Wyjechał z parkingu, zapłacił taksówkarzowi i ruszył w kierunku Dystryktu Kolumbii. Podczas jazdy wyciągnął jeden z nowiutkich telefonów komórkowych jednorazowego użytku, które trzymał w samochodzie do celów operacyjnych, i zadzwonił do swojego szefa Gary'ego Lawlora.

– Staram się z tobą skontaktować od dwóch dni – powiedział Lawlor. – Gdzie się, do licha, podziewasz?

– To, gdzie jestem, akurat nie ma znaczenia – odparł Harvath. – Musisz mnie wysłuchać.

Gary milczał, podczas gdy Scot przez następnych kilka minut relacjonował mu wszystko, co się stało i czego się dowiedział od czasu ich ostatniej rozmowy.

Kiedy skończył, Lawlor był mocno wzburzony.

– Jezu, Scot, jeśli to, co mówisz, jest prawdą, to zabijasz ludzi, których prezydent obiecał otoczyć ochroną! Podważasz naszą wiarygodność i robisz z prezydenta kłamcę. Jest tylko kwestią czasu, zanim terroryści uznają, że ich oszukaliśmy, i spełnią swoje pogróżki.

Nie na taki rodzaj wsparcia Harvath liczył, gdy składał swoje sprawozdanie.

– Posłuchaj, Gary. Jeden z facetów wypuszczonych z Guantanamo zabija niewinnych Amerykanów. Prezydent obiecał zostawić ich w spokoju, jeśli chodzi o przeszłość, a nie obecne działania. Ale czy ktoś w ogóle zadał sobie trud, by zastanowić się, czy może właśnie dlatego terroryści w ogóle wynegocjowali taką umowę? Żeby zapewnić sobie nietykalność, gdy zaczną dokonywać nowych aktów? Przykro mi, stary, ale to była zła umowa. Nie ja narobiłem bałaganu, ale zdaje się, że ja będę musiał go uprzątnąć.

– Dobrze. Dorwij pieprzonego sukinsyna.

Po tonie jego głosu Harvath poznał, że coś się wydarzyło.

– Co się stało?

– Chodzi o Emily.

Nie musiał pytać o nazwisko, by wiedzieć, kogo Gary ma na myśli. Emily Hawkins była asystentką i prawą ręką Lawlora, gdy ten pracował w FBI. Kiedy Harvath przeprowadził się do stolicy, stała się dla niego niemal drugą matką i to właśnie pod jej opieką zostawił szczeniaka, gdy Tracy została postrzelona.

– Co z nią?

– Dorwał ją. Ją i psa.

Gary rzadko dawał się ponosić emocjom, a teraz ledwo nad sobą panuje. Był wstrząśnięty.

– Jak do tego doszło?

– Zaczaił się na nią w stodole, w jej własnym gospodarstwie koło Haymarket. Pobił dotkliwie ją i szczenię. Ale to dopiero początek. Sukinsyn przywiózł ze sobą dwa worki na zwłoki, jeden dla osoby dorosłej i jeden dla dziecka. Zapakował w nie Emily i psa, lecz zanim zamknął suwak, wrzucił im coś jeszcze do towarzystwa.

Harvatha ścisnęło w żołądku. Wiedział, że worki na zwłoki nie przepuszczają powietrza. Była to potworna śmierć. Scot mógłby teraz zatłuc tego faceta gołymi rękami. Zjechał na pobocze, zatrzymał wóz i zapytał:

– Co im wrzucił?

– Worek Emily wypełnił muchami końskimi. Biedaczka ma ponad dwieście ukąszeń.

Muchy? To nie miało sensu. Następną plagą powinny być wrzody i pryszcze.

– Gary, jesteś pewien, że nie było tam nic innego? Tylko muchy?

– Sanitariusze, którzy przyjechali na miejsce, powiedzieli, że psu napuścił do worka ponad tysiąc pcheł.

– Więc pchły i muchy? To wszystko?

– Nie, nie wszystko. Zawiesił ich głowami do dołu na jednej z krokwi. Na szczęście zjawił się sąsiad.

– Czyli żyją? I Emily, i pies?

– Tak, ale ledwo, ledwo. Właśnie jadę do szpitala w Manassas.

– Kiedy tam dotrzesz, dopilnuj, żeby lekarz i weterynarz zwrócili uwagę na wszelkie wrzody lub inne objawy choroby, która mogłaby przypominać te wymienione w Księdze Wyjścia. Właściwie powinieneś zalecić im od razu podanie antybiotyków. Facet stylizuje swoje ataki na dziesięć plag egipskich. Muchy i pchły były trzecią i czwartą plagą, a dla niego siódmą i ósmą, bo odtwarza je w odwrotnej kolejności. W każdym razie powiedz lekarzom, żeby na to uważali.

– Scot, muszę ci powiedzieć coś jeszcze.

Przeszył go dreszcz.

– Kto jeszcze? – wykrztusił.

– Carolyn Leonard i Kate Palmer. Zostały zarażone jakąś hybrydą gronkowca złocistego i dżumy dymieniczej.

Od momentu, gdy znalazł Tracy leżącą w kałuży krwi przed progiem domu, czuł się tak, jakby w sercu utkwił mu nóż. Teraz miał wrażenie, jakby po ostrzu spływał żrący kwas. Wiadomość o Emily i psie była dostatecznie bolesna, lecz gdy usłyszał jeszcze o Kate i Carolyn, cierpienie stało się nie do zniesienia.

– Gdzie do tego doszło? – zapytał.

– W galerii handlowej Tysons.

– W centrum handlowym? W miejscu publicznym?

– Jakiś facet oferował próbki perfum. Sądzimy, że w płynie były zarazki. Kate podała rysopis tego mężczyzny. Sklep Macy's przesłał zdjęcia wszystkich swoich pracowników i żadne nie pasuje.

163

– A co z nagraniami z telewizji przemysłowej?

– Taśmy już zostały ściągnięte, a Kate i Carolyn pracują nad portretem pamięciowym.

– Jak się czują? – spytał Harvath.

– Świństwo cholernie szybko się rozwija. Pierwsze objawy wystąpiły po niecałych dwunastu godzinach, co jest zupełnie niesłychane zarówno w wypadku gronkowca, jak i dżumy.

– Jeśli dobrze pamiętam szkolenie medyczne, gronkowiec wywołuje dość paskudne wrzody.

– I często bardzo trudno go zwalczyć, bo jest odporny na większość antybiotyków. Na szczęście choroba została wcześnie wykryta, co dobrze rokuje. Ale lekarze i tak bardzo się niepokoją szybkością, z jaką postępuje. Obie zostały poddane kwarantannie.

– Nie mam wątpliwości, że to robota tego samego faceta – stwierdził Harvath.

– Inni też nie. W torebce Carolyn znaleziono karteczkę, taką, na której wypróbowuje się zapachy perfum. Jest na niej nazwa jakichś fikcyjnych perfum i zdanie po włosku, hasło.

– Niech zgadnę: „Za przelaną krew płaci się przelaną krwią"?

– Trafiłeś.

– Czy prezydent o tym wie?

– Owszem, wie.

– I?

– I nic to nie zmienia. Oczekuje, że się poddasz.

– Cóż, w takim razie będzie musiał poczekać do momentu, aż skończę.

71

Biały Dom

Jack Rutledge umiał czytać z wyrazu twarzy. Gdy Charles Anderson zjawił się w gabinecie, prezydent od razu domyślił się, że nie przynosi dobrych wieści.

– Mamy problem, panie prezydencie – oznajmił Anderson, potwierdzając jego podejrzenie.

Rutledge zamknął sprawozdanie, które przeglądał, i skinął ręką, żeby szef kancelarii usiadł.

– O co chodzi?

– Właśnie rozmawiałem z dyrektorem Vaile'em. Jego ludzie zdołali schwytać Harvatha.

– To raczej dobra wiadomość. W czym problem?

– Harvath uciekł.

– Co takiego? – Rutledge nie wierzył własnym uszom. – Jak to, do cholery, możliwe?

– Szczegółów dowie się pan z meldunku Vaile'a. Ale to jeszcze nie wszystko.

– Tak?

Szef kancelarii zniżył głos.

– Zanim uciekł, powiedział o swojej ostatniej podróży do Jordanii. Wygląda na to, że udało mu się zwabić do Ammanu Abdela Salama Nadżiba.

Prezydent poczuł ucisk w piersi.

– Harvath go zabił. Prawda?

– Tak, panie prezydencie.

– Jasna cholera! – Rutledge ledwie nad sobą panował. – Najpierw Palmera, a teraz Nadżib! Kiedy do ich ludzi dotrze, co się dzieje, wezmą na nas odwet. Musimy zwołać Radę Bezpieczeństwa Narodowego.

Prezydent wiedział, iż nie ma sposobu, żeby Stany Zjednoczone mogły zapewnić ciągłą ochronę każdego szkolnego autobusu w kraju. To logistyczny koszmar, który na dodatek wywołałby ogólnonarodową panikę. Obywatele słusznie zastanawialiby się, czy skoro nawet szkolne autobusy są narażone na atak terrorystyczny, to gdzie jest bezpiecznie? Czy mogliby się czuć pewnie w kinach? W centrach handlowych? A w publicznych środkach transportu? Czy w ogóle posyłać dzieci do szkoły? Czy powinni chodzić do pracy?

Zagrożenie terroryzmem, zwłaszcza potwierdzone przez działania władz, miało na społeczeństwo zdumiewająco niszczący wpływ. Prezydent czytał tajne raporty na temat skutków paniki wywołanej przez snajpera w Waszyngtonie i ekstrapolacje dotyczące tego, jak bardzo i jak szybko ucierpiałaby gospodarka Stanów Zjednoczonych, gdyby podobne zagrożenie miało zasięg ogólnokrajowy. Po załamaniu ekonomicznym zaostrzyłyby się problemy społeczne. Gdyby organy ścigania nie były w stanie doprowadzić sprawców przed sąd, obywatele zaczęliby brać sprawy w swoje ręce. Liczba przestępstw na tle różnic rasowych zwiększyłaby się gwałtownie, a grupy, które czułyby się prześladowane, szukałyby zemsty.

Gdyby sytuacji nie udało się opanować szybko i sprawnie, zaczęłyby się rozruchy. Jednym słowem, anarchia. Psychologiczne skutki terroryzmu są zdradliwe i długotrwałe.

Szef kancelarii wyrwał prezydenta z zadumy.

– Musimy porozmawiać o czymś jeszcze.

Rutledge pokręcił głową, jakby chciał powiedzieć: „To jeszcze nie koniec?"

– Z biurem Geoffa Mitchella skontaktował się reporter „Baltimore Sun" z prośbą o oświadczenie w sprawie, o której pisze artykuł. Jak pan wie, Geoff jako rzecznik prasowy Białego Domu dostaje mnóstwo szalonych pytań o wszechświatowe spiski, ale ten dziennikarz natrafił na coś ważnego. Geoff obawia się, że sprawa może mieć bardzo nieprzyjemne reperkusje, jeśli nie wyda pan natychmiast dementi.

– O co chodzi?

– Reporter zamierza napisać, że wydał pan zgodę na zabranie niezidentyfikowanych zwłok z kostnicy koronera w Marylandzie, żeby podstawić je w Charlestonie jako ciało zabitego porywacza szkolnego autobusu.

Rutledge zacisnął zęby i chwycił się poręczy fotela.

– Skąd, do diabła, wzięła się ta historia?

– W tej chwili, panie prezydencie, nie ma to większego znaczenia. Liczy się natomiast jej potencjalna szkodliwość, a dziennikarz zamierza także oskarżyć Biały Dom o współodpowiedzialność za zabójstwo.

– Zabójstwo? Jakie zabójstwo?!

– Według tego dziennikarza, niejakiego Shepparda, do asystenta koronera w Marylandzie i jednej ze śledczych biura zgłosiło się dwóch mężczyzn, którzy podali się za agentów FBI i kazali im zapomnieć o sprawie. Wkrótce potem asystent i śledcza zginęli w wypadku samochodowym.

Prezydent posiniał z wściekłości.

– Dlaczego, do cholery, nikt mnie o tym nie poinformował?

Anderson wzruszył ramionami.

– Przypuszczam, że należałoby zapytać dyrektora Vaile'a.

– Sprowadź mi go tu natychmiast. A kiedy z nim skończę, chcę porozmawiać z Geoffem. Absolutnie nie możemy dopuścić do publikacji tej historii.

– Podtrzymuje pan, żeby zwołać Radę Bezpieczeństwa Narodowego?

Prezydent zastanawiał się przez chwilę.

– Najpierw chcę, żeby Vaile osobiście potwierdził śmierć Nadżiba. Potem zdecyduję, jaki powinien być nasz następny ruch.

Szef kancelarii kiwnął głową i wyszedł.

Kiedy Rutledge został sam, zaczął masować kciukami skronie. Czuł, że dopada go potworna migrena. Sprawy naprawdę wymykały się spod kontroli. Nie chciał nawet myśleć o tym, co może się jeszcze zdarzyć. W głębi duszy wiedział jednak, że sytuacja znacznie się pogorszy.

72

Na Dwunastej ulicy, tuż za Rondem Logana, Harvath znów zawrócił, upewniając się, że nikt go nie śledzi, a potem przeszedł na drugą stronę ulicy i wszedł do banku.

Urzędniczka była uprzejma i profesjonalna. Sprawdziwszy dokumenty i podpis Harvatha, skinęła ręką i zaprowadziła go do pomieszczenia ze skrytkami depozytowymi.

Przekręciła swój klucz w zamku w tym samym momencie co Harvath swój, jakby chodziło o dostęp do broni atomowej. Przypuszczał, że taka synchronizacja jest obliczona tylko na to, by wywrzeć na klientach wrażenie.

Kiedy wysunął kasetkę, kobieta zaprowadziła go do osobnego pokoiku i zostawiła samego.

Harvath uniósł wieko i wyjął to, co zwykle trzyma się w sejfach: certyfikaty udziałowe, obligacje i dokumenty prawne. Pod spodem znajdowało się to, po co naprawdę przyszedł.

Kiedy przeglądał swoje rzeczy, poczuł satysfakcję, że okazał się tak przewidujący. Ale kogo właściwie chciał oszukać? Zawdzięczał to nie tyle zdolności jasnowidzenia, ile raczej zwyczajnej zapobiegliwości. Państwo, któremu służył, wielokrotnie zwracało się przeciwko niemu. Przygotowując sobie tę skrytkę, kierował się po prostu instynktem samozachowawczym.

Najpierw była sprawa porwania prezydenta, później pułapka z Al-Dżazirą w Iraku, a teraz to. Za każdym razem ludzie, którym służył, zostawiali go na lodzie. Przyklejano mu już łatkę przestępcy, a teraz zdrajcy.

Zawsze wiedział, że traktuje się go jak człowieka, którego życie można poświęcić, co zresztą przyjmował z dobrodziejstwem inwentarza, ale zaliczanie do tej samej kategorii jego rodziny i przyjaciół było nie do przyjęcia.

Za każdym razem, gdy wypychano go poza nawias, Harvath musiał siłą przebijać się z powrotem i udowadniać zwierzchnikom, że to oni się mylili, a nie on. Tym razem jednak sytuacja była bardziej skomplikowana. Nie zamierzał stać z założonymi rękami, podczas gdy ktoś prześladował jego najbliższych. Ale po raz pierwszy w życiu pomyślał, że za to, co robi, może go spotkać najwyższa kara.

Zawsze starał się postępować uczciwie. Przez lata służby wielokrotnie dokonywał wyborów zgodnie ze swoim sumieniem, narażając się często na śmierć, ale przynajmniej wiedział, że będzie mógł spojrzeć na siebie w lustrze, a tylko to się liczyło.

Teraz stanął w obliczu nowego dylematu. Miał do czynienia z dwiema wersjami tego, co słuszne: prezydencką i własną. Decyzja, jaką Harvath musiał podjąć, nie sprowadzała się jednak do wyboru moralnego. Musiał bronić ludzi, na których mu zależało, a znaleźli się w niebezpieczeństwie tylko dlatego, że byli mu bliscy.

Scot Harvath uważał, że dopuszczenie do skrzywdzenia niewinnych jest najgorszą zdradą, skrajną nielojalnością. Bez względu na to, jak wysoką cenę miałby zapłacić, musiał zapobiec dalszym atakom.

73

Harvath zabrał z kasetki potrzebne rzeczy i wyszedł z banku.

Na zewnątrz zlustrował wzrokiem otoczenie – dachy, zaparkowane samochody, ludzi na ulicy. Prezydent wysłał za nim Zespół Omega i Harvath wiedział, że agenci CIA zrobią wszystko, żeby go zatrzymać.

Ludzie z Omegi mogli być teraz wszędzie i musiał być przygotowany na to, że go znajdą.

Wsiadł do samochodu i ruszył na północny zachód. Wyjął z torby na tylnym siedzeniu następną nową komórkę.

Chciał sprawdzić, co u matki i Tracy, ale stwierdził, że to zbyt ryzykowne. Jeśli szukało go CIA, linie telefoniczne obu szpitali na pewno były na podsłuchu. Zadzwonił więc na zewnętrzny numer poczty głosowej swojej służbowej komórki.

Kilka wiadomości zostawił mu Gary Lawlor. Scot wykasował je, bo rozmawiał już z szefem. Poza tym nagrał się tylko Ron Parker, który prosił o jak najszybszy telefon pod numer inny niż zwykle.

Wstukał numer i poczekał. Jakość sygnału zmieniła się w połowie realizacji połączenia, jakby nastąpiło przekierowanie. To mogło niepokoić. Jeśli CIA wykorzystało przeciwko niemu Ricka Morrella i pilotów Tima Finneya, to kto był następny?

Zdobył się jednak na trzeźwą ocenę sytuacji i doszedł do wniosku, że ingerencja Agencji byłaby niedostrzegalna; postanowił się nie rozłączać. Chwilę później odezwał się Parker.

– Jesteś w bezpiecznym miejscu? – zapytał.

– Na razie tak. Czy linia jest bezpieczna?

– Przygotował ją nasz znajomy wędkarz. Myślę, że jeśli nie będziemy wdawać się w szczegóły, powinno być okej.

Od razu zrozumiał, w czym rzecz. Łącze komunikacyjne przygotował Morgan, a powinni unikać szczegółów dlatego, że chociaż Tom był dobry w swoim fachu, ludzie z CIA i Agencji Bezpieczeństwa Narodowego mogli okazać się jeszcze lepsi. Jeśli naprawdę zależało im na dorwaniu Harvatha, a wszystko na to wskazywało, to zaprogramowanie systemu elektronicznego podsłuchu Echelon, aby monitorował każdą rozmowę telefoniczną w poszukiwaniu słów kluczy odnoszących się do Harvatha, należało wziąć pod uwagę.

Dlatego musieli bardzo ostrożnie dobierać słowa.

– Wiedzieliście o zmianie planów lotniczych podczas mojej podróży do domu?

– Poznaliśmy je dopiero, gdy opuściłeś pokład. Gdybyśmy wiedzieli wcześniej, na pewno byśmy cię uprzedzili.

Znał Parkera na tyle dobrze, by być pewnym, że mówi prawdę.

– Jak mnie znaleźli?

– Dowiedzieli się o naszej wycieczce za południową granicę. Ale dopiero gdy byłeś w drodze powrotnej zza oceanu. Jak ci tam poszło?

– Bardzo pouczające doświadczenie. Wygląda na to, że nasz mały kumpel nie był z nami do końca szczery.

– W jakiej sprawie?

– Na jego liście zabrakło jednego nazwiska.

– Myślisz, że się pomylił?

Harvath parsknął śmiechem.

– Nie ma mowy. Doskonale wiedział, co robi. Pytanie brzmi: dlaczego?

Zapadło dłuższe milczenie, zanim Parker znów się odezwał.

– Musimy porozmawiać.

Te dwa słowa nigdy nie wróżyły Scotowi nic dobrego, gdy wypowiadała je kobieta. Teraz też spodziewał się złych wieści.

– Co się dzieje?

– Wszystkie nasze kontrakty zostały anulowane.

– Anulowane?! O czym ty mówisz?

– Nasi specjalni klienci ze wschodu zadzwonili do nas i wszyscy powołali się na tę samą klauzulę w umowie. Żadnych dyskusji, żadnego wyjaśnienia.

Harvath nie wiedział, co powiedzieć. Finney i Parker żyli z kontraktów dla Lokalizacji Szóstej i Programu „Sargas". Zerwanie wszystkich umów oznaczało ogromne straty.

– Zdaje się, że w ten subtelny sposób ważni panowie z państwowej administracji zakomunikowali wam, że jestem persona non grata.

– Właściwie – odparł Parker – wcale nie byli tacy subtelni. Jeden ze znaczniejszych psów z pięciokątnej budy zadzwonił, żeby poinformować, iż wszystkie kontrakty mogą zostać natychmiast przywrócone.

– Jeśli tylko zgodzicie się zerwać ze mną wszelkie kontakty.

– Mniej więcej.

Nie chciał stawiać przyjaciół w kłopotliwej sytuacji. I tak bardzo mu już pomogli. A skoro Pentagon dawał im szansę na powrót do łask, Harvath postanowił ułatwić im wybór.

– Podziękuj szefowi za wszystko i przekaż, że może uznać nasze kontakty za zerwane.

– Sam możesz mu podziękować. Posłał ich do diabła.

To właśnie w stylu Finneya. Po rozczarowaniach, jakich Scot ostatnio doznał, miło było wiedzieć, że ma jeszcze paru prawdziwych, oddanych przyjaciół, ale tym bardziej nie mógł pozwolić, by Tim zrujnował firmę, na którą tak ciężko pracował i którą uwielbiał prowadzić.

– Niech wykorzysta swój urok osobisty. Na pewno przekona ich do powrotu.

– A co z tobą?

– Zamierzam dokończyć to, co zacząłem – odparł twardo.

– Mogą anulować nam wszystkie kontrakty, ale nie mogą zmusić nas do odmówienia ci pomocy.

– Owszem, mogą. Kontrakty to dopiero wierzchołek góry lodowej. Potem zaczną wywierać coraz silniejszą presję. Wolałbym wam tego oszczędzić. Dużo mi już pomogliście i jestem wam wdzięczny.

Ron nie lubił, gdy spychano go na bok tak samo jak Scot.

– W takim razie nie będziemy wykonywać żadnych działań, o ile o to nie poprosisz. Ale stróże pozostaną na miejscu i nie zamierzamy nawet o tym dyskutować.

Harvath się uśmiechnął.

– Dzięki. – Czuł się lepiej, wiedząc, że nad Tracy i matką nadal będzie ktoś czuwać.

– Gdybyś zmienił zdanie w sprawie dodatkowej pomocy – ciągnął Parker – masz ten numer. A tymczasem chciałbym ci przekazać kilka rzeczy. Niewiele, ale powinny ci się przydać. Wkrótce je podrzucę.

– Dzięki. – Scot wiedział, że mowa o internetowej skrzynce kontaktowej, którą zainstalowali na wypadek, gdyby musieli skomunikować się z nim, kiedy był z dala od Elk Mountain. Biorąc pod uwagę ostatni rozwój wydarzeń, cieszył się, że nią dysponują.

– Możemy ci jeszcze jakoś pomóc? – zapytał Ron.

– No, jest taka jedna sprawa.

– Wal.

– Chciałbym, żebyście pomogli mi załatwić grę w golfa.

74

Bethesda, Maryland

Kongresowy Klub Golfowy należał do najbardziej ekskluzywnych w kraju. Otwarto go w 1924 roku, a jego dwa pola golfowe, Błękitne i Złote, zostały później zmienione według projektu Reesa Jonesa. Pole Błękitne uznawano za jedno ze stu najlepszych w Stanach Zjednoczonych.

Piękne zielone pagórki i wysokie drzewa stawiały przed golfistą nie lada wyzwanie, ucieleśniając to, co najlepsze w najwspanialszych polach golfowych świata. Tylko tu podczas gry James Vaile mógł zapomnieć o całym gównie, którym musiał się brudzić jako dyrektor Centralnej Agencji Wywiadowczej.

Miał stałą rezerwację pola w każdą niedzielę i stawiał się tu z większą regularnością niż na niedzielne nabożeństwa w kościele Trójcy Świętej w Georgetown. Gra stała się dla niego terapią i szczerze wierzył, że właśnie dzięki niej udawało mu się zachować zdrowie psychiczne i kulturę w świecie, który był bez wątpienia szalony i barbarzyński.

Kongresowy Klub Golfowy należał do ulubionych miejsc politycznej arystokracji Waszyngtonu, a na Vaile'a ożywczo wpływała świadomość, że chodzi tymi samymi szlakami co niegdyś William Howard Taft, Woodrow Wilson, Warren G. Harding, Calvin Coolidge, Herbert Hoover i Dwight D. Eisenhower.

Osiemnasty dołek Błękitnego Pola należał zwykle do jego ulubionych. Sam widok z rzutni był niesamowity: na dalszym planie wznosił się najbardziej majestatyczny i imponujący gmach klubowy na świecie.

Drive wymagał całej koncentracji, na jaką Vaile mógł się zdobyć. Z rzutni na wzniesieniu piłeczka musiała przelecieć nad wodą około stu siedemdziesięciu metrów i przy udanym uderzeniu lądowała na podobnym do półwyspu greenie, by potoczyć się na skraj dołka albo jeszcze lepiej, wpaść od razu do środka.

Dziś jednak szczęście mu nie dopisywało. Wciąż zdenerwowany po tym, jak prezydent zdrowo go objechał, i dręczony wątpliwościami, czy uda się ponownie schwytać Harvatha, Vaile posłał pierwszą piłeczkę daleko poza green. Wciąż nie mógł uwierzyć, że Rutledge oskarżył go o zaaranżowanie śmierci zastępcy koronera z Marylandu i jego dziewczyny. Ani Vaile, ani żaden z agentów nie miał z nim nic wspólnego. Dureń po prostu przejechał na czerwonym świetle.

Mimo to prezydent chciał, żeby zajęli się reporterem z „Baltimore Sun". Jak, u licha, to zrobić, Vaile nie miał pojęcia, zwłaszcza że Rutledge dał jasno do zrozumienia, iż facetowi nie może stać się krzywda.

Po zabójstwie dwóch z pięciu terrorystów z Guantanamo spór między prezydentem a dyrektorem wywiadu dotyczył tego, co powinni teraz zrobić. Rutledge uważał, iż trzeba wysłać ostrożnie zredagowaną dyrektywę Bezpieczeństwa Narodowego do wszystkich agencji porządkowych w kraju, żeby ostrzec przed możliwością ataku na szkolne autobusy. Vaile jednak wciąż miał wątpliwości i użył tych samych argumentów co wcześniej.

Jedno nie ulegało wątpliwości: żadnej dyrektywy nie można było rozesłać, póki nad Białym Domem wisiała groźba artykułu w „Baltimore Sun". Publikacja doprowadziłaby do zakwestionowania wszystkich następnych działań prezydenta. Jego wiarygodność zostałaby poważnie naruszona, a każde ostrzeżenie przed atakiem terrorystycznym, które wyszłoby z Waszyngtonu, byłoby odbierane jako zapowiedź śmierci.

Vaile miał już w głowie zalążek planu i uznał, że bardzo przyda mu się chwila skupienia na polu golfowym. Najlepsze pomysły przychodziły mu do głowy, gdy wyciszał umysł i koncentrował się na grze.

Chociaż szef CIA usilnie się o to starał, jego następny *drive* w żargonie golfistów określano jako „dupę słonia": za wysoki i gówniany. Piłeczka spadła zbyt wcześnie i stoczyła się po przystrzyżonym trawniku do wody.

– Jeśli nie liczyć odległości i kierunku – zakpił partner golfowy Vaile'a – całkiem dobry strzał.

Vaile nie miał nastroju do żartów. Ustawił następną piłeczkę tylko dlatego, by udowodnić, że potrafi trafić w green, co rzeczywiście tym razem się udało. Przy wbijaniu piłeczki do dołka poniósł jednak klęskę.

Powinien był się z tym uporać w jednym, dwóch uderzeniach, lecz potrzebował aż czterech. Vaile miał wybuchowy temperament i niewiele brakowało, a złamałby kij na kolanie. Jego kumpel nie wiedział, co bardziej go rozbawiło: dwa kiksy z drive'a czy cztery uderzenia putterem.

Znów nabijał się z przyjaciela, lecz Vaile nie zwracał na to uwagi, spojrzał na zegarek i powiedział, że musi się zbierać. Uścisnęli sobie dłonie i mimo paskudnego nastroju obiecał, że za tydzień po grze stawia lunch. Potem razem z osobistą obstawą ruszył w kierunku budynku klubowego.

W szatni rozebrał się, chwycił ręcznik i podreptał do sauny. Pomyślał, że taki relaks dobrze mu zrobi przed powrotem do biura w Langley. Modlił się, żeby nikt go nie rozpoznał albo żeby ludzie okazali się na tyle uprzejmi, by zostawić go w spokoju. Faceci z obstawy znali jego przyzwyczajenia i wiedzieli, że wyjdzie z szatni nie wcześniej niż za pół godziny.

Choć nie przepadał za tym, by ludzie oglądali go nago, rzeczywisty powód, dla którego zostawiał chłopaków na zewnątrz, stanowiła potrzeba chwili samotności. Funkcja dyrektora Centralnej Agencji Wywiadowczej była stresująca, a konieczność ciągłego bycia pod okiem ochroniarzy – wielu świrów chciało go zabić – wzmagała napięcie. Dlatego czasami, choćby tylko na pół godziny w niedzielę, James Vaile pragnął zapomnieć, kim jest, i cieszyć się przez chwilę anonimowością. A biorąc pod uwagę, jak fatalny miał dzień, potrzebował wytchnienia bardziej niż zwykle.

Gdy wszedł do sauny, znalazł się w chmurze gęstej mgły o zapachu eukaliptusa. Zajął miejsce na najniższym piętrze wyłożonych białymi kafelkami ławek i usłyszał cudowny dźwięk: odgłos zamykanych drzwi.

Mięśnie zaczęły się rozluźniać. W ciągu następnych kilku minut będzie całkowicie odcięty od świata zewnętrznego, otoczony rozkoszną ciszą.

Rozsiadł się wygodnie i zamknął oczy. Wreszcie sam.

Odpływał, myśli dryfowały swobodnie. I wtedy ktoś mu przeszkodził.

– To jedna z najpaskudniejszych gier, jakie w życiu widziałem – powiedział głos gdzieś z górnych ławek.

Vaile był w klubie dobrze znany i nie zaskoczyło go, że jego gra została zauważona. Mimo to ledwo powstrzymał się od wygarnięcia mglistej postaci siedzącej nad jego głową, gdzie może sobie wsadzić swoje opinie. Vaile po prostu chciał się wyłączyć.

– Nie miałem najlepszego dnia. – Ściszył na końcu głos: jasny sygnał, że nie chce podtrzymać rozmowy.

– Nadal nie masz – odparł mężczyzna, gdy pochylił się w przód i odbezpieczył pistolet.

75

Mimo gorąca panującego w saunie, Vaile'a przeszył lodowaty dreszcz.

– Kim jesteś? Czego chcesz?

– Wybaczy pan, dyrektorze. Oszczędzę nam obu czasu i sam będę zadawać pytania.

– Moja obstawa...

– Została za drzwiami szatni i spodziewa się, że wyjdzie pan najwcześniej za pół godziny, albo nawet później.

Głos mężczyzny brzmiał znajomo, lecz Vaile nie potrafił dopasować go do konkretnej osoby.

– Ja cię znam.

Harvath zszedł z górnej ławki i usiadł obok niego.

Mgła się rozstąpiła. Vaile nie wierzył własnym oczom.

– Harvath! Zwariowałeś? Za mało masz kłopotów? Teraz jeszcze grozisz pistoletem dyrektorowi CIA?

– Nie widzę, jak moja sytuacja mogłaby się jeszcze pogorszyć, to po pierwsze. A po drugie, wcale nie groziłem panu pistoletem, tylko odbezpieczyłem zamek, kierując lufę w zupełnie inną stronę – odparł Harvath.

– Na pewno nie omieszkam zaznaczyć tej subtelności w meldunku do prezydenta.

– Wiem, że jesteśmy w saunie, ale nie musimy się od razu dymać, okej?

– Posłuchaj. Obaj wiemy, o co chodzi. Prezydent został zmuszony do paktowania z diabłem i...

– I teraz płacą za to ludzie, na których mi zależy.

– Nie przypuszczaliśmy, że to się tak potoczy.

Harvath o mało nie przywalił dyrektorowi w zęby.

– Ale tak się potoczyło i nie widzę, żebyście próbowali jakoś temu zaradzić.

– Nie masz pojęcia o tym, co robimy.

– „My"?

– Prezydent polecił mi skompletować specjalny zespół do tej sprawy.

– Zlecił śledztwo CIA, na terytorium Stanów Zjednoczonych? Oprócz FBI?

Vaile uniósł ręce.

– Prezydent chciał ludzi z bogatym doświadczeniem antyterrorystycznym i takich mu dałem.

– Ale niewiele zrobili, prawda?

Nie odpowiedział. Miał bolesną świadomość, że postępy jego ludzi są niezadowalające.

– Czy Morrell i jego zespół też biorą udział w dochodzeniu?

Szef wywiadu pokręcił głową.

– Nie. Stworzyliśmy osobny zespół. Osobiście wybrałem ludzi. Wszyscy są dobrymi agentami operacyjnymi z doświadczeniem w misjach specjalnych. Tyle że nie mają się czego chwycić.

– A Rickowi Morrellowi powierzył pan najbrudniejszą robotę. Miał wykorzystać naszą przyjaźń przeciwko mnie, tak?

– Wybrałem najlepszy sposób na szybkie zdobycie informacji, których potrzebowaliśmy.

– Powinienem był się domyślić.

Vaile wziął głęboki oddech.

– Scot, przystąpienie do negocjacji z terrorystami zwykle nie wchodzi w grę, ale prezydent został postawiony pod ścianą. Nie mogliśmy pozwolić, żeby te bydlaki zabiły amerykańskie dzieci. I nie możemy. Właśnie dlatego musisz się poddać.

Decyzja nie była łatwa. On też nie chciał sprowokować zamachów terrorystycznych przeciwko dzieciom, lecz to, że ludzie Vaile'a nie radzili sobie ze śledztwem, utwierdził Scota w poprzednim postanowieniu.

– Nie poddam się, póki nie dorwę tego sukinsyna.

– Nawet gdyby oznaczało to narażenie na śmierć wielu amerykańskich dzieci?

Kusiło go, żeby powiedzieć Vaile'owi, czego dowiedział się w Jordanii: że warunkiem zwolnienia Nadżiba z Guantanamo było cofnięcie nagrody za jego głowę, ale zmienił zdanie. Nie chciał dzielić się informacjami wywiadowczymi z kimkolwiek, a zwłaszcza z dyrektorem CIA. Zamiast tego powiedział:

– Ten facet, kimkolwiek jest, uwziął się na mnie. Nie ja zacząłem.

– Tak czy inaczej – odparł Vaile – prezydent dał słowo, że po zwolnieniu z Guantanamo nie będziemy ścigać tych mężczyzn.

– Jeden z nich zaatakował obywateli amerykańskich na amerykańskiej ziemi. Ten fakt powinien natychmiast unieważnić wszystkie wcześniejsze ustalenia. Nie wolno traktować tej piątki tak, jakby do końca życia mieli zapewnioną bezkarność.

– Zgadzam się z tobą. Ale teraz został tylko jeden.

Harvath nie zrozumiał.

– Jeden?

– Zabiłeś Palmerę i Nadżiba, a nam niedawno udało się zlokalizować dwóch innych.

– Których? Gdzie są?

– Jeden w Maroku, a drugi w Australii. Władze tych krajów wkrótce aresztują ich za działalność terrorystyczną, w jaką zaangażowali się już po wypuszczeniu z Guantanamo. Czyli że zostaje...

– Piąty z więźniów. Francuz.

76

Szef CIA pokiwał głową.

– Nazywa się Philippe Roussard, strzelec wyborowy znany także jako Juba. Jest sławny w Iraku: zabił ponad stu Amerykanów.

– To on prześladuje moją rodzinę i przyjaciół? – Na próżno szukał w pamięci tego nazwiska.

Vaile znów pokiwał głową.

Scot zakipiał ze złości.

– Nie mogę, kurwa, uwierzyć! Wiecie, kim jest ten facet, a mimo to nie zamierzacie kiwnąć palcem, żeby go dorwać.

Vaile nie chciał wdawać się z Harvathem w pyskówkę, więc zmienił temat.

– Wiedziałeś, że w Iraku zginął mój siostrzeniec?

– Nie, nie wiedziałem. – Starał się zapanować nad emocjami. – Przykro mi.

– Z wiadomych powodów rodzina i piechota morska zachowali nasze pokrewieństwo w tajemnicy. Zabił go Roussard. Rzecz jasna nie miał pojęcia, do kogo strzela. Chłopak był dla tego bydlaka tylko jeszcze jednym niewiernym, jeszcze jednym nacięciem na kolbie karabinu. Nawet po śmierci siostrzeńca zachowaliśmy nasze pokrewieństwo w tajemnicy. Nie chcieliśmy, żeby islamiści wykorzystali to w swojej propagandzie, zwłaszcza że Juba stał się postacią niemal mityczną. Uważano, że jest nieuchwytny i może zabić, kogo zechce.

– Oczywiście, rozumiem i szczerze współczuję. Nie chciałbym pana urazić, ale co to ma wspólnego ze mną i moimi bliskimi?

– Nazwisko „Roussard" nic ci nie mówi, prawda?

Scot pokręcił głową.

– Przypuszczam, że to bez znaczenia. Dopóki prezydent zamierza honorować swoją część umowy, nie mam wyboru i muszę cię aresztować.

– A jeśli uda mi się przedtem dorwać ludzi, którzy za to odpowiadają?

– Osobiście – powiedział Vaile, wstając – nie sądzę, żeby w tym wszystkim w ogóle chodziło o dzieci, autobusy szkolne czy warunki przetrzymywania więźniów w Guantanamo. Choć może dziwnie to zabrzmi, myślę, że od początku chodziło właśnie o ciebie i chciałbym, żebyś wytropił i zabił wszystkich winowajców.

Nastąpiła długa pauza, podczas której Harvath wyczuł, że dyrektor CIA pragnie powiedzieć coś jeszcze.

Chwilę później Vaile dodał:

– Ale moje zdanie w tej sprawie się nie liczy. Służbowo mam obowiązek wykonywania rozkazów prezydenta Stanów Zjednoczonych. Poradziłbym ci to samo, ale coś mi mówi, że to nic nie da.

– Rzeczywiście.

Vaile podszedł do drzwi i trzymając już rękę na gałce, odwrócił się.

– W takim razie powinieneś coś zobaczyć.

77

Podczas lotu do Rio powinien był wypocząć, lecz nie mógł zmrużyć oka. Vaile obiecał, że prześle mu e-mailem dossier Roussarda, lecz Scot wątpił, by znalazł tam cokolwiek użytecznego.

Wciąż musiał jednak zajrzeć pod jeden kamień.

Nie mógł przestać rozmyślać o przeszłości, a szczególnie o jednej osobie. Meg Cassidy była ostatnią kobietą, z którą związał się przed poznaniem Tracy.

Brazylia należała do tych magicznych miejsc, gdzie Meg zawsze chciała go zabrać, lecz Scot nigdy nie mógł albo nie chciał znaleźć czasu na podróż. Teraz, gdy na pokładzie liniowego samolotu leciał na południe, uzmysłowił sobie, jakim był głupcem, że pozwolił Meg odejść, i jakim szczęściarzem, że znalazł Tracy. Wiedział, że gdyby zmarła, on zawsze już będzie „facetem po przejściach". W życiu rzadko trafia się druga szansa, a jemu udało się swoją drugą szansę na osobiste szczęście umieścić w szpitalu, podłączoną do respiratora. Była to ironiczna metafora, jego życie uczuciowe zawsze znajdowało się w stanie krytycznym.

Próbował otrząsnąć się z ponurych myśli, ale nie mógł. W drugim rzędzie siedziała para nowożeńców. Sądząc po tym, jak trzymali się za ręce, całowali i raczyli szampanem, lecieli do Brazylii albo jeszcze dalej, gdzie spędzą miesiąc miodowy.

Harvath dawno stracił poczucie czasu. Spojrzał na zegarek i zdał sobie sprawę, że ślub Meg Cassidy wypada za kilka dni. Musi zapamiętać, żeby skontaktować się z Garym i poprosić dla niej o specjalną ochronę, od zaraz. Chociaż ich romantyczny związek dawno przeszedł do historii, nadal mu na niej zależało i nie chciał, żeby spotkało ją jakieś nieszczęście, zwłaszcza przez niego.

Lawlor zdążył poznać Meg bardzo dobrze i wprost ją uwielbiał. Prezydent też niezwykle polubił dziewczynę i odwiedzał jej letni dom co roku, gdy spędzał wakacje w Lake Geneva w Wisconsin.

Kilka lat temu pomogła Harvathowi wytropić spadkobierców terrorystycznej organizacji Abu Nidala, a jej zasługi dla kraju na tym polu były bezcenne. Lawlor powinien więc bez problemu uzyskać zgodę prezydenta Rutledge'a na przydzielenie jej specjalnej obstawy na kilka najbliższych dni.

Właśnie najbliższe dni budziły w Harvacie największy niepokój. Z tego, co wiedział, mimo zamachu na Nowy Jork prezydent wciąż zamierzał pojawić się na ślubie Meg. Wtedy ochrona będzie tak ścisła, że nawet mysz się nie prześliźnie. Harvath obawiał się raczej o okres przygotowań do uroczystości.

Podobnie jak Tracy, Meg była niezwykłą kobietą. Wysłała Harvathowi zaproszenie, mimo że, prawdopodobnie, z tego powodu doszło do ostrego spięcia między nią a narzeczonym.

Widok pięknie wydrukowanej karty sprawił, że serce zabolało. Choć wcześniej nie zdawał sobie z tego sprawy, wciąż wzdychał do Meg i w głębi duszy żywił nadzieję, że pewnego dnia się zejdą. Patrząc na zaproszenie z jej nazwiskiem obok nazwiska narzeczonego, uzmysłowił sobie, że nie ma już na co liczyć.

Nie wiedział, jaką dać odpowiedź, i odłożył zaproszenie na bok, a gdy prezydent napomknął kiedyś w rozmowie o jej ślubie, on uprzejmie zmienił temat.

Teraz gdy coraz bardziej zbliżali się do Brazylii, kraju, który zauroczył Meg, nie mógł myśleć o niczym innym, tylko o niej i o sobie. Boże, czy naprawdę był aż takim popaprańcem? Wszystko, czego tknął, obracało się w proch.

Przez chwilę zastanawiał się nawet, czy nie powinien po prostu zniknąć w brazylijskiej dżungli i nigdy nie wrócić.

78

Rio de Janeiro, Brazylia

Kiedy Harvath wysiadł z samolotu na międzynarodowym lotnisku im. Antonia Carlosa Jobima, temperatura wynosiła około dwudziestu paru stopni. Jego poczucie misji wróciło, a wcześniejsza chęć, by zniknąć w brazylijskiej dżungli, odeszła. Pragnął jak najszybciej wziąć się do roboty.

Z fałszywym paszportem, który wziął ze skrytki bankowej w Waszyngtonie, przeszedł przez kontrolę jako obywatel Niemiec, Hans Brauner. Paszport był bezcenny. Nie dość że mógł dzięki niemu podróżować bez narażania się na wytropienie przez amerykańskie agencje wywiadowcze, to jeszcze jako obywatel Unii Europejskiej zaoszczędził na wizie, którą musiałby wykupić, gdyby posługiwał się paszportem Stanów Zjednoczonych.

Minął przedstawicielstwo firmy taksówkowej RDE i poszedł prosto do punktu informacji turystycznej Rio de Janeiro, gdzie kupił voucher. Ostatnią rzeczą, jakiej potrzebował, było wykłócanie się o pieniądze ze słynącymi z niesolidności miejskimi taryfiarzami.

Kiedy wsiadł do taksówki i podał kierowcy adres, oparł głowę o zagłówek i zamknął oczy. Latał samolotami albo przesiadał się z jednego do drugiego przez ostatnie jedenaście godzin. Marzył o tym, żeby wreszcie znaleźć się w hotelu, wziąć prysznic i zasnąć. Ale najpierw musiał jeszcze coś załatwić.

Taryfiarz pomknął szosą Linha Vermelha w kierunku miasta. Slalom, jakim z niedozwoloną prędkością przeskakiwał z pasa na pas, idealnie współgrał z rytmem lokalnej muzyki funk carioca, która dudniła z dużego radiomagnetofonu przyklejonego taśmą do upstrzonej ozdobami deski rozdzielczej.

Przedstawicielstwo American Express mieściło się pod hotelem Copacabana Palace na Avenida Atlântica dokładnie naprzeciw słynnej plaży Copacabana.

Harvath wysiadł z taksówki, odwrócił się plecami do turkusowych wód oceanu, skąpo odzianych, opalonych ciał i wszedł do hotelu. Z telefonu w holu zadzwonił do biura American Express i zapytał, czy paczka, którą wysłał przez FedEx, dotarła na miejsce. Tak, była już do odbioru.

Zameldował się w recepcji, a gdy dostał klucz, udał się do American Express po paczkę. Wymienił kilka tysięcy dolarów na brazylijskie reale, po czym wrócił do recepcji, gdzie poprosił o zorganizowanie wycieczki helikopterem.

Na górze w pokoju rzucił pudło z FedEx na łóżko i położył torbę podróżną koło biurka. Rozsunął zasłony i otworzył okna.

Widok go oszołomił. Długa na cztery kilometry plaża, gdzie roiło się od ludzi. Słonawy zapach oceanu zalał pokój. Patrząc na fale rozbijające się o brzeg, żałował, że nie ma kąpielówek.

Poszedł do łazienki wziąć prysznic. Powiesił ubranie na drążku, wszedł do kabiny i stał w strugach gorącej wody, aż zatracił poczucie czasu.

Zwykle kończył kąpiel, odkręcając zimną wodę – to orzeźwiało go bardziej niż filiżanka kawy – ale nie dziś. Dziś musiał się wyspać.

Stojąc na miękkim dywaniku, wytarł się, a potem podszedł do ogromnego łóżka. Polecił przez telefon, żeby mu nie przeszkadzać, odkrył kołdrę i się położył.

Zamknąwszy oczy, wsłuchiwał się w muzykę samochodów i plażowiczów na dole, aż zapadł w sen.

79

Harvath obudził się z drżeniem i dopiero po paru chwilach uprzytomnił sobie, gdzie jest. Koszmar znów mu się przyśnił.

Ciało miał zlane zimnym potem, a serce łomotało mu jak oszalałe. Mimo że przespał kilka godzin, czuł się gorzej niż wtedy, gdy się kładł.

Nie miało to jednak znaczenia. Wiedział, że skoro się obudził, aż do wieczora nie uda mu się zasnąć.

Wziął prysznic, ale tym razem puścił na koniec zimną wodę.

Ogolił się i włożył jedyny komplet ubrań na zmianę, jaki przywiózł. Potem zadzwonił do recepcji. Wycieczka śmigłowcem była załatwiona na jutro rano, a firma wynajmująca helikoptery miała nawet przysłać po niego prywatny samochód. Harvath podziękował i zapytał jeszcze o najbliższą aptekę.

Po załatwieniu sprawunków wrócił do pokoju, otworzył mały laptop, kupiony przed wyjazdem z Waszyngtonu, i wszedł do Internetu. Upłynęła godzina, zanim uznał, że poziom zabezpieczeń, które zastosował, jest wystarczający. Wykorzystał liczne serwery proxy, a także kilka ogólnodostępnych programów szyfrujących; rzeczywiście były całkiem dobre. Gdyby CIA albo ktokolwiek inny spróbował namierzyć jego lokalizację, miałby z tym problem.

Zalogował się na konto e-mailowe, które podał Vaile'owi tylko w tym jedynym celu, i otworzył list. Większość dokumentacji wyczyszczono jako objętą tajemnicą państwową, ale podstawowe informacje pozostały. Na początek obejrzał Philippe'a Roussarda na zdjęciach.

Harvath miał bardzo dobrą pamięć do nazwisk, a twarze rozpoznawał wręcz fenomenalnie. Mimo że coś w rysach Francuza wydało mu się znajome, był pewien, że nigdy go nie widział.

Skoro nie mścił się na Harvacie sam Roussard, musieli to być ludzie, którzy za nim stali: oni też wynegocjowali uwolnienie go z Guantanamo.

Harvath czytał akta Francuza przez następną godzinę, lecz nic go nie olśniło. Nie widział żadnego tropu, mogącego się przydać, oprócz fotografii.

Według e-maila Vaile'a Carolyn Leonard i Kate Palmer, których stan nadal był bardzo poważny, rozpoznały w Roussardzie mężczyznę z galerii Tysons. Niestety, Emily Hawkins nie mogła na razie odpowiedzieć na żadne pytania, ale Harvath już wiedział, że też by go zidentyfikowała. Podobnie jak matka, uświadomił sobie z bolesnym ukłuciem, gdyby odzyskała wzrok. Krótko mówiąc, zdjęcia stanowiły punkt zaczepienia, ale o wiele za słaby.

Harvath zalogował się do konta gmail, które założyli wspólnie z Ronem Parkerem i Timem Finneyem, po czym otworzył wiadomość czekającą na niego w katalogu szkiców. Zaczynała się od krótkiego streszczenia tego, co Parker już mu powiedział, a także zawierała ostrzeżenie, żeby nie próbował dzwonić na ich komórki, gdyż podejrzewali, że są na podsłuchu. To samo dotyczyło wiadomości tekstowych i wszelkich innych normalnych kont e-mailowych.

W katalogu znalazł się też raport wywiadowczy Toma Morgana, który potwierdzał to, co Harvath usłyszał od Vaile'a: zarówno terrorysta w Maroku, jak i ten w Australii byli pod obserwacją służb wywiadowczych tych krajów. Ze względu na ramy czasowe nie mogli być zamieszani w ataki w Stanach Zjednoczonych.

Następnie Harvath przekopiował do katalogu zdjęcia Roussarda, a także najistotniejsze szczegóły z jego dossier i poprosił Finneya, żeby przekazał te informacje ochroniarzom, którzy czuwali nad bezpieczeństwem Tracy i jego matki.

Parker wiedział, że Harvath wolał teraz nie kontaktować się ze szpitalami bezpośrednio, dlatego zostawił mu numery telefonów komórkowych ludzi z ochrony. W ten sposób mógł bezpiecznie uzyskać najświeższe wieści o zdrowiu matki i ukochanej.

Po przeczytaniu całej wiadomości Harvath usunął ją i wylogował się z konta. Surfując po sieci, wybrał jedną z licznych usług telefonii internetowej, ściągnął na laptop niezbędne oprogramowanie, podłączył do komputera zestaw słuchawkowy ze swojej komórki i zadzwonił do jednego z ochroniarzy pilnujących jego matki w południowej Kalifornii.

Zamienił kilka zdań z mężczyzną, który odebrał, a ten zapewnił go, że wszystko w porządku, zamknął drzwi i przekazał aparat jego matce.

Harvath rozmawiał z nią około dziesięciu minut, a potem wytłumaczył, że jeszcze przez jakiś czas go nie będzie. Obiecał, że znowu się do niej odezwie, gdy tylko będzie mógł.

Następnie zadzwonił do ochrony Tracy. Agent dowodzący grupą powiedział, że choć rodzice Tracy są uprzejmi, wydaje się, że nie życzą sobie ich obecności. Harvath podziękował mu za to, co on i jego koledzy robią. Rodzice Tracy może nie byli zachwyceni, że po oddziale intensywnej terapii kręcą się groźnie wyglądający faceci, ale gdyby coś się stało, byliby za ich obecność cholernie wdzięczni.

Tak samo jak ochroniarzom na Zachodnim Wybrzeżu, Harvath podał mu rysopis i streścił życiorys Philippe'a Roussarda, dodając, że Finney i Parker niedługo przyślą zdjęcia.

Ochroniarz przekazał telefon ojcu Tracy, Billowi. Rozmowa się nie kleiła. Stan zdrowia Tracy nie uległ zmianie. Lekarze przeprowadzili kilka następnych badań, ale póki nie odłączą jej od respiratora, nie mogło być mowy o wykonaniu rezonansu magnetycznego. EEG wykazało znacznie obniżoną aktywność mózgu, co zdaniem neurologów oznaczało trwałe uszkodzenie.

Brak poprawy nie zaskoczył Scota, choć w duchu liczył na pozytywną zmianę. Rozmawiał przez chwilę z matką Tracy, a potem zapytał, czy mogłaby przyłożyć telefon do jej ucha na kilka minut.

Kiedy upewnił się, że to zrobiła, zaczął mówić. Zapomniał o zmęczeniu, obchodziła go tylko Tracy, a wiedział, że musi być dla niej silny. Powiedział, jak bardzo ją kocha i z jakim utęsknieniem czeka, aż wypuszczą ją ze szpitala, żeby mogli robić dalej to, co przerwali.

Zaczął wyliczać to wszystko, co mieli jeszcze razem zrobić: pojechać na ryby do Jackson Hole, obejrzeć jesień w Nowej Anglii i wybrać się do Grecji, gdzie Harvath pokaże jej wyspy Paros i Antiparos i pozna ze swoimi przyjaciółmi.

W końcu poczuł, że powiedział już wszystko, co w tej chwili przychodziło mu do głowy. Niektórym ludziom byłoby wstyd na jego miejscu, lecz on i Tracy bardzo wcześnie zdali sobie sprawę, iż to oznaka, że do siebie pasują. Umieli cieszyć się swoim towarzystwem w zupełnym milczeniu.

Powiedział jeszcze raz, jak bardzo ją kocha i przypomniał, że jest jedną z największych wojowniczek, jakie zna. Musi być silna. Walczy o życie, i wygra, jeśli skoncentruje się na pełnym powrocie do zdrowia, bez żadnych kompromisów.

Nie miał pojęcia, czy go słyszała. Pragnął wierzyć, że tak. Przeczytał już dość artykułów o pacjentach w śpiączce, by przekonać się, że wielu z nich słyszy i rozumie, co się do nich mówi. W każdym razie było to świadectwo tego, jak bardzo ją kocha i szanuje. Dopóki oddychała, choćby z pomocą maszyny, chciał traktować ją tak samo jak zawsze.

Kiedy jej matka podniosła znowu telefon, Harvath pożegnał się i zakończył połączenie.

Potem zadzwonił do recepcji i zamówił kolację. Jutro czekał go ciężki dzień, musi zebrać jak najwięcej sił.

80

Elegancki, lśniący mercedes zawiózł Harvatha na lądowisko, gdzie czekał już jaskrawoniebieski helikopter colibri EC 120B.

Po obejrzeniu map i omówieniu życzeń klienta pilot kiwnął głową, pokazał Harvathowi uniesione kciuki i pomógł mu załadować bagaż do kabiny.

Zapięli pasy, założyli hełmofony i pilot uruchomił silnik.

Przelecieli nad górą Corcovado, gdzie stał monumentalny posąg Chrystusa, Cristo Redentor, z uniesionymi w szerokim geście ramionami. Coś w rzeźbie przypominało Harvathowi Atlasa dźwigającego na barkach Ziemię.

Dostrzegł pewne paralele między Chrystusem a Atlasem. Wartości judeochrześcijańskie to jedna z niewielu rzeczy powstrzymujących nowoczesny cywilizowany świat przed zalewem barbarzyńskich hord muzułmańskich ekstremistów.

Harvath zaśmiał się pod nosem. Termin „muzułmańscy ekstremiści" zaczynał wkradać się w jego myśli. To element politycznej poprawności, czegoś, czym się brzydził u innych i tępił w sobie. Wyrażenie miało na celu wyznaczenie granicy między dobrymi muzułmanami a złymi, lecz każdego dnia, gdy dobrzy muzułmanie nie robili absolutnie nic, by powstrzymać zbrodnie popełniane w ich imieniu, granica coraz bardziej się zacierała.

Do triumfu zła wystarczała bezczynność dobrych ludzi. Harvath przekonywał się o tym dzień w dzień i był zdeterminowany, by nie dopuścić, aby jego naród zalała fala islamu. Francuzi ulegli, można ich spisać na straty, a wiele innych krajów szło za ich przykładem, pozwalając na sądy szariatu, deprecjonując ważne dla swojego narodu symbole wiary, ikony, a nawet posunęli się do zakazu prowadzenia koedukacyjnych zajęć dla uczących się pływać, byle udobruchać gwałtownie rosnącą i coraz bardziej rozzuchwaloną mniejszość muzułmańską. Multikulturalizm to bzdura, na samą myśl o czymś takim Harvathowi robiło się niedobrze. To przejaw poprawności politycznej sprowadzonej do absurdu. Skoro ci ludzie chcieli, żeby wszystko było tak, jak w krajach ich pochodzenia, dlaczego tam nie zostali?

Wiele opinii Harvatha mogło trącić ksenofobią, ale miał do nich prawo. Walczył na froncie wojny z terroryzmem i widział, do czego zdolni są ekstremiści. Islamski radykalizm polegał w równej mierze na ostrożnym, celowym rozwijaniu i propagowaniu ideologii, co na bombach i kulach.

W Ameryce sprawnie zorganizowane komórki tak zwanych umiarkowanych muzułmanów toczyły ideologiczny dżihad, starając się podkopać podwaliny ładu społecznego. Byli wrogiem cierpliwym i zdeterminowanym, by zmienić naród w Stany Zjednoczone Islamu, a wielu ludzi odpowiedzialnych za bezpieczeństwo Ameryki bagatelizowało problem.

Napływ nielegalnych imigrantów i dobrze zorganizowane ugrupowania radykalnych islamistów Harvath uważał za bardzo groźne zjawiska, i ubolewał nad losem ojczyzny.

Przelecieli nad zatoką Guanabara i Pão de Açúcar, a potem zatoczyli łuk nad plażami Copacabana i Ipanema, zanim pilot wziął kurs na ostateczny cel podróży, zatokę Angra dos Reis, czterdzieści pięć minut lotu na południe od Rio.

Po drodze mijali wiele zjawiskowo pięknych zakątków, przybrzeżne wioski i bujne, nieskażone cywilizacją lasy. Ocean skrzył się niczym niezmierzone pole tłuczonego szkła, podczas gdy ogromne luksusowe jachty pruły wodę, zostawiając za sobą spienione bielą, fosforyzujące kilwatery.

Widoki były absolutnie cudowne i Harvath szybko pojął, dlaczego ludzie zakochiwali się w Brazylii.

Po czterdziestu minutach dolecieli do zatoki Angra dos Reis i pilot obniżył lot na tyle, że płozy maszyny prawie ślizgały się po grzbietach fal. Harvath nie mógł oprzeć się wrażeniu, że za sterami siedzi taksówkarz, który dzień wcześniej przywiózł go z lotniska.

Podobnie jak przy starcie, gdy oblecieli najbardziej malownicze miejsca Rio de Janeiro, pilot wykonywał tę sztuczkę po to, by zaskarbić sobie wdzięczność klientów i dostać duży napiwek. Scota nie obchodziły jednak powietrzne akrobacje i powiedział facetowi, żeby skończył z wygłupami. Nawet bez tego śmigłowce rzucały się w oczy.

Pilot wzbił się wyżej i posłusznie wykonał dalsze instrukcje.

Z przestudiowanych zdjęć satelitarnych Harvath wiedział, że Troll wynajął maleńką wyspę. Scot chciał ją obejrzeć jak najdokładniej.

Lot w zwisie nad samą wysepką odpadał, więc Harvath postanowił, że przelecą nad nią ze średnią prędkością. Tylko tak mógł zobaczyć wysepkę na własne oczy bez wzbudzania podejrzliwości jej obecnego mieszkańca.

Angra miała trzysta sześćdziesiąt pięć wysp. Pilot wskazał palcem na maleńki punkcik lądu pod horyzontem. Kiedy tam się znaleźli, Harvath spojrzał na mapę, porównując wymiary i kształty sąsiednich wysp; przekonał się, że pilot miał rację.

Nadlecieli nad wysepkę dokładnie tak, jak Harvath poprosił. Wyglądając przez okno, starał się zapamiętać jak najwięcej szczegółów dotyczących położenia głównego domu i zabudowań gospodarczych, lądowiska, łodzi motorowej zacumowanej na przystani, linii brzegowej i ukształtowania terenu.

Wróci tu dziś wieczorem, lecz wtedy będzie bardzo ciemno, a mrok dodatkowo utrudni mu zadanie, które i tak zapowiadało się niebezpiecznie.

81

Waszyngton, Dystrykt Kolumbii

Kontakty szefa CIA z prasą nie układały się najlepiej. Druzgocące artykuły o tajnych więzieniach Agencji za granicą i o tym, jak Stany Zjednoczone tropią terrorystów poprzez ich transakcje bankowe, wciąż spędzały mu sen z powiek. Informacje pochodziły od nierozsądnych ludzi z samej Agencji, którzy przedłożyli niechęć do polityki prezydenta nad wierność krajowi. Wszystkie próby, jakie podjął w celu zapobieżenia publikacji tych materiałów, spełzły na niczym.

Przekonał się też, że wiele gazet stawia wyłącznie na komercję, chodzi im o zysk, a nie o wartości patriotyczne. Żeby się dobrze sprzedać, potrzeba tematów sensacyjnych, a przecieki CIA stanowiły doskonałą pożywkę. Fakt, że takimi publikacjami osłabiają Amerykę i umacniają jej wrogów, terrorystów, zupełnie się nie liczył. Nic więc dziwnego, że nie żywił zbytnich nadziei na apel do Marka Shepparda jako Amerykanina.

Jeśli do dziennikarza nie przemawiał patriotyzm, czasami można go było skusić obietnicą jeszcze większej sensacji i dać mu materiał na wyłączność. Ale podobnie jak w wypadku tajnych więzień i programu śledze-

nia transakcji bankowych Vaile nie miał dostatecznie mocnej karty przetargowej. Musiał więc znaleźć jakieś inne rozwiązanie i do tego takie, by
reporter „Baltimore Sun" nie domyślił się interwencji CIA.

Vaile zbadał życiorys dziennikarza. Znał w życiu bardzo niewielu ludzi, którzy nie ukrywali w szafie przynajmniej jednego szkieletu. Niestety
jednak Sheppard okazał się czysty jak łza. Po prostu święty. Oprócz paru
mandatów za przekroczenie prędkości z czasów, gdy jeszcze studiował
w college'u, nie przeszedł nawet przez ulicę na czerwonym świetle ani nie
wymigał się od opłaty za przejazd autostradą.

Badając jego pozazawodową działalność, Vaile jeszcze bardziej się
rozczarował, gdy odkrył, że Sheppard poświęcał sporo wolnego czasu na
pomoc dzieciom z rodzin patologicznych w Baltimore. Udzielał się nawet
w radzie jednej z organizacji pomocy społecznej.

Vaile brał też pod uwagę, chociaż myślał o tym z niechęcią, że może
Sheppard odstąpi od publikacji swoich materiałów pod wpływem poważnych gróźb. Gdyby odmówił współpracy, jego dotychczasowe życie legło-
by w gruzach.

Parę godzin później, upewniwszy się, że wszystko zostało przygoto-
wane, dyrektor CIA zadzwonił do niego.

Reporter odebrał już po pierwszym sygnale.

– Mark Sheppard – powiedział śpiewnym głosem, sprawiając wrażenie bardzo uradowanego. Vaile zastanawiał się, czy dziennikarz zrobił już
na biurku miejsce na Pulitzera.

Każdy rasowy reporter miałby podłączone do telefonu urządzenie
nagrywające, więc oprócz zabezpieczenia się przed wyśledzeniem, skąd
dzwoni, James Vaile zastosował nową technologię, która zakłócała proces
nagrywania tak, że przy odtworzeniu rozmowa powinna być zupełnie nie-
czytelna. Użył także elektronicznego modulatora głosu: ostrożności nigdy
za wiele, a poza tym syntetyczne brzmienie głosu przydawało zwykle po-
wagi i wywoływało niepokój u słuchacza.

– Panie Sheppard, musimy porozmawiać – oświadczył.

Nastąpiła pauza, gdy reporter wcisnął guzik nagrywania.

– Z kim mówię?

– To, kim jestem, liczy się znacznie mniej niż to, co mam do powiedzenia.

– To skąd mam wiedzieć, że mówi pan poważnie?

– Zadzwonił pan do biura rzecznika prasowego Białego Domu z prośbą o komentarz w sprawie, o której pisze pan artykuł. – Vaile mówił głu-
chym, syntetycznym głosem.

– I z tego, co słyszę, powinienem wywnioskować, że dzwoni pan, żeby mnie nastraszyć i odwieść od publikacji.

– Dzwonię, żeby dać panu szansę na dokonanie właściwego wyboru.

– Serio? A jaki to wybór?

– Publikacja wiązałaby się z poważnym zagrożeniem bezpieczeństwa narodowego, czego zdaje się pan nie rozumieć.

– Więc jako dobry obywatel i patriota powinienem zapomnieć o sprawie, tak? Nie ma mowy. Nie pójdę na to.

Vaile postanowił dać facetowi jeszcze jedną szansę.

– Panie Sheppard, obywatelom Charlestonu potrzebne było poczucie, że sprawa porwania autobusu została rozwiązana, więc rozwiązanie dostarczono.

Dziennikarz o mało nie parsknął śmiechem.

– Więc teraz władze Stanów Zjednoczonych wzięły na siebie misję poprawiania nastroju ofiarom przestępstw i ich rodzinom? Dziesiątki tysięcy przestępstw co rok pozostaje nierozwiązanych. Dlaczego to jedno jest takie szczególne?

– Chodziło o nadzwyczaj ohydną zbrodnię przeciwko dzieciom... – zaczął Vaile.

– O implikacjach dla bezpieczeństwa narodowego – powiedział Sheppard, gdy skojarzył jedno z drugim. – Jezu Chryste, więc to nie był odosobniony wyczyn samotnego wariata. Tylko zamach terrorystyczny.

82

I oczekuje pan, że będę siedział cicho? – zapytał Sheppard.

– Tak – odparł Vaile. – Pański artykuł miałby druzgocące skutki dla poziomu zaufania społecznego.

Tym razem dziennikarz aż parsknął śmiechem.

– Cóż, powinniście byli pomyśleć o tym, zanim nawarzyliście tego piwa.

Dyrektor CIA tracił cierpliwość. Nie zdążył jednak nic powiedzieć, bo Sheppard zapytał:

– Zaaranżujecie mi wypadek samochodowy tak jak Frankowi Aposhianowi i Sally Rutherford?

– Dla ścisłości, panie Sheppard, ich śmierć rzeczywiście była przypadkowa. Władze Stanów Zjednoczonych nie mordują własnych obywateli.

– Więc nie mam się czym przejmować, prawda?

– To zależy od tego, czy będzie pan współpracował, czy nie.

Reporterowi już tyle razy grożono, że podobne rozmowy przestały na nim robić wrażenie.

– Tak? A jeśli się nie zgodzę?

– Pański artykuł nosi roboczy tytuł *Inwazja porywaczy ciał...* – zaczął Vaile.

– Skąd pan, do cholery, wie?

– Niech pan się zamknie i słucha. Przechowuje go pan w chronionym hasłem katalogu. Hasło brzmi „Romero". Proszę otworzyć katalog.

Sheppard zrobił, co mu kazano. Zobaczył, że w środku dodano podkatalog o nazwie „lizaczek". Odruchowo kliknął na niego i powitała go seria zdjęć w miniaturkach. Powiększył jedno na chybił trafił i go zatkało.

– Skurwysyny – warknął, gdy zorientował się, jak zamierzają go załatwić. – To się wam nigdy nie uda.

– Nie byłbym taki pewien. Bez względu na winę piętno pedofilii bardzo trudno zatrzeć.

– W takim razie dobrze, że nagrywam tę rozmowę – oświadczył triumfalnie Sheppard.

Vaile się roześmiał.

– Radziłbym, żeby spróbował pan odsłuchać nagranie, zanim na jego podstawie zaryzykuje pan resztę życia i karierę.

Jego odporny na wstrząsy detektor bzdur podpowiadał mu, że facet nie żartuje.

– Przez takich jak wy wstydzę się, że jestem Amerykaninem.

– Niech się pan teraz nie okrywa flagą narodową – upomniał go dyrektor CIA. – Już miał pan szansę. Prowadzimy wojnę, a wojny wymagają tajemnic. Mógł pan postąpić słusznie, ale pan odmówił. Mimo to dam panu jeszcze jedną szansę.

– A jak mnie pan powstrzyma przed skasowaniem tych plików? – spytał Sheppard głosem, który świadczył, że pragnie pozostać wierny swojej dziennikarskiej misji, ale zaczyna tracić determinację.

– Nie może pan skasować tych zdjęć. A nawet gdyby się to panu udało, zarówno w laptopie, jak i komputerze domowym znajdzie ich pan więcej. Mamy też kilku prawomocnie skazanych pedofilów, którzy gotowi są złożyć zeznania na temat pańskich licznych nieprzyzwoitych skłonności. To dziura tak głęboka, że nigdy nie uda się panu z niej wyjść. Gazeta pierwsza zdystansuje się wobec pana. Artykuł o porywaczach ciał nigdy nie ujrzy światła dziennego. Zostanie pan całkowicie zdyskredytowany. Później odwrócą się od pana przyjaciele i znajomi, a w końcu nawet rodzina zacznie pana unikać. No i jeszcze te wszystkie dzieci, którym pan tak szlachetnie pomaga. Myśli pan, że cokolwiek z tego, co pan im powiedział i czego je nauczył, będzie miało dla nich choćby najmniejsze znaczenie, gdy dowiedzą się, że robił pan to wszystko dlatego, żeby dobrać im się do majtek? Ale to i tak nie będzie koniec pańskich problemów.

Zawiesił głos i po chwili mówił dalej:

– Zostanie pan skazany za posiadanie pornografii dziecięcej w komputerach i w domu. Trafi pan do więzienia, a jako dziennikarz kryminalny na pewno pan wie, co robi się tam z facetami w pańskiej sytuacji. Jak tylko rozejdzie się plotka, że jest pan pedofilem, który przyznał się do lżejszych zarzutów posiadania pornografii dziecięcej, żeby dostać krótszy wyrok, to jeśli nie zabiją pana w ciągu pierwszych kilku dni, zgotują panu takie piekło, że sam będzie pan wolał umrzeć.

Sheppard wysłuchał całej diatryby osłupiały. Mieli go w garści. Było to obrzydliwe, ale nie mógł zupełnie nic zrobić. Gorączkowo zastanawiał się nad rozwiązaniem, lecz wiedział, że ma tylko jedno wyjście: skapitulować. Wreszcie zapytał:

– Czego po mnie oczekujecie?

Vaile poinstruował go, aby włożył do torby wszystkie dotyczące sprawy materiały, notatki, zdjęcia i nagrania i zaniósł je do opuszczonego magazynu tuż za Dystryktem Kolumbii.

Trzy godziny później dyrektor CIA skontaktował się z prezydentem i przekazał mu dobrą nowinę. Zbadawszy sprawę dokładniej, reporter „Baltimore Sun" odkrył, że jego źródła nie są tak wiarygodne, jak pierwotnie przypuszczał. W związku z tym postanowił porzucić temat.

Jack Rutledge przyjął wiadomość z ulgą. Przynajmniej jeden problem mniej. Teraz musieli skupić wszystkie wysiłki na powstrzymaniu Harvatha.

83

Angra dos Reis, Brazylia

W słabej księżycowej poświacie łódeczka Harvatha zdawała się raczej unosić w powietrzu, niż sunąć po tafli kryształowo czystej wody.

Scot po cichu zanurzył kotwicę i opuścił ją, powoli popuszczając linkę. Zakotwiczył łódkę, po raz ostatni sprawdził sprzęt i zsunął się za burtę.

Płynął ze zwinnością człowieka, który całe życie spędził w pobliżu oceanu. Mocnymi, pewnymi ruchami posuwał się naprzód przez ciepłe wody zatoki Angra dos Reis. Za pomocą noktowizora i specjalnie podświetlonego kompasu kierował się w mroku ku prywatnej wysepce o nazwie Algodão. Od zawietrznej wyczołgał się z wody na brzeg i odpiął od pasa linkę, na której ciągnął za sobą nieprzemakalną torbę. Z torby wydobył pistolet Beretta kaliber 9 milimetrów, który wysłał sam sobie priorytetem w paczce FedEx. Skontrolował broń, a potem odłożył ją na bok, zmienił ubranie. Wyciągnął latarkę, scyzoryk benchmade auto axis, pęk plastikowych kajdanków oraz kilka innych rzeczy i poupychał je po kieszeniach. Zakopał ekwipunek pływacki obok dużego głazu na plaży i sprawdził pozostałą zawartość torby.

Najbardziej przejmował się psami Trolla. Po tym, jak uratował jednego z nich na Gibraltarze, chciał lepiej poznać tę rasę. Owczarki kaukaskie były zdumiewającymi zwierzętami – szybkimi, zwinnymi, walecznymi w razie potrzeby i niezwykle wiernymi. Nic dziwnego, że wykorzystywało je rosyjskie wojsko i wschodnioniemiecka straż graniczna. Oczywiste, dlaczego wybrał te psy Troll.

Harvath pomyślał o swoim owczarku kaukaskim, a raczej o biednym psiaku, którego dał na przechowanie Emily Dawkins, a sam zastanawiał się, co z nim zrobić. Miał skrupuły przed przyjęciem „prezentu" od człowieka, który przyczynił się do śmierci wielu Amerykanów, między innymi jednego z jego najlepszych przyjaciół.

Tyle się ostatnio wydarzyło, że Scot tak naprawdę nie myślał o szczenięciu zbyt wiele, póki Gary nie opowiedział mu o torturach, jakim poddano psa. Był to okropny obraz i Harvath wyrzucił go z głowy. Musiał się skupić.

Przez długi czas uważnie nasłuchiwał, po czym zarzucił torbę na ramię i zakradł się w głąb wyspy. Oprócz wąskich piaszczystych łach po obu stronach wysepkę porastały drzewa i bujna egzotyczna roślinność. Dom Trolla znajdował się na końcu wyspy i częściowo wystawał nad wodę, wsparty na słupach.

Harvath zastanawiał się, jak poradzić sobie z psami. Najlepszy był pistolet na naboje usypiające, ale takiego nie miał. Podczas brazylijskiej podróży dysponował tylko tym, co przechowywał w skrytce bankowej, a także w szafeczce, którą wynajmował w magazynie w Alexandrii. Wybór miał niewielki.

Użycie beretty bez tłumika nie wchodziło w rachubę. Za dużo hałasu. Starał się więc wymyślić inny sposób ich unieszkodliwienia. Aby to zrobić, musiał najpierw odizolować psy bez wzbudzania podejrzeń ich pana, co wymagało nie lada sztuki.

Psy służyły Trollowi jako osobista obstawa. Nie odstępowały go na krok... Chyba że wychodziły na dwór, żeby się załatwić. Właśnie wtedy, kiedy były najsłabsze, planował zaatakować.

Na zdjęciach satelitarnych, które przestudiował, zauważył, że Troll ostatni raz wypuszcza zwierzęta około dziesiątej wieczorem. Teraz minął właśnie kwadrans po dziewiątej, co oznaczało, że Harvath miał niecałe czterdzieści pięć minut na przygotowanie pułapki i zajęcie pozycji.

Psy w ogóle, a owczarki kaukaskie w szczególności, dobrze widzą w ciemności i są wyczulone na oznaki ruchu, dlatego Harvath nie mógł przebywać w pobliżu przynęty, gdy wyjdą na dwór.

Otworzył torbę i wydobył zapakowane w papier zawiniątko wielkości piłki do rugby. Przygotował je specjalnie na tę okazję. W środku było dziesięć kilogramów świeżo zmielonej wołowiny, do której kazał rzeźnikowi w Angra dos Reis dodać kilogram zmielonego świeżego boczku do smaku.

Potem, gdy znalazł się w bezpiecznej odległości od brzegu, dołożył własny składnik: silny środek przeczyszczający, który kupił w aptece w Rio.

Wybrał odpowiednie miejsce na wąskiej ścieżce, która prowadziła do domu, podzielił mięso na dwie części i położył jedną na tyle blisko drugiej, żeby psy na pewno je wywąchały, ale zarazem na tyle daleko, aby żaden nie zdążył zjeść obu porcji.

Zostawiwszy przynętę, Harvath schował się w krzaki i uważając, by iść cały czas z wiatrem, skradał się w kierunku domu.

Znalazł idealny punkt obserwacyjny w skupisku dużych głazów przy brzegu. Dom jarzył się łagodnym światłem, a wszystkie szklane ściany były rozsunięte, wpuszczając do wnętrza orzeźwiającą wieczorną bryzę. Słyszał dobiegającą ze środka muzykę poważną. Był to kanon D-dur Pachelbela, który natychmiast rozpoznał, bo należał do ulubionych utworów Tracy. Miała go na swoim iPodzie i puszczała w kuchni, gdy robiła śniadanie.

Nie wiedział, czy słuchała kanonu także w dniu, gdy została postrzelona.

Harvath wydobył pistolet, odciągnął zamek, aby upewnić się, że broń jest naładowana, i powiedział w ciepłe wieczorne powietrze:

– Ten jeden będzie za ciebie, kochanie.

84

Harvath nie poskąpił leku, więc przeczyszczająca mieszanka wkrótce zaczęła działać. Psy zawyły prawie unisono. Bulgotanie rozsadzające im kiszki musiało być straszliwe.

Muzyka przestała grać i Harvath zobaczył Trolla.

Sylwetki śnieżnobiałych czworonogów, mających ponad metr w kłębie, górowały nad karłem. Każdy pies ważył co najmniej dziewięćdziesiąt kilo, Troll był najwyżej trzydziestopięciokilogramowym chucherkiem. Harvath oceniał jego wzrost na dziewięćdziesiąt centymetrów. Wiedział jednak, że niedostatek wzrostu bynajmniej nie przekłada się na zdolności umysłowe.

Troll otworzył frontowe drzwi i psy przewróciły go, wybiegając. Jeśli ich pan domyślił się, co się im stało, to na pewno nie było tego po nim widać. Harvath przypuszczał raczej, że karzeł nie ma zielonego pojęcia, co się dzieje. Wiedział tylko, że zwierzęta zachowują się nietypowo.

Obserwował Trolla, gdy ten podążył za psami na dwór. Nadszedł czas.

Harvath wyszedł z kryjówki i ruszył szybko wzdłuż plaży. Przeskoczył drewniane ogrodzenie, które otaczało obsadzony egzotycznymi roślinami ogród z jacuzzi i zakradł się na tyły domu.

Przemierzył pachnący kwiatami dziedziniec i wspiął się po kamiennych schodkach, wchodząc do domu przez szeroko otwarte przeszklone drzwi.

Kiedy mijał aneks kuchenny, położył na blacie parę pakunków w kształcie kości i poszedł dalej.

W salonie zauważył małą alkowę, w której Troll urządził sobie kącik do czytania. Stały tam dwa tapicerowane fotele, lampa i niski stolik. Harvath zdjął torbę z ramienia, wyciągnął pistolet i usiadł.

Powiedzieć, że Trolla zaskoczył jego widok, to mało. Karzeł zatrzymał się tak gwałtownie, że stracił równowagę i się przewrócił. Scot mógłby się roześmiać, gdyby nie pałał do karła nienawiścią.

Trzeba jednak przyznać, że Troll miał refleks. Widząc Harvatha z pistoletem, bardzo szybko zorientował się w sytuacji.

– Co zrobiłeś moim psom? – Zabijał go wzrokiem.

– Nic im nie będzie. To tylko przejściowe.

– Ty sukinsynu! Jak śmiesz krzywdzić biedne zwierzęta? One w niczym ci nie zawiniły.

– I chciałbym, żeby tak zostało.

Karzeł obrzucił go nienawistnym spojrzeniem.

– W takim razie pomóż. Jeśli stanie im się krzywda, dopilnuję, żebyś zapłacił głową.

Bliskie paniki zdenerwowanie Trolla zmieniło się w lodowaty spokój. Scot nie miał wątpliwości, że mówił zupełnie poważnie i wierzył, że może spełnić groźbę.

– Zostawiłem w kuchni dwa pakunki. – Harvath miał na myśli produkt o nazwie K-9 Quencher, który przed wyjazdem kupił w Waszyngtonie w tej samej galerii handlowej co laptop.

– Jakie pakunki? – spytał Troll z wyraźną obawą w głosie.

– Nie martw się. Gdybym chciał zabić psy, już by nie żyły. Pakunki zawierają mieszankę elektrolitów opracowaną specjalnie dla psów z odwodnieniem.

– Co im zrobiłeś?

– To tylko środek na przeczyszczenie. Za parę godzin wrócą do siebie. Wsyp zawartość torebek do misek z wodą i wystaw je na dwór. – Gdy Troll spiorunował go wzrokiem, dodał: – Tylko nie próbuj znikać mi z oczu.

Troll postawił miski za progiem, zamknął frontowe drzwi, wrócił do alkowy i wgramolił się na fotel.

– Wiedziałem, że się po mnie zjawisz – powiedział. – Nie sądziłem tylko, że tak szybko. Więc to już koniec.

– Może. Zależy, czy będziesz mi jeszcze do czegoś potrzebny.

– Więc jednak nie zawsze dotrzymujesz słowa.

Harvath wiedział, do czego karzeł pije, ale nie odpowiedział.

– Obiecałeś, że nie zostanę zabity – przypomniał Troll.

Scot roześmiał się.

– Obiecałem, łudząc się, że ze mną współpracujesz.

Karzeł odwrócił na moment wzrok i Harvath wiedział już, że przyłapał go na kłamstwie.

– Na liście, którą mi przekazałeś, powinno być jeszcze jedno nazwisko. Z Guantanamo zwolniono pięciu mężczyzn.

Troll uśmiechając się, pokiwał głową.

– Agencie Harvath, jeśli nauczyłem się w życiu czegokolwiek, to czytania z ludzkich twarzy. Widzę, że wiesz już, kim jest ten piąty człowiek.

Scot pochylił się do przodu, z twarzą zastygłą w grymasie morderczej determinacji.

– Skoro potrafisz czytać myśli, powinieneś już wiedzieć, że jeśli nie będziesz współpracować, zatłukę cię gołymi rękami. Rozumiemy się?

Jeżeli groźba zrobiła na Trollu jakiekolwiek wrażenie, to nie dał po sobie poznać.

– Mieliśmy bardzo długi, męczący dzień – powiedział. – Może usiądziemy wygodnie w salonie i napijemy się po kieliszeczku?

Widząc, że Scot się zawahał, karzeł dodał:

– Jeśli obawiasz się, że spróbuję cię otruć, nie musisz się do mnie przyłączać. Przywykłem do picia w samotności.

Tak czy inaczej, Harvath musiał się mieć na baczności. Skinąwszy lufą beretty na barek, rzucił:

– Częstuj się.

85

A więc agencie Harvath – zaczął Troll, gdy wgramolił się na sofę z kieliszkiem germain-robin XO i rozparł się wygodnie – w czym mogę panu pomóc?

Siedząc twarzą w twarz z pewnym siebie małym sukinsynem, Harvath miał ochotę nacisnąć spust. Zupełnie serio rozważał zyski i straty takiego posunięcia. Gdyby Troll nie zaoferował mu czegoś wartościowego, był gotów wpakować mu kulkę w łeb i wrzucić ciało do zatoki.

– Dlaczego usunąłeś z listy nazwisko Philippe'a Roussarda?

Troll nie wiedział, co odpowiedzieć. Wyrzucał sobie, że nie docenił Amerykanina. Wkurzył się też na Roussarda. Przez jego głupotę znalazł się w bardzo trudnym położeniu.

Karzeł zdawał się błądzić gdzieś myślami, więc Scot strzelił w poduszkę, o którą się opierał.

– Tik, tak.

Troll drgnął z zaskoczenia. Harvath zachował się bardzo agresywnie, a na dodatek po chamsku.

Chociaż trudno się spodziewać po Amerykaninie czegoś lepszego, Troll był rozczarowany. Miał wrażenie, że zadzierzgnęli pewną więź, rodzaj współpracy, a przynajmniej zawarli rozejm. Darzył Harvatha zawodowym szacunkiem, lecz najwyraźniej bez wzajemności.

Troll wydął policzki, wypuścił powietrze i powiedział:

– Nie spotkałem się i nie rozmawiałem z Roussardem od wielu lat.

– Więc go znasz.

– Owszem. – Troll zrozumiał, że nie ma sensu kłamać. Harvath trzymał w ręku wszystkie karty: jego fortunę, przyszłość, nawet życie.

– Kiedy ostatnio go widziałeś?

– Pięć, może sześć lat temu. Nie pamiętam dokładnie.

– Ale wiedziałeś, że był jednym z pięciu uwolnionych więźniów.

– Tak, wiedziałem.

– A mimo to celowo nie dołączyłeś jego nazwiska do listy, którą mi przekazałeś. Dlaczego? Czy we dwóch zamierzaliście mnie zabić, zanim bym was dorwał? Czy o to chodzi? – Harvath uniósł pistolet.

Wniosek wydawał się z punktu widzenia Amerykanina jak najbardziej logiczny, lecz mimo to absurdalny.

– Kiedy widziałem go ostatnim razem, Philippe był tylko rozchwianym emocjonalnie młodym człowiekiem.

– Zabawne, jak szybko takie rzeczy się zmieniają.

Troll zastanawiał się, czy nie obrócić wszystkiego w żart, lecz z pistoletem wymierzonym prosto w pierś nie było mu jakoś do śmiechu.

– Od tamtej pory nie utrzymywałem z nim żadnych kontaktów.

– To dlaczego pominąłeś go na liście?

– W mojej profesji człowiek bardzo szybko zyskuje wrogów. Znacznie trudniej mu o przyjaciół.

– Roussard jest twoim przyjacielem?

– Można to tak ująć.

Zmęczony wykrętami Harvath wpakował kulkę w kanapę, ledwie kilka milimetrów od lewego uda Trolla.

– Moja cierpliwość jest na wyczerpaniu.

– To mój chrześniak – wyjąkał Troll. – Philippe Roussard jest moim chrześniakiem.

– Ktoś wybrał cię na ojca chrzestnego swojego dziecka? Ciebie?

– To raczej tytuł honorowy, przyznany mi przez rodzinę.

– Jaką rodzinę?

Na twarzy Trolla zadrgał uśmiech.

– Co cię tak śmieszy?

– Czasami – odparł karzeł – świat okazuje się zdumiewająco mały.

86

Biały Dom

Było późno, ale prezydent powiedział szefowi CIA, że zaczeka na jego raport. Kiedy James Vaile przybył do Białego Domu, wprowadzono go na piętro, do mieszkalnej części rezydencji.

Prezydent siedział w prywatnym gabinecie i oglądał mecz Chicago White Sox z Kansas City Royals. Po wyrównanej walce zaczęła się dogrywka.

Kiedy dyrektor CIA zapukał w otwarte drzwi, Jack Rutledge odstawił drinka, wyłączył telewizor i skinieniem ręki zaprosił go do środka.

– Jesteś głodny? – spytał, gdy Vaile zamknął za sobą drzwi i zajął miejsce na skórzanym fotelu.

– Nie, dziękuję, panie prezydencie.

– A może drinka?

Szef odmówił uprzejmie.

– No dobra. – Rutledge był zadowolony, że mogą przystąpić od razu do rzeczy. – Miałeś czas, żeby wszystko obejrzeć. Mów.

Dyrektor CIA wyjął z aktówki i otworzył tekturową teczkę.

– Jeśli chodzi o pisanie, Mark Sheppard nie sięga Woodwardowi i Bernsteinowi do pięt, ale te braki nadrabia z nawiązką umiejętnościami zbierania informacji.

Vaile podał prezydentowi kopię artykułu.

– Zainteresowanie, jakie wzbudziłby ten tekst – mówił – sprawiłoby, że cały nakład „Baltimore Sun" sprzedałby się na pniu. Sądząc z notatek

Shepparda, redakcja zastanawiała się, jak zrobić z tego materiału serię artykułów. Zaplanowali już wizję lokalną wypadku samochodowego i strzelaniny w Charlestonie razem z niezidentyfikowanymi zwłokami, fałszywymi agentami FBI i tak dalej. Mamy szczęście, że Sheppard zwrócił się o komentarz na tydzień przed planowaną publikacją. Gdyby się zgłosił na dzień wcześniej, Geoff Mitchell i jego biuro nie byliby w stanie zwlekać z odpowiedzą, a jednocześnie twierdzić, że Biały Dom zajmuje się sprawą.

– A ty nie miałbyś czasu, żeby do niego dotrzeć – powiedział prezydent, gdy przejrzał artykuł.

– Na pewno nie udałoby mi się go przekonać.

– Czyli że uniknęliśmy katastrofy.

Szef wywiadu pokręcił głową.

– W tej chwili redaktorzy Shepparda muszą być wściekli. Taki materiał nie trafił się gazecie od lat, a teraz sprawa została storpedowana.

Rutledge przeczuwał, że wie, dokąd to zmierza.

– Myślisz, że gdybyśmy zaalarmowali siły porządkowe w sprawie szkolnych autobusów, redakcja „Sun" mogłaby i tak puścić historię Shepparda?

– Zawsze istnieje taka możliwość. Chociaż mamy jego wszystkie oryginalne materiały źródłowe, oni na pewno dysponują notatkami z zebrań redakcyjnych. Gdyby zaczęli podejrzewać, że Sheppard wycofał się z artykułu pod przymusem, mogliby zwęszyć krew w wodzie, przepytać jeszcze raz jego źródła i puścić to bez jego nazwiska.

– Powinien być cholernie przekonujący, gdy wycofał się z publikacji.

Vaile pokiwał głową.

– Miał odpowiednią motywację, to na pewno.

– Mimo to wciąż sprzeciwiasz się wysyłaniu jakiegokolwiek alarmu.

– Tak, panie prezydencie.

Rutledge odłożył artykuł na stół.

– A jeśli rzeczywiście dojdzie do zamachu, co wtedy? Myślisz, że „Sun" nie puści artykułu Shepparda w nowym, ale równie szkodliwym opakowaniu?

– Jak? Tylko my znamy całą historię. Oni dysponują zaledwie małym kawałkiem układanki, a na dodatek jest to kawałek, który możemy zinterpretować na naszą korzyść. Okaże się, że jeszcze przed faktem prowadziliśmy kompleksowe działania przeciwko terrorystom. Harvath zabił już dwóch, dwaj kolejni zostaną wkrótce aresztowani w swoich krajach i mamy w terenie licznych agentów, którzy starają się wytropić piątego i ostatniego z nich. Myślę, że powinniśmy poczekać, jak to się rozegra.

Rutledge podziwiał pewność siebie Vaile'a, lecz nie dał się przekonać.

– Jeśli nauczyliśmy się czegokolwiek z doświadczeń jedenastego września, to tego, że z perspektywy czasu świadomość błędów jest szczególnie wyostrzona. Ludzie będą się domagać wyjaśnienia, dlaczego, skoro wiedzieliśmy o zagrożeniu szkolnych autobusów, nikogo nie zaalarmowaliśmy.

– Dlatego że – odparł z naciskiem dyrektor CIA – alarm byłby przyznaniem się do winy. Nasi wrogowie uznaliby, że skoro wierzymy, iż złamaliśmy słowo, należy nam się zemsta, co nie mogłoby być dalsze od prawdy.

Prezydent chciał odpowiedzieć, lecz Vaile powstrzymał go lekkim gestem dłoni.

– Słusznie czy nie, nasza umowa z terrorystami opierała się na założeniu, że pięciu mężczyzn wypuszczonych z Guantanamo nie nadużyje swojej wolności po to, by zaatakować nas na naszym terytorium.

– Oczywiście. Zgodziliśmy się, że nie będziemy ich ścigać.

– To właśnie nie daje mi spokoju. Im dłużej się temu przyglądam, tym bardziej utwierdzam się w przekonaniu, że terroryści od początku mieli inne plany.

87

Jakie inne plany? – zapytał Rutledge.

Vaile popatrzył na niego.

– Zwolnieni musieli być bardzo ważni dla swojej organizacji, skoro tak wiele zaryzykowała, żeby ich odzyskać.

– Zgoda.

– Obawiamy się również, że wciąż są na tyle ważni, że ich organizacja spełni groźbę i weźmie odwet za ich zabicie.

– Nie rozumiem, do czego zmierzasz.

– Palmera i Nadżib nie żyją, a mimo to na razie nic się nie stało. Nic.

– Cóż, jeden został zabity w Meksyku, a drugi w Jordanii. Może ich organizacja jeszcze o tym nie wie.

Szef wywiadu pokręcił głową.

– Wszyscy w sąsiedztwie znali Palmerę, a jego śmierć widziało wielu świadków. Nadżib był agentem syryjskiego wywiadu, a chociaż nie wiem, co zrobili ze zwłokami Jordańczycy, Harvath zostawił przy życiu żonę i syna Al-Tala, a ci na pewno nie będą trzymać języków za zębami. Takie wiadomości szybko się rozchodzą. Ich organizacja wie, co się stało. A mimo to nie ma żadnego odwetu.

Prezydent zastanawiał się nad tym przez moment.

– Możliwe, że mściciele właśnie gotują się do ataku.

– Myślę, że plan jest inny – powiedział Vaile. – Przypuszczam, że jeden mściciel jest już od dawna na miejscu.

– Roussard?

– Tak. Jeśli pociągniemy dalej tok rozumowania, że tych pięciu więźniów było na tyle ważnych, że organizacja zaryzykowała praktycznie wszystko, by wydobyć ich z Guantanamo, a teraz gotuje się do zemsty za śmierć dwóch z nich, to jakim sposobem ta sama organizacja mogłaby nie wiedzieć o tym, co tu robi Roussard?

– Może działa sam. Jego wendeta jest wyraźnie skierowana przeciwko Harvathowi. Chodzi o jakieś osobiste porachunki.

– Możliwe, że sam przeprowadza ataki, ale ma od kogoś solidne wsparcie. Tego rodzaju operacja wymaga pieniędzy, przygotowania wywiadowczego, broni, podrobionych dokumentów. Nie ma mowy, by w sześć miesięcy po uwolnieniu z Guantanamo Roussard mógł dokonać tego wszystkiego zupełnie sam. Jego ludzie wiedzą, co robi, i myślę, że od początku ich plan był właśnie taki.

Prezydent milczał, starając się patrzeć na sprawę z różnych stron. Wreszcie powiedział:

– To interesująca hipoteza, ale czy potrafisz ją udowodnić? W grę wchodzi życie dziesiątek, setek, może nawet tysięcy amerykańskich dzieci.

– Nie, panie prezydencie. Nie mogę tego udowodnić.

Rutledge potarł cienką linię blizny, gdzie przyszyto mu prawy palec wskazujący, pamiątkę po własnym przerażającym porwaniu sprzed kilku lat. Zastanawiał się dłuższą chwilę, zanim się odezwał.

– Cóż, jedno przynajmniej mogę udowodnić. To, że ci ludzie porwali już jeden szkolny autobus i zabili kierowcę. Ofiary i ich rodziny przeżyły nieprawdopodobny wstrząs i powstał uraz. Sprawa trafiła na pierwsze strony gazet w całym kraju, a jako prezydent zamierzam uczynić wszystko, co w mojej mocy, by taka tragedia nigdy się nie powtórzyła. Dlatego zlecę Departamentowi Bezpieczeństwa Narodowego wydanie komunikatu ostrzegawczego i wezmę na siebie ewentualne problemy z „Baltimore Sun" i innymi mediami. Ty masz znaleźć i powstrzymać Scota Harvatha. Żadnych wymówek. Powiedz swoim ludziom, niech użyją wszelkich środków, żeby wykonać zadanie. I przypomnij im, do cholery, że gdy powiedziałem „ująć martwego albo żywcem", mówiłem poważnie.

88

Angra dos Reis, Brazylia

Troll miał dla Harvatha rewelację, która spadła jak grom z jasnego nieba. Zabójca nie nazywał się Philippe Roussard. Francuskie imię i nazwisko nadano mu w dzieciństwie, żeby uchronić go przed wrogami rodziny. Naprawdę nazywał się Sabri Khalil al-Banna.

Karzeł zaczął wyjaśniać, po kim Roussard dostał imię, lecz Scot przerwał mu, unosząc dłoń.

– Dostał imię po dziadku.

Troll pokiwał głową.

Harvath czuł, jakby kwas przeżerał mu żołądek. Przed czasami Osamy bin Ladena, Sabri Khalil al-Banna był najgroźniejszym i budzącym największy postrach terrorystą na świecie. Jego krwawe i bezwzględne wyczyny stały się legendarne po obu stronach barykady.

Podobnie jak w wypadku innych radykalnych bojowników islamu znano go pod wieloma imionami, z których najsłynniejszym było Abu Nidal. Philippe Roussard wyglądał niemal jak sobowtór swojego dziada. Teraz Harvath wiedział, dlaczego twarz na zdjęciach przesłanych przez Vaile'a wydała mu się znajoma. Wiedział też, dlaczego on i jego bliscy stali się obiektem ataków.

Miał to być odwet za operację pod kryptonimem „Fantom", którą poprowadził kilka lat temu. Zadanie polegało na ucięciu głowy hydrze odradzającej się organizacji terrorystycznej Abu Nidala. Dowodzenie nią przypadło w udziale córce i synowi Nidala, bliźniętom, o których istnieniu nie wiedziały zachodnie agencje wywiadowcze. Wyglądało, że to swego rodzaju rodzinna tradycja.

– Z tego, co nam wiadomo, Abu Nidal miał tylko dwoje potomków.

– Zgadza się – powiedział Troll. – Syna, Hashima, i córkę, Adarę.

Na dźwięk samych ich imion Scota przechodziły ciarki. Oboje należeli do najbardziej okrutnych terrorystów, jakich zdarzyło mu się kiedykolwiek spotkać, przy czym Adara była chyba gorsza od brata.

Harvath pamiętał ją aż nazbyt dobrze. Nienawiść do Izraela i Zachodu zżerała ją do tego stopnia, że szpeciła jej piękną skądinąd twarz. Dziewczyna miała smukłą sylwetkę, ładnie zaznaczone kości policzkowe i długie ciemne włosy. Największe wrażenie robiły jednak jej oczy. Jasnoszare, niemal srebrne jak rtęć, pod wpływem zdenerwowania stawały się czarne jak smoła.

To podczas porwania dokonanego przez Adarę Nidal i jej brata Harvath poznał Meg Cassidy. Udało im się wytropić bliźnięta w winnicy pod Rzymem, lecz w ostatniej chwili ubiegł ich weteran izraelskiego wywiadu, Ari Schoen, emerytowany wysoki oficer Mossadu, który miał z rodziną Nidalów na pieńku z własnych powodów.

Wszystko skończyło się bardzo źle. Wspomnienia tamtych wydarzeń jeszcze długo gnębiły Scota i nie miał najmniejszej ochoty teraz do nich wracać.

Hashim niczym upiór wyłonił się nagle z winnicy i z granatami w obu rękach natarł prosto na nich. Harvath przygotował się do ataku, lecz Palestyńczyk minął ich i pobiegł dalej. Wziął Schoena i jego ludzi z zupełnego zaskoczenia. Krzycząc na całe gardło, wskoczył do furgonetki, tuż zanim zatrzasnęły się drzwiczki.

Harvath rzucił się na Meg, osłaniając ją własnym ciałem. Furgonetka eksplodowała w kuli żywego ognia, zabijając Schoena, Hashima i jego siostrę, Adarę.

Scot zawsze się wzdragał na wspomnienie straszliwego odoru benzyny i spalonego ciała.

Więc teraz potomek Nidalów pałał żądzą zemsty. Jedyne pytanie brzmiało, którą gałąź rodu Philippe Roussard reprezentuje.

– To czyim synem jest Philippe? Hashima czy Adary?

– Adary – odparł Troll.

– Kto jest ojcem?

– Izraelski agent wywiadu, który zginął, zanim chłopak się urodził.

– Daniel Schoen? – Harvath nigdy nie przypuszczał, że nieudana akcja będzie go tak długo prześladować. – Syn Ariego Schoena.

Amerykanin był dobry.

– Skąd wiedziałeś? – zapytał Troll.

– Nie wiedziałem.

– Ale przecież...

– W dniu śmierci Adary – wyjaśnił Harvath – Schoen przyznał się, że rozbił jej związek z Danielem. Nazwał ją kurwą, a ona wspomniała coś o tym, że Daniel chciał mieć z nią dzieci. Ale wyczuwałem, że było coś jeszcze, czego nie powiedziała.

– I rzeczywiście było. Urodziła nieślubne dziecko wkrótce po ukończeniu Oksfordu, gdzie ona i Daniel się poznali. A ponieważ staremu Schoenowi tak wspaniale udało się ją przekonać, że Daniel nie chce mieć z nią nic wspólnego, Adara zachowała istnienie chłopca w tajemnicy. Umieściła go u francuskiej rodziny, z którą miała kontakty, a ci wychowali go jak własnego syna. Niczego mu nie brakowało i chodził do najlepszych zachodnich szkół. Ale zawsze wiedział, kim jest i skąd pochodzi.

– Zupełnie jak matka – zauważył Harvath.

Troll znów pokiwał głową.

– Wciąż nie wyjaśniłeś swoich związków z Philippe'em. Znasz go poprzez Nidalów czy przez rodzinę Roussardów?

– Przez Nidalów. Abu Nidal był jednym z moich pierwszych klientów.

Harvath popatrzył na karła z obrzydzeniem.

– Obracasz się w dość podłym towarzystwie. Ciągnie swój do swego.

Troll pociągnął łyk koniaku.

– Jak powiedziałem, w mojej profesji człowiek szybko zyskuje wrogów, a o przyjaciół znacznie trudniej. Abu Nidal to jeden z najlepszych i najwierniejszych przyjaciół, jakich miałem. Jego córka Adara prawie mu pod tym względem dorównywała. Mężczyzna taki jak ja musi płacić za względy kobiet. Z Adarą było inaczej.

Harvath znał w życiu kilku chwalipiętów, ale ten stanowczo przesadził.

– Ty i Adara Nidal?

– Dżentelmen nie zadawałby takich pytań. – Troll znów napił się koniaku.

Z tego, co Harvath o niej wiedział, Adara Nidal była psychopatką o niepohamowanej żądzy krwi, mającą dziwne apetyty i namiętności. Im dłużej się nad tym zastanawiał, tym wyraźniej dostrzegał, że Adara Nidal i Troll mogli stanowić doskonałą parę.

W tym momencie nie miało to jednak żadnego znaczenia. Musiał schwytać zabójcę.

– Więc syn Adary prześladuje moich bliskich, ponieważ obarcza mnie winą za śmierć matki?

– To jedyne sensowne przypuszczenie, jakie przychodzi mi do głowy – odparł Troll.

– A co z odwołaniami do plag egipskich? Krew baranka nad moimi drzwiami, ataki na Tracy, moją matkę, drużynę narciarską, psa i całą resztę są stylizowane na dziesięć plag, tylko że w odwrotnej kolejności: od dziesiątej do pierwszej.

– Zaraz. Mówisz o tym psie, którego ci dałem?

Scot pokiwał głową.

– Co się z nim stało?

Harvath zorientował się, że chyba natrafił na czułe miejsce.

– Roussard bestialsko się nad nim znęcał. Pogruchotał mu kości i zamknął szczeniaka w worku na zwłoki, do którego napuścił pcheł. Potem powiesił go łbem do dołu na krokwi i zostawił, żeby zdechł.

Troll posiniał ze złości.

89

Pies był niewinny, absolutnie niewinny! – Troll zsunął się z kanapy, podszedł do barku i napełnił kieliszek.

Przypisując jego gadatliwość wpływowi alkoholu, Harvath nie zamierzał go powstrzymywać.

– Nie utrzymuję kontaktów z Philippe'em nie bez powodu – powiedział Troll, wdrapując się na kanapę. – Zawsze był zaburzonym psychicznie młodym człowiekiem, i to bardzo. Doszło nawet do tego, że Roussardowie odmówili mu dalszej opieki. Adara musiała umieścić go w bardzo drogiej szkole z internatem. Ale tam jego problemy tylko się pogłębiły.

– Jakie problemy?

– Z początku jego zachowanie cechował brak współczucia i wyrzutów sumienia. Słabo panował nad impulsami i wykazywał silną skłonność do manipulowania innymi. Psycholog, z którym Roussardowie się skonsultowali, nie mógł postawić konkretnej diagnozy. Chłopak przejawiał postawę patologicznie aspołeczną i cechy osobowości narcystycznej, co wcale dobrze nie wróżyło. By sparafrazować słynnego psychiatrę kryminologa, Roberta D. Hare'a, Philippe był drapieżnikiem, który wykorzystywał urok, manipulację, zastraszenie i przemoc, żeby panować nad innymi i zaspokajać swoje egoistyczne potrzeby. Pozbawiony sumienia i współczucia dla innych, z zimną krwią brał wszystko, co chciał i kiedy chciał, naruszając społeczne normy i oczekiwania bez najmniejszego poczucia winy albo żalu.

Philippe sprawiał wrażenie bardzo podobnego do matki i Harvath zastanawiał się, czy tak głębokie zaburzenia psychiczne mogą być dziedziczne.

– Roussardowie próbowali podawać chłopcu leki – ciągnął Troll, przyglądając się odrobinie koniaku w kieliszku – ale odmawiał ich przyjmowania. Kiedy zaatakował ich najmłodszą córkę nożem, Roussardowie postawili Adarze ultimatum.

– Jakie ultimatum?

– Miała albo zjawić się w ciągu dwudziestu czterech godzin, żeby go odebrać, albo oni wsadziliby go w następny samolot do Palestyny. Było to pierwsze z całej serii porzuceń, które bez wątpienia pogorszyły stan jego i tak niestabilnej psychiki. Chłopak zawsze odczuwał głębokie rozdarcie z powodu swojego palestyńsko-izraelskiego pochodzenia. Nawiązanie do plag biblijnych... i to w odwrotnej kolejności, może być swego rodzaju ukłonem w stronę żydowskiego dziedzictwa po ojcu.

Teraz, gdy najgorsze obawy Harvatha wobec człowieka prześladującego jego bliskich znalazły potwierdzenie, musiał się zastanowić i skoncentrować na tym, jak go powstrzymać.

– Masz z nim jakiś kontakt?

Troll pokręcił głową i znów się napił.

– Między mną a Philippe'em doszło do pewnego incydentu. Nigdy potem nie rozmawialiśmy.

– Jakiego incydentu?

– Wolałbym o tym nie mówić.

Harvath zmrużył oko, biorąc Trolla na cel, i zaczął naciskać spust. Karzeł nie potrzebował dalszych namów.

– Pokłóciliśmy się. Poszło o coś zupełnie błahego. Każdy normalny człowiek zapomniałby o tym i kwita, ale Philippe nie był normalny. Chory facet. Uprowadził mnie, więził i torturował przez dwa dni. Adara mnie znalazła i uratowała. A potem pielęgnowała, aż wróciłem do zdrowia.

– To po jaką cholerę okazujesz lojalność wobec takiego człowieka?

– Kierowałem się lojalnością nie wobec niego – Troll uśmiechnął się smutno – tylko wobec jego matki.

– Chciałbym się jeszcze czegoś dowiedzieć – powiedział Harvath.

– Byłem w pobliżu, kiedy zginęła.

– Tak.

– Winisz mnie za to, co się stało?

Troll milczał.

– Czy to ma znaczenie? – zapytał w końcu.

– Tak.

– Nie wiem, kogo winić. Hashim wysadził się w powietrze razem z furgonetką, ale zrobił to tylko po to, żeby ocalić siostrę przed hańbą, jaką zgotowałby jej Schoen.

– Ale co ze mną?

– Byłeś tam. Jak mógłbym cię nie winić? Kochałem ją, a teraz jej nie ma. Stanowisz część tamtych wydarzeń, więc owszem, częściowo cię winię.

Harvath przyglądał mu się w poszukiwaniu oznak kłamstwa.

– Na tyle, żeby życzyć mi śmierci?

Zapadło długie milczenie. Wreszcie karzeł odparł:

– Bezpośrednio po tym, co się stało, rzeczywiście życzyłem ci śmierci. Chciałem zabić wszystkich, którzy mieli w tym jakiś udział. Ale później uświadomiłem sobie, że ostatecznie Adara sama sprowadziła na siebie śmierć. To ona ponosiła największą odpowiedzialność za to... Ona i ten jej szalony brat. Cała rodzina była skazana na tragiczny koniec.

– Włącznie z Philippe'em?

Wzrok Trolla powędrował w stronę wody. Z zatoki dochodził dziwny dźwięk. Jakby o kadłub szybko płynącego statku rytmicznie rozbijały się fale. Szkopuł w tym, że wody zatoki były zupełnie spokojne.

Harvath też zwrócił na to uwagę i podniósł wzrok, właśnie gdy helikopter Bell JetRanger z wygaszonymi światłami wyłonił się z mroku i zaczął strzelać do otwartego salonu.

90

Ryk silników unoszącego się tuż nad wodą dużego helikoptera zagłuszył huk ciężkich karabinów maszynowych strzelających do wnętrza domu.

Harvath chwycił Trolla za kark i przycisnął go do podłogi, gdy ściany, meble i sprzęty roztrzaskiwały się w drobny mak.

Odłamki szkła zasłały podłogę, a w części kuchennej wybuchł pożar. Tylko patrzeć, jak ogień pochłonie drewnianą konstrukcję i kryty liśćmi palmowymi dach; Harvath wiedział, że dom pójdzie z dymem niczym stos chrustu.

Wyciągnął pistolet, odwrócił się w stronę, gdzie poprzednio widział helikopter, i przygotował się do oddania strzału. Nie miał jednak okazji.

Podczas przerwy w ogniu maszynowym wyskoczył za drzwi z berettą gotową do strzału tylko po to, by ujrzeć, jak płozy helikoptera znikają mu nad głową.

Pomimo dzwonienia w uszach wciąż słyszał śmigłowiec, gdy ten przeleciał nad dachem, kierując się w stronę lądowiska. Ten manewr wcale się Scotowi nie spodobał.

JetRanger mógł pomieścić od pięciu do siedmiu pasażerów, a trudno stwierdzić, ilu ludzi jest na pokładzie. Harvath zmarnował już dwa naboje, a miał tylko jeden zapasowy magazynek. Wolał nie myśleć, co by się stało, gdyby wdał się z przeciwnikami w dłuższą wymianę ognia. Mógł mieć jedynie nadzieję, że uda mu się wziąć ich z zaskoczenia.

Kiedy wyciągnął rękę, żeby pomóc Trollowi wstać z podłogi, jego już tam nie było. Harvath odwrócił się i zobaczył, jak karzeł biegnie do frontowych drzwi. Dogonił go akurat w kąciku do czytania.

– Musimy się stąd wydostać! – krzyknął, chwytając go za kołnierz.

– Bez psów nie idę!

– Nie ma czasu. Musimy natychmiast uciekać.

– Nie zostawię ich!

Nie mógł uwierzyć, że Troll gotów jest narazić życie dla psów.

– Natychmiast. – Obrócił go w stronę jadalni i pchnął przed siebie.

Mijając kanapę, Scot wziął nieprzemakalną torbę i zarzucił ją sobie przez ramię.

Przy stole w jadalni Troll znów się zatrzymał, tym razem po laptop. Gorączkowo zaczął wyciągać kable z wtyczek. Zanim Harvath zdążył cokolwiek powiedzieć, oświadczył:

– To nam się przyda. Zaufaj mi.

Nie protestował. Złapał komputer za rączkę, szarpnął nim, wyrywając pozostałe kable, które poleciały ze świstem we wszystkie strony. Drugą ręką chwycił Trolla za ramię i pociągnął do przodu. Pobiegli na front budynku, gdzie jadalnia łączyła się z salonem. Pod nimi była szklana podłoga, popękana i podziurawiona od gradu ognia karabinowego.

Kiedy Harvath zbliżył się do przesuwanych szklanych ścian, które otwierały się na wody zatoki, Troll stanął jak wryty.

– Co robisz?

– Próbuję nas stąd wydostać. Ruszaj się.

Karzeł wyrwał mu się i wycofał w głąb domu.

– Przez ciebie zginiemy. Co ty, do cholery, wyprawiasz?

Troll popatrzył na pożar szalejący w kuchni, płomienie sięgały już niemal dachu. Gdy odwrócił się znów do Harvatha, powiedział:

– Nie umiem pływać.

Scot zamierzał mu właśnie oświadczyć, że nie ma wyboru, gdy w domu zgasły wszystkie światła. Zdawał sobie sprawę, że ludzie z helikoptera, kimkolwiek byli, wezmą szturmem dom, żeby dokończyć robotę.

91

Licząc, że warkot helikoptera zagłuszy plusk, Harvath ramieniem objął karła w pasie i wskoczył do wody.

Tak długo, jak mógł, płynęli pod wodą. Przerażony Troll dyszał ciężko, chwytając nerwowo powietrze, kiedy się wynurzyli. Scot obrócił go na plecy, żeby łatwiej mógł utrzymać głowę nad wodą, i pociągnął za sobą.

Płynęli równolegle do brzegu, podczas gdy karzeł oburącz trzymał w żelaznym uchwycie wodoodporny laptop. Jak na swój wzrost był niewiarygodnie silny. Gdyby się wyrywał, Scot prawdopodobnie musiałby pozbawić go przytomności, żeby uchronić ich obu przed utonięciem.

Kiedy znaleźli się w bezpiecznej odległości od domu, Harvath zmienił kierunek i popłynął do brzegu. Gdy tylko Troll dotknął stopami lądu, padł na czworaki i zaczął wymiotować.

Harvath nie zwracał na niego uwagi. Otworzył nieprzemakalną torbę i wyciągnął noktowizor.

Karzeł wytarł usta przemoczonym rękawem.

– Dokąd idziesz?

Harvath sprawdził pistolet.

– Z powrotem do domu.

– Ale na drugim końcu wyspy mam motorówkę.

– A oni mają helikopter. Helikopter zawsze dogoni motorówkę.

Troll musiał przyznać mu rację.

– To co robimy? – zapytał.

Odkąd uciekli z domu, Harvath zastanawiał się, kto może stać za atakiem. Chodziło o niego czy o Trolla? Mało prawdopodobne, by Morrell z Zespołem Omega wytropili go aż w Brazylii. Lecz gdyby nawet, to jak na profesjonalistów z CIA napastnicy narobili za dużo huku.

Im dłużej się zastanawiał, tym logiczniejsze się wydawało, że chodzi o Trolla. Lista wrogów karła była długa i imponująca. Jego śmierci mogło pragnąć wiele państw, włącznie ze Stanami Zjednoczonymi. Ponadto Troll naraził się wielu potężnym osobistościom i organizacjom na całym świecie.

Harvath jedno wiedział na pewno: niedocenianie przeciwnika mogło go drogo kosztować.

– Musimy ich rozdzielić i załatwić po kolei – powiedział.

– Rozdzielić? Jak?

– Gdzie są kluczyki do motorówki?

– W zagłębieniu na kubek przy przednim fotelu pasażera.

Scot szybko wyjaśnił Trollowi, czego po nim oczekuje. Karzeł pokiwał głową, Harvath odwrócił się i ruszył w kierunku domu, modląc się, żeby plan się powiódł.

92

Harvath biegł plażą, aż dotarł do miejsca, gdzie dom Trolla wystawał nad wodę. Wolałby nie zbliżać się bardziej do budynku, ale nie miał wyboru.

Wszedł do wody i spojrzał na zegarek, sprawdzając, ile zostało mu jeszcze czasu.

Naciągnął noktowizor na oczy, podpłynął pod dom, aż znalazł się tuż pod szklaną podłogą salonu. Nad głową słyszał wykrzykiwane komendy. Napastnicy mówili po arabsku, nie po angielsku.

Kimkolwiek byli, nie zjawili się po niego, tylko po Trolla. Niestety, mieli pecha.

Harvath ustawił się tak, żeby mieć czystą linię strzału przez kilka rozbitych płyt, uniósł berettę i czekał. Kiedy jeden z mężczyzn wszedł mu w pole widzenia, ledwo powstrzymał się przed naciśnięciem spustu. Dopiero gdy pojawił się drugi, oddał dwa szybkie strzały, powalając obu przeciwników.

Nie czekał, żeby zobaczyć, jaka będzie reakcja, zanurkował i płynął pod wodą dwa razy dłużej niż z Trollem, zaczerpnąwszy powietrza, dopiero gdy płuca paliły go z braku tlenu.

Kiedy powoli wynurzył głowę, zorientował się, że jest wystarczająco daleko. Oddychając głęboko, obserwował, jak płonący dom rozświetla seria krótkich błysków. Towarzysze zabitych strzelali w szklaną podłogę, usiłując trafić przeciwnika, który dawno uciekł.

Harvath popłynął na plażę po drugiej stronie domu. Wygramolił się na brzeg, wyżął ubranie i ruszył w kierunku głównego budynku. Buty blackhawk warrior, które miał na nogach, zostały zaprojektowane przez emerytowanego komandosa SEAL i wyschły już po pierwszych krokach. Całe szczęście, bo musiał poruszać się szybko, a ostatnią rzeczą, jakiej potrzebował, było przemoczone obuwie, które ciążyłoby mu niczym bloki betonu.

Przemierzył plażę i dotarł do wąskiego pasa roślinności przy ścieżce do domu. Położywszy się na brzuchu, zaczął się czołgać na łokciach. Na skraju zarośli zobaczył psy. Oba schroniły się pod ścianą niedużego budynku gospodarczego. Sądząc po oznakach włamania, w środku musiał się znajdować generator prądu zasilający dom. Gdy Harvath podkradł się bliżej, psy zaczęły warczeć. Wiedział, że nie byłyby w stanie go zaatakować, lecz na sam dźwięk zjeżyły mu się włosy. Oszacował na oko odległość od płonącego domu i uznał, że zwierzęta będą bezpieczne. W pobliżu stał duży zbiornik na wodę zaopatrzony w gumowy wąż. Harvath podbiegł do cysterny i odwinął szlauch. Odkręcił lekko kurek, a potem położył końcówkę węża blisko psów, żeby miały dodatkowy dostęp do słodkiej wody.

Przez chwilę zastanawiał się, czy włączyć generator. Rozproszyłby tym uwagę przeciwnika, lecz uzyskana przewaga psychologiczna byłaby krótkotrwała, a jednocześnie zdradziłby swoją pozycję. Poza tym zostało mało czasu.

Odwrócił się i przemknął obok domu, ustawiając się w połowie drogi na lądowisko helikopterów. Spojrzał na zegarek, odliczając ostatnie sekundy. Po chwili z drugiego końca wyspy dobiegł warkot silnika, gdy Troll uruchomił i odcumował motorówkę.

Harvath natychmiast zobaczył dwóch mężczyzn wybiegających z płonącego domu. Popędzili ścieżką w stronę lądowiska. Gdy znaleźli się na zakręcie dwa metry od jego kryjówki, pociągnął dwukrotnie za spust beretty. Obaj mężczyźni runęli na ziemię, powaleni czystymi strzałami w głowę.

Harvath wyskoczył z ukrycia i zaciągnął zwłoki w krzaki. Zabici mieli ukraińskie pistolety maszynowe Goblin kaliber 9 milimetrów z tłumikami.

Harvath zabrał jednemu z nich goblina oraz dwa zapasowe magazynki i ruszył szybko w kierunku domu. Nie miał pojęcia, czy pozostali usłyszeli strzały w huczących płomieniach pożaru, lecz kiedy helikopter nie wystartuje, nabiorą podejrzeń.

Zajął pozycję naprzeciwko frontowych drzwi i czekał. Wciąż czekał. Mijały minuty. Prawie cały dom pochłaniał już ogień. Czyżby oddział szturmowy składał się tylko z czterech ludzi, a on wszystkich już zabił?

Nie wydawało się to prawdopodobne, ale równie trudno uwierzyć, że ktoś pozostał w płonącym budynku. Żar musiał być nie do zniesienia. Tak czy inaczej, zostało niewiele pokojów do przeszukania.

Harvath nie ruszał się z miejsca, trzymając goblina gotowego do strzału. Mijały kolejne minuty.

Miał właśnie podkraść się do domu, żeby zajrzeć do środka, gdy usłyszał coś za plecami. Obrócił się w samą porę, by ujrzeć dwie lufy wycelowane prosto w twarz.

93

Więc to ty – powiedział jeden z mężczyzn doskonałą angielszczyzną.

Cofnął pistolet. Harvath przeniósł wzrok z lufy na jego twarz. Miał wrażenie, jakby patrzył na młodego Abu Nidala o ciemnych, pełnych nienawiści oczach. Natychmiast rozpoznał Philippe'a Roussarda.

Zabójca zamilkł na chwilę zakłopotany, usiłując zrozumieć, co jest grane. Harvath słyszał niemal zgrzyt trybików obracających się w jego głowie.

– Gdzie karzeł? – zapytał wreszcie Roussard, podczas gdy jego towarzysz odebrał Harvathowi broń i zrobił krok do tyłu. – Wiemy, że nie ma go w motorówce, bo ta kręci się tylko w kółko po zatoce.

– Pierdol się! – warknął Harvath. Człowiek, którego ścigał, stał tuż nad nim, a on nie mógł mu nic zrobić. Jeszcze nigdy nie czuł się tak bezsilny.

– A więc wiesz, kim jestem. – Roussard z uśmiechem zdzielił Harvatha kolbą w szczękę. – Zapytam jeszcze raz. Gdzie on jest?

Harvath znowu zadarł głowę.

– A ja jeszcze raz powiem: pierdol się.

Na twarzy Roussarda znów pojawił się enigmatyczny uśmiech, zanim walnął Scota kolbą.

– Twoja wytrzymałość na ból jest znacznie bardziej ograniczona niż moja chęć i umiejętność jego zadawania. A teraz, gdzie jest Troll?

Harvath czuł, jakby w czaszce utkwiło mu milion rozgrzanych do czerwoności igieł.

– Eee – powiedział, lekko zamroczony. – Ach tak, pamiętam. Pierdol się!

Roussard zamachnął się do następnego ciosu, lecz nagle zmienił zdanie. Przystawił Scotowi lufę do czoła i wysyczał:

– Interesuje mnie tylko Troll. Powiedz mi, gdzie jest, a pozwolę ci żyć.

– Masz za słabą pozycję do negocjacji.

– Zabawne – prychnął Roussard. – Myślałem, że to ja trzymam pistolet.

– Za wszystkich żołnierzy, których zabiłeś w Iraku, i za wszystko, co zrobiłeś ludziom, których kocham, umrzesz z mojej ręki.

Na twarz Roussarda powrócił uśmiech.

– Zemsta jest samą słodyczą. Szkoda, że nie dane ci będzie jej zasmakować.

Roussard uniósł pistolet i przygotował się do strzału.

– Bo widzisz, jedynym, który tu dziś umrze, będziesz ty.

Scot zerknął na boki w poszukiwaniu kamienia, gałęzi, czegokolwiek, czego mógłby użyć jako broni. Nic takiego nie znalazł. Co gorsza, Roussard i jego kompan stali zbyt daleko, by mógł podciąć im nogi. Nie miał żadnego wyjścia.

Popatrzył Roussardowi w twarz i już miał się odezwać, gdy palec zabójcy zacisnął się na cynglu i Harvath ujrzał oślepiający błysk.

94

Fosforowa flara utkwiła wspólnikowi Roussarda w piersi, zapalając go jak pochodnię.

Kiedy Harvath odzyskał wzrok, zobaczył Trolla, który przydreptał z pistoletem sygnałowym w dłoni.

Wspólnik Roussarda nie żył. Jego dymiące zwłoki leżały na ziemi parę metrów dalej. Harvath rozejrzał się w poszukiwaniu Roussarda, ale nigdzie go nie było.

Gdy tylko wstał, ugięły się pod nim nogi. Dostał po głowie mocniej, niż mu się wcześniej zdawało.

– Powoli, powoli – ostrzegł Troll, próbując go podtrzymać.

– Gdzie Roussard?

– Zwiał na lądowisko.

– Dlaczego go nie powstrzymałeś? – zapytał z wyrzutem Scot, sięgając po pistolet i dwa zapasowe magazynki zabitego.

– Jak to?! Powstrzymałem go... przed wpakowaniem ci kulki w łeb, niewdzięczny dupku.

Popędził w stronę lądowiska, jeszcze zanim Troll zdążył dokończyć zdanie. Warkot silnika przybierał na sile. Helikopter startował.

Kiedy dobiegł do lądowiska, śmigłowiec wzniósł się już ponad korony drzew i odlatywał nad wodę.

Harvath przedarł się przez zagajnik na plażę po drugiej stronie wyspy, a potem podniósł goblina i otworzył ogień. Zobaczył, że co najmniej dwie kule trafiły w tylne śmigło, ale powstały zbyt małe uszkodzenia, by zmusić maszynę do lądowania. Wystrzelał jeszcze dwa magazynki, chociaż wiedział, że helikopter jest już za daleko, może nawet poza zasięgiem strzału.

Dom Trolla stał w płomieniach, więc wkrótce powinna zjawić się pomoc. Musieli wydostać się z wyspy, zanim ktokolwiek tu dotrze.

Harvath opuścił plażę i ruszył z powrotem przez zagajnik. Kiedy wrócił do zwęglonego ciała, Trolla nie było, a wraz z nim zniknęła cała broń włącznie z berettą.

Usłyszał jakiś hałas w pobliżu budynku z generatorem i podkradł się tam po cichu, żeby zobaczyć, co się dzieje.

Troll klęczał oparty rękami o ziemię, a obok leżał stosik broni i torba Harvatha.

– Dorwałeś go? – spytał karzeł, nie odwracając głowy.

– Nie – Harvath wycelował w niego nienaładowany pistolet maszynowy.

– Miałem tylko jeden strzał – podjął Troll. – Strzeliłem do faceta, który stał najbliżej, a i tak bałem się, że nie trafię.

– Odsuń się o trzy kroki na prawo, z dala od broni.

– Od tego? – Troll skinął na stosik i wstał, odwracając się twarzą do Harvatha. – Zebrałem to wszystko dla ciebie. W ramach podziękowania, że odkręciłeś dla psów wodę.

213

– Odsuń się jeszcze o krok.

Karzeł wykonał polecenie.

Gdy Scot podszedł, żeby wziąć broń, Troll uśmiechnął się szeroko.

– Nie ufasz mi, co?

Harvath zaśmiał się półgębkiem, gdy sprawdził zamek beretty, upewniając się, że kula jest w komorze, a potem zapakował resztę rzeczy do torby.

– Nie moja wina, że facet, którego zastrzeliłem, nie był Roussardem. Wy, wysocy, wszyscy wyglądacie od tyłu tak samo.

– Tym bardziej muszę pamiętać, żeby nie odwracać się do ciebie plecami – odparł Harvath, zarzucając torbę na ramię.

– Dlaczego okłamałeś Roussarda? – Troll zmienił temat. – Gdybyś powiedział, gdzie jestem, mógłbyś uratować skórę.

– Roussard zamierzał mnie zabić tak czy siak. Nie powiedziałem mu, gdzie jesteś, bo nie lubię ułatwiać życia złym ludziom.

– *Touche.*

– À propos – zapytał Harvath – dlaczego wróciłeś? Miałeś odcumować motorówkę, wypuścić ją na morze, a potem na mnie zaczekać.

– Kiedy helikopter nie wystartował, domyśliłem się, że pierwsza część planu się powiodła, ale miałem wątpliwości, czy uda ci się wykonać resztę.

– Zdaje się, że powinienem się cieszyć.

– Nie. Wystarczy, żebyś był wdzięczny. Choć trochę.

Harvath nie wiedział, jak poradzić sobie emocjonalnie z faktem, że zawdzięcza życie takiemu człowiekowi, dlatego żeby o tym nie myśleć, sam zmienił temat.

– Skąd przyszło ci do głowy, żeby wziąć pistolet sygnałowy?

Troll popatrzył na niego.

– W życiu nawet najmniejsza przewaga jest lepsza od żadnej.

95

Zamiast na północ do Rio, ruszyli wzdłuż wybrzeża na południe, do małej XVIII-wiecznej wioski portugalskich rybaków, Paraty. Z położonej u podnóży zalesionych stoków Serra do Mar Paraty rozciągał się widok na zatokę z setkami niezamieszkanych wysepek. Miejscowość przypominała Angra dos Reis, lecz była znacznie bardziej dyskretna.

Zarówno mieszkańcy, jak i przyjezdni nie afiszowali się z pieniędzmi i woleli posiadać lub wynajmować wyremontowaną chatę rybacką albo jedną z maleńkich, krytych terakotą willi. Panowała zupełnie inna atmosfera niż w szpanerskiej Angrze, co odpowiadało Harvathowi.

Popłynął wpław po swoją łódkę i wrócił na wyspę, żeby zabrać Trolla i psy, Argosa i Draco. Podróż ze zwierzętami była cholernie uciążliwa, lecz karzeł oświadczył, że nigdzie się bez nich nie ruszy.

Przybili do brzegu na plaży o półtora kilometra od miasteczka i Harvath wyruszył na piechotę zorganizować dalszy transport. Miał mnóstwo samochodów do wyboru: właściciele zostawiali je na dwóch miejskich parkingach przeznaczonych specjalnie dla mieszkańców wysp, którzy potrzebowali wozów, dopiero gdy wracali do Rio.

Harvath wybrał pierwszy z brzegu, białą toyotę sequoię z przyciemnionymi szybami.

Kiedy dotarli do Paraty, było jeszcze ciemno. Na całodobowej stacji benzynowej kupili więcej wody dla psów i coś do jedzenia, a potem zaparkowali na poboczu cichej, wiejskiej drogi, żeby się posilić i odpocząć. Najpierw jednak Harvath musiał zadać jedno pytanie:

– Dlaczego Roussard chce cię zabić?

– Też się nad tym zastanawiałem. – Troll zatopił łyżkę w styropianowym pojemniku pełnym gęstej potrawy z fasoli i kiełbasy o nazwie *feijoada*. – Z jakiegoś powodu cały czas miał mnie na oku. Wykorzystał mnie, żeby cię znaleźć, a teraz gdy dowiedział się, że ci pomagam, postanowił mnie zabić. To jedyne sensowne wytłumaczenie.

Karzeł miał rację. To jedyne rozsądne wyjaśnienie. Troll umiał dobrze zacierać ślady, ale od czasu do czasu popełniał błędy. W przeciwnym razie Tomowi Morganowi i jego ludziom w Sargas nigdy nie udałoby się go wytropić.

– Przyjaciele mówią mi Mikołaj – powiedział Troll po dłuższym milczeniu.

Harvath nie miał ochoty na poufałość i zignorował jego słowa, odpakowując kanapkę.

Troll nie dał się zrazić.

– To swego rodzaju ksywka. Zawsze lubiłem dzieci, a Święty Mikołaj jest ich patronem.

– A oprócz tego patronem prostytutek, rabusiów i złodziei.

Karzeł uśmiechnął się.

– Dziwnie odpowiednie imię dla chłopca, który wychował się w burdelu, nieprawdaż?

Facet jest prawdziwym gadułą, pomyślał Scot, gdy zabrał się do jedzenia.

– A ty? – spytał Troll. – Dlaczego twoje imię pisze się przez jedno „t"?

Harvath napił się wody. Wiedział, że w końcu będzie musiał coś powiedzieć.

– Pisownię wybrała moja matka – odparł, odstawiając butelkę. – Na drugie mam Thomas, a jej nie podobały się trzy litery „t" z rzędu. Więc jedną skreśliła.

– Przykro mi z powodu tego, co zrobił jej Roussard.

– Jeśli ci to nie przeszkadza, wolałbym nie rozmawiać z tobą o swoim prywatnym życiu.

Karzeł uniósł dłonie w geście kapitulacji.

– Oczywiście. Rozumiem. Nie mogę cię winić, że tak to odczuwasz. Twoi bliscy bardzo wiele przeszli.

– Oględnie mówiąc – odburknął.

– Nie lubisz mnie za bardzo, prawda, panie Harvath?

Scot trzasnął butelką o tablicę rozdzielczą, czym wystraszył pasażera i zdenerwował psy na tylnym siedzeniu, które zaczęły warczeć.

Zerknąwszy we wsteczne lusterko, Harvath rozkazał im być cicho i natychmiast umilkły.

Zwróciwszy się z powrotem do Trolla, powiedział:

– Jeden z moich najlepszych przyjaciół został zabity w Nowym Jorku przez ciebie. Wystraszenie Roussarda racą nie wyrównuje między nami rachunków.

Karzeł milczał przez kilka chwil, podczas gdy Harvath świdrował go wzrokiem. Wreszcie się odezwał:

– Wiem, że nie mogę powiedzieć ani zrobić nic, co przywróciłoby twojemu przyjacielowi życie. Jeśli to jakaś pociecha, to al-Kaida i tak uderzyłaby w Manhattan, nawet gdybym nie dostarczył jej informacji.

– Gdyby nie twoje informacje, Nowy Jork w ogóle nie stałby się celem – warknął Harvath.

– Nieprawda. Człowiek z waszych władz, który sprzedał mi te dane, wystawił je na licytację. Tak się złożyło, że akurat miałem najwięcej pieniędzy do wydania. Gdyby nie sprzedał ich mnie, kupiłby je inny handlarz i informacje i tak dotarłyby do al-Kaidy.

– I uważasz, że to cię usprawiedliwia?

– Nie. Nie usprawiedliwia. Chcę, żebyś wiedział, że niełatwo mi żyć z tą świadomością.

Harvath spiorunował go wzrokiem.

– Tysiące Amerykanów zginęło wskutek zamachu gorszego od ataków z jedenastego września, a tobie trudno żyć ze świadomością roli, jaką w tym odegrałeś. Cóż, cieszę się, że masz choć szczątkowe wyrzuty sumienia.

– Mam uwierzyć, że sam nigdy nie zrobiłeś niczego, czego się wstydzisz?

– Wierz, w co chcesz. Moje sumienie jest czyste.

– Za każdym razem, gdy pociągnąłeś za spust, wiedziałeś, że osoba po drugiej stronie zasługuje na śmierć? Robiłeś to dla Ameryki. Dla mamy i domowej szarlotki, że tak powiem. Racja? Nigdy nie zastanawiałeś się, czy przypadkiem twoi zwierzchnicy nie popełnili błędu. Wykonywałeś po prostu rozkazy.

Harvath ściskał kierownicę w morderczym uchwycie.

– Ustalmy coś. To, że siedzisz obok mnie i wciąż żyjesz, zawdzięczasz wyłącznie jednemu. Uznałem po prostu, że możesz mi się jeszcze przydać.

Resztę postoju spędzili w milczeniu. Harvath zastanawiał się, jak powstrzymać Roussarda, podczas gdy Troll rozmyślał o tym, że jego los splótł się teraz nierozerwalnie z losem Harvatha. Roussard nie spocznie, póki obu ich nie zabije albo sam nie zginie. Czy mu się to podobało, czy nie, Troll zrozumiał, że on i Harvath mają teraz wspólnego wroga. Zrozumiał też, że jeśli już ktoś, to właśnie Harvath mógł zneutralizować Roussarda.

Stawka w tym momencie znacznie się podniosła. Trollowi nie chodziło już tylko o odzyskanie pieniędzy i danych. Jego życie, w więcej niż jednym sensie, zależało od Harvatha.

Następnego ranka, kiedy sklepy i firmy rozpoczęły kolejny dzień pracy, Harvath wykorzystał tożsamość Braunera, by wynająć poza miastem małą, ogrodzoną murem willę z widokiem na ocean. Im mniej zwracali na siebie uwagę, tym lepiej.

Gdy wrócił z zakupami, Troll bawił się na porośniętym trawnikiem dziedzińcu ze swoimi psami.

Kiedy Scot się zbliżył, jeden z psów zaczął warczeć. Drugi podbiegł do niego i położył patyk, który aportował, pod jego nogami. Potem usiadł posłusznie i czekał, co Harvath zrobi.

– Myślę, że Argos cię pamięta – powiedział Troll, podchodząc. Skinąwszy na pudło w rękach Harvatha, zapytał: – Pomóc ci w rozładunku?

– No. – Scot kiwnął głową w stronę podjazdu. – W wozie jest jeszcze mnóstwo rzeczy.

Troll ruszył do samochodu, Draco pobiegł za nim, lecz Argos pozostał na miejscu.

Gdy tylko tamci zniknęli mu z oczu, Scot westchnął, przełożył pudło pod lewe ramię i pochylił się, żeby podnieść patyk.

96

Willa, którą Harvath wynajął, była wyposażona we wszelkie cywilizacyjne udogodnienia: szybkie łącze internetowe, telewizor plazmowy z anteną satelitarną, imponującą wieżę stereo i kuchnię godną mistrza patelni.

Troll stał przy wieży ze swoim laptopem, podczas gdy Harvath chował resztę zakupów.

– Mogę? – zapytał. – Lubię słuchać muzyki, kiedy gotuję.

Scot wzruszył ramionami i dalej wypakowywał jedzenie z pudeł i toreb. Karzeł podłączył komputer do wieży i załadował listę odtwarzania z twardego dysku.

– Skoro zrobiłeś zakupy – oświadczył Troll, gdy przepchnął się obok Harvatha do kuchni – ja mogę przynajmniej upichcić lunch.

– Nie musisz.

– Owszem, muszę. – Wziął z kanciapy drabinkę i przystawił ją do zlewu, żeby umyć ręce. – Przy odpowiednim skupieniu umysłu gotowanie może się równać medytacji zen. Pomaga mi się odprężyć. Poza tym rzadko mam okazję dla kogoś gotować.

Wyjął z sześciopaku piwo Brahma i podał je Scotowi na znak pokoju.

Harvath potrzebował piwa bardziej, niż jego mały towarzysz mógł przypuszczać. Wyciągnął rękę i przyjął butelkę. Znalazł otwieracz, zdjął kapsel i usiadł na stołku barowym przy kuchennej wyspie. Głowa pękała mu od gonitwy natarczywych myśli. Musiał sprawdzić, co u mamy i Tracy. Powinien też zapytać o zdrowie Kate Palmer i Carolyn Leonard, a także Emily Hawkins i psa. Jezu, pomyślał. Nic dziwnego, że musiał sobie chlapnąć, zanim się do tego wszystkiego weźmie.

Pociągnął solidny łyk. Dobre. Zimne tak jak piwo być powinno. Pozwolił sobie na drobną przyjemność, jedną z niewielu, od bardzo długiego czasu. Klasztorna asceza nie była w jego stylu.

Kiedy muzyka zaczęła grać, Troll wyciągnął z kieszeni maleńkiego pilota i podniósł głośność.

– W gotowaniu najważniejsze są składniki – zauważył. – A muzyka jest jednym z nich.

Harvath pokręcił głową. Co za ekscentryk, powiedział sobie w duchu, gdy znów pociągnął piwa. Nie zdążył go jeszcze przełknąć, gdy zorientował się, czego słucha.

– Czy to nie Bootsy Collins?

– Tak. Piosenka pod tytułem *Rubber Duckie*. Dlaczego pytasz?

– Tak tylko z ciekawości pytam – odparł Harvath, który miał w domu album *Ahh... The Name Is Bootsy, Baby*! i na winylu, i na CD.

– Co? – zagadnął Troll, nie przerywając gotowania. Miał ściereczkę na lewym ramieniu i tasak w prawej dłoni. – Myślałeś, że taki facet jak ja nie potrafi docenić klasycznego amerykańskiego funku?

Scot uniósł ręce w obronnym geście.

– Po prostu rzadko spotyka się ludzi, którzy lubią zarówno Pachelbela, jak i funk.

– Dobra muzyka to dobra muzyka, a jeśli chodzi o funk, Bootsy jest jednym z najlepszych. Właściwie bez Bootsy'ego i jego brata Catfisha w ogóle nie byłoby muzyki funky. Przynajmniej w tej postaci, w jakiej ją dzisiaj znamy. James Brown nigdy nie stałby się ojcem chrzestnym soulu, gdyby nie dźwięk stworzony przez Pacesetters. A co dopiero mówić o ich wpływie na George'a Clintona i Funkadelic.

Zrobił wrażenie.

– Wypiję za to – powiedział Scot, unosząc butelkę z piwem. Troll był człowiekiem pełnym niespodzianek.

Obserwując karła przy kuchni, Harvath czuł się, jakby oglądał występ magika. Sam uważał się za niezłego kucharza, ale Troll należał do zdecydowanie innej ligi. Wziął trochę ryby, trochę pieczywa i kilka innych składników i wyczarował niesamowitą zupę rybną z chlebem i rouille.

Scot posprzątał ze stołu, wziął pilota i ściszył muzykę.

– Coś w tym wszystkim wciąż nie daje mi spokoju – powiedział. – W rozmowach z Adarą Nidal nigdy nie pytałeś o to, co porabia jej syn?

Troll odepchnął się od stołu i wytarł serwetką kąciki ust.

219

– Oczywiście, że pytałem, z grzeczności. Ale nie była zbyt rozmowna w sprawach dotyczących Philippe'a. Myślę, że głęboko ją rozczarował. Zawsze mówiła coś w rodzaju: „Pracuje dla wielkiej sprawy" albo „Ma zadatki na jednego z najszlachetniejszych wojowników Allaha".

– Ale to wszystko kit, racja? – Harvath postawił naczynia koło zlewu i odwrócił się. – Mnie jakoś nigdy nie wydała się szczególnie pobożną muzułmanką. Piła alkohol i robiła całą masę innych rzeczy; Allah by jej nie pochwalił.

Troll parsknął śmiechem.

– Mimo wielu nawyków, które wyrobiła w sobie, żeby lepiej wtopić się w społeczeństwo Zachodu, myślę, że w głębi duszy pozostała prawdziwą bojowniczką za wiarę.

Harvath wyjął z lodówki następne piwo, wziął otwieracz i usiadł przy stole.

– To kto kieruje Roussardem? Facet nie wyciągnął się przecież z Guantanamo za włosy. A po śmierci Hashima i Adary organizacja Abu Nidala rozsypała się. To nie była stugłowa hydra w rodzaju al-Kaidy. Odrąbaliśmy dwa łby i bestia padła.

– W każdym razie tak mówi wam wasz wywiad.

– Masz jakieś inne informacje?

– Nie. – Troll wstał, żeby zaparzyć kawę. – Moje obserwacje są zbieżne z waszą oceną sytuacji.

– Więc potem Roussard stał się wolnym strzelcem. Ktoś musiał go znowu zatrudnić. Pytanie brzmi: kto?

Karzeł przesunął drabinkę pod kuchenkę i wszedł na jeden stopień.

– Gdybyśmy wiedzieli, jakiej karty przetargowej użyto w negocjacjach ze Stanami Zjednoczonymi, żeby doprowadzić do uwolnienia Philippe'a i jego czterech towarzyszy, może natrafilibyśmy na jakiś trop. Tylko że tego akurat nie wiemy, więc wątpię, by udało nam się do czegokolwiek dokopać.

Harvath niechętnie to przyznał, ale Troll miał rację.

Co gorsza, musiał też przyznać, że jedynym sposobem wybrnięcia z impasu, w jakim się teraz znalazł, było wyjawienie tajemnicy o ogromnym znaczeniu dla bezpieczeństwa narodowego wrogowi Stanów Zjednoczonych.

97

Tym razem Harvath rzeczywiście dopuścił się zdrady stanu. Rozgrzeszyłby siebie tylko wtedy, gdyby wynikło z niej coś bardziej wartościowego.

Nie mogła to być jednak wartość dla niego samego, lecz dla kraju. W przeciwnym razie Harvath sprzeniewierzyłby się wszystkiemu, o co w życiu walczył.

Spojrzał Trollowi w twarz, szukając potwierdzenia swoich nadziei, ale nic takiego nie dostrzegł.

– Nie obiło ci się o uszy, żeby ktoś coś takiego planował? Adara albo ktoś inny z organizacji Abu Nidala nie wspominał o atakowaniu dzieci?

– Skierowanie ataku przeciwko dzieciom przypomina mi to, co się stało w Biesłanie. Właściwie powiedziałbym, że porwanie szkolnego autobusu było pewnym udoskonaleniem. Znacznie łatwiej porwać autobus niż zająć budynek szkoły.

– Ale co z Adarą? Czy ona albo jej ludzie wspominali o czymś takim?

– Nie rozmawiałem z nią o taktyce. W każdym razie rzadko. Moją domeną jest świat informacji. Taki mam zawód. Gdyby Adara albo organizacja jej zmarłego ojca planowała taki zamach, na pewno by się z tym przede mną nie zdradzili. Adara znała mnie na tyle dobrze, by wiedzieć, że byłbym przeciw.

– Racja. Zapomniałem. Święty Mikołaj.

– W świecie, w którym żyjemy, codziennie dzieje się coś złego. Ludzie giną z rąk innych ludzi. Czasami tymi niewinnymi ofiarami są dzieci. Niestety, gdzie drwa rąbią, tam wióry lecą. Ale celowy zamach przeciwko dzieciom jest ohydny i niedopuszczalny. Tego, kto to wymyślił, powinno się powiesić za jaja.

Harvath nie mógł się z nim nie zgodzić. Ale nijak nie przybliżało go to do rozwikłania sprawy: nadal nie wiedział, kto wspiera Philippe'a Roussarda i jakie ta organizacja ma plany.

Przez długi czas nie odzywał się, zamyślony, aż Troll powiedział:

– Starałem się znaleźć związek, poza ideologią oczywiście, między Philippe'em i pozostałymi zwolnionymi więźniami. Może to był błąd.

– Jak to?

– Nie musi istnieć związek. A jeśli tych czterech wybrano tylko dla zmylenia tropu? W tym samym czasie też startuje kilka prezydenckich helikopterów, które odlatują w różnych kierunkach.

Scotowi nie przyszło to wcześniej do głowy.

– Zacząłem od Palmery, bo był najbliżej, czysto geograficznie.

– To, od kogo zacząłeś, nie ma znaczenia. Szukałem związku między pięcioma mężczyznami wypuszczonymi z Guantanamo, ale teraz myślę, że taki nie istnieje. Przypuszczam, że od samego początku chodziło wyłącznie o Philippe'a, a umieszczenie go w jednej grupie z czterema innymi, to tylko zasłona dymna.

Do tego momentu Harvath wszystko rozumiał.

– Dobra, w takim razie załóżmy, że czterej pozostali nie liczą się dla naszych celów. Wciąż jednak nie mamy pojęcia, kto stoi za Roussardem.

– Przynajmniej na razie.

– Nie kapuję.

Troll popatrzył na Harvatha i uśmiechnął się.

– W jednym się zgadzamy: ktoś Philippe'owi pomaga. Kimkolwiek jest ta osoba...

– Albo organizacja – wtrącił Scot.

– Albo organizacja. Więc kimkolwiek ona jest, wystawiła Philippe'owi najpierw ciebie, a teraz mnie.

– Zgoda.

– W takim razie rozbijmy to na najmniejsze, najbardziej logiczne elementy. – Troll był mistrzem w analizowaniu informacji, a teraz znalazł się w swoim żywiole. – Najprawdopodobniej Philippe nie dysponował ani znajomościami, ani funduszami, żeby samodzielnie zorganizować na mnie atak. Ktoś musiał nagrać mu kontakty i zapłacić za przygotowania.

– I wykorzystał ludzi mówiących po arabsku – dodał Harvath.

– Co w Ameryce Południowej znacznie zawęża pulę.

– Chyba że sprowadzono ich z zagranicy specjalnie na tę akcję.

Troll pokiwał głową.

– Niewykluczone. Ale całość wymagała sporo zachodu. Ktoś musiał zdobyć broń, helikopter i chętnego pilota. Najprawdopodobniej przeprowadzono inwigilację. Nawet jeśli samych zbirów ściągnięto z zewnątrz, musieli mieć na miejscu pomoc. I to pomoc kogoś, z kim ludzie stojący za Philippe'em mieli uprzednio kontakty i komu mogli zaufać.

Harvath słuchał, wpatrując się w niego uważnie.

– Jest coś jeszcze – mówił Troll. – Sprawa najważniejsza.

– Jaka?

– Pieniądze. Cała operacja musiała sporo kosztować. Philippe i reszta nie mogli sobie ot, tak wkroczyć do Brazylii z taką ilością gotówki w walizce. Brazylijczycy bardzo poważnie traktują walkę z praniem brudnych pieniędzy. Potrzebne by więc było pośrednictwo...

– Banków – wtrącił Harvath.

Troll znów pokiwał głową.

– Myślisz, że można by namierzyć tę organizację, śledząc transakcje bankowe?

Karzeł złożył dłonie w piramidkę i zamyślił się.

– Gdybyśmy wiedzieli, z pomocy jakiej grupy albo osoby skorzystał Philippe tu, na miejscu, myślę, że dałoby się to zrobić.

– Czego ci potrzeba? – Harvath starał się ukryć entuzjazm.

– Dwóch rzeczy. Po pierwsze, gotówki, sporo gotówki. Musisz odmrozić znaczną sumę na moich kontach. Spróbuję zdobyć na rynku informacje o tym, kto pomógł Philippe'owi w Brazylii, a żeby dowiedzieć się szybko, będę musiał zapłacić ekstra. Handlarze, do których się zgłosimy, natychmiast wyczują krew w wodzie i zaczną się zastanawiać, czy nie mogliby sprzedać tych informacji komuś innemu za więcej. Dlatego musimy od razu zaoferować taką sumę, żeby bali się szukać innych kontrahentów.

– A druga rzecz?

– Kiedy natrafimy na trop, trzeba działać. Będę potrzebował znacznie większych komputerowych mocy obliczeniowych, niż mam teraz.

– O ile większych?

Troll popatrzył na niego i odparł:

– Masz w Agencji Bezpieczeństwa Narodowego albo CIA znajomych, którzy wiszą ci przysługę?

98

Harvath miał znajomości zarówno w Agencji Bezpieczeństwa Narodowego, jak i w CIA. Ostatnio nawet brał kąpiel w saunie z dyrektorem CIA. Coś mu jednak mówiło, że gdyby zwrócił się w tym momencie o pomoc do kogokolwiek z obu agencji, narobiłby sobie jeszcze większych problemów.

Prosząc Trolla o dokładniejsze określenie potrzebnych mocy obliczeniowych, uświadomił sobie, że także kilka innych agencji dysponuje odpowiednim sprzętem. Wśród nich Narodowa Agencja Wywiadu Geograficznego, czyli National Geospacial Intelligence Agency, w skrócie NGA. Znana wcześniej pod nazwą Państwowej Agencji Kartografii i Zdjęć Satelitarnych, NGA stanowiła jedną z głównych pomocniczych agencji wywiadowczo-operacyjnych Departamentu Obrony. Miała też do dyspozycji potężne zasoby komputerowe, a tak się składało, że pracował w niej jeden z dobrych znajomych Harvatha, Kevin McCauliff.

Obaj byli członkami nieformalnej grupy pracowników federalnych, którzy trenowali wspólnie, przygotowując się do corocznego Maratonu Piechoty Morskiej w Waszyngtonie.

Kevin pomógł już Scotowi w ściganiu terrorystów odpowiedzialnych za zamach czwartego lipca na Manhattanie i dostał za to specjalną pochwałę od samego prezydenta, z czego był niezwykle dumny. I chociaż po drodze złamał wiele wewnętrznych przepisów NGA oraz niejedno z praw państwowych, zrobiłby to wszystko jeszcze raz, bez najmniejszego mrugnięcia okiem.

Ponieważ McCauliff pomagał mu już wcześniej w delikatnych misjach, Harvath miał nadzieję, że będzie mógł na niego liczyć i tym razem.

Troll potrzebował do zdobycia informacji dwóch dni i dwukrotnie więcej pieniędzy, niż wcześniej przewidywał. Lecz ostatecznie wydatek się opłacił. Brazylia to mały kraj i udało mu się nie tylko odkryć, kto pomógł Roussardowi na miejscu, lecz także miał już pojęcie o tym, jaką drogą powędrowały pieniądze.

Wtedy przyszła kolej na Harvatha, który zadzwonił do Kevina.

– Odbiło ci, kurwa? – usłyszał Harvath, gdy wyłuszczył sprawę. – Nie ma mowy.

– Kevin, nie prosiłbym cię o to, gdyby nie chodziło o sprawę naprawdę ważną.

– Jasne, że nie. Utrata pracy za pomaganie tobie to jedno, ale utrata życia, gdy skażą mnie za zdradę stanu, to zupełnie inna para kaloszy. Przykro mi, ale nie mamy o czym gadać.

Harvath usiłował go uspokoić.

– Daj spokój, Kevin.

– Nie, to ty daj spokój. Prosisz mnie o przekazanie kontroli nad systemem komputerowym Departamentu Obrony słynnemu złodziejowi rządowych danych wywiadowczych.

– To odgrodź wrażliwe obszary zaporami ogniowymi.

– Czy ja tu gadam do ściany? To są komputery Departamentu Obrony. Wszystkie obszary systemu są wrażliwe. Prośba o wyciągnięcie ci obrazów satelitarnych to jedno, Scot, ale ty prosisz o to, żebym otworzył drzwi i oddał wszystkie klucze...

– Nie potrzebuję wszystkich kluczy. Potrzeba mi tylko dostatecznej mocy...

– Żeby z komputerów rządu Stanów Zjednoczonych zablokować serwery bankowe i włamać się do systemu.

McCauliff utrafił w sedno i Scot doskonale rozumiał jego opory. Wszystko, o co poprosił pracownika NGA w przeszłości, bladło w porównaniu z tym. McCauliff potrzebował lepszego powodu niż tylko ich przyjaźń, jeśli miał zaryzykować swoją przyszłość i karierę.

Harvath postanowił opowiedzieć mu, co się stało.

Kiedy skończył, po drugiej stronie zaległa cisza. McCauliff nie miał pojęcia, że od zamachów na Nowy Jork Harvath przez tyle przeszedł.

– Gdyby te banki dowiedziały się, skąd przeprowadzono atak, konsekwencje dla Stanów Zjednoczonych byłyby niezwykle poważne – powiedział.

Harvath spodziewał się takiej odpowiedzi, więc Troll sporządził szczegółowe notatki na temat tego, co zamierzał zrobić.

– A gdyby udało się zatrzeć wszystkie ślady prowadzące do Stanów Zjednoczonych? – zapytał Scot.

– Co masz na myśli?

Wyjaśnił McCauliffowi plan.

– Na pierwszy rzut oka – odparł pracownik NGA – wygląda sensownie. Prawdopodobnie nawet dałoby się to zrobić, tylko że wciąż występuje czynnik ryzyka, który absolutnie wszystko przekreśla.

– Troll. – Harvath westchnął ciężko.

– Dokładnie. Nie mówię, że kiedykolwiek posunąłbyś się do celowego działania na szkodę Stanów Zjednoczonych, ale facet może wprowadzić konia trojańskiego, a ja nie chcę być durnym sukinsynem, zapamiętanym jako ten, który otworzył bramy.

Harvath musiał się zgodzić z rozumowaniem McCauliffa. Pozwolenie Trollowi na dostęp do systemu było jak wręczenie zbirowi naładowanego pistoletu i wpuszczenie go do słabo oświetlonego podziemnego garażu pełnego bogatych matron wystrojonych w najlepszą biżuterię. Trudno oczekiwać, że oprze się pokusie.

Chociaż McCauliff współczuł Scotowi i szczerze chciał mu pomóc, udostępnienie systemu komputerowego Departamentu Obrony wrogowi Stanów Zjednoczonych nie wchodziło w rachubę.

Harvath wpadł jednak na pewien pomysł.

– A gdybyśmy nie mieszali w to Trolla?

McCauliff parsknął śmiechem.

– A kiedy będą mnie przesłuchiwać, mam udawać debila? Wiem, że jesteś z nim w tej chwili. Gdybym otworzył system dla ciebie, tym samym otworzyłbym go dla Trolla.

– Ale gdybyś nie musiał nic otwierać dla żadnego z nas?

– Jak nie dla was, to dla kogo? Jeśli nie ty ani Troll, to kto włamie się do systemu bankowego?

Harvath zawahał się na moment.

– Ty.

– Ja? Ciebie jednak naprawdę pogięło.

Pomysł samodzielnego przeprowadzenia pirackiego ataku na kilka zagranicznych instytucji finansowych podobał mu się równie mało, jak perspektywa wpuszczenia do systemu komputerowego Departamentu Obrony Harvatha i Trolla. Oba warianty miały swoje wady.

Nie chodziło o to, że McCauliff nie dałby sobie rady. Jego umiejętności nie podlegały dyskusji: z pewnością byłby w stanie sforsować zabezpieczenia sieci. Problem polegał na tym, że lubił swoją robotę. Podobało mu się w NGA. Miał dobry kontakt z szefami i kumplował się z ludźmi, z którymi pracował. Tym razem Scot prosił o zbyt wiele.

Lista nieprzyjemności, jakie mogłyby McCauliffa spotkać w razie wpadki, była po prostu zbyt długa. Chciał Harvathowi pomóc, ale nie widział rozwiązania, które nie narażałoby na poważne problemy jego samego.

Harvath musiał wiedzieć dokładnie, o czym myślał, ponieważ powiedział:

– Wysyłam ci e-maila.

Parę sekund później rozległ się syntetyczny brzęk dzwonka oznajmiający, że do skrzynki pocztowej Kevina McCauliffa trafiła nowa przesyłka.

E-mail został wysłany z oficjalnego konta Harvatha w Departamencie Bezpieczeństwa Narodowego i dawał pracownikowi NGA akurat to, czego potrzebował, by pozbyć się wątpliwości i przyjść Scotowi Harvathowi z pomocą: dobrą wymówkę.

W swoim liście Harvath oświadczał, że działa z bezpośredniego rozkazu prezydenta Jacka Rutledge'a i że podobnie jak przy zamachach terrorystycznych w Nowym Jorku pilna pomoc McCauliffa jest nieodzowna ze względu na bezpieczeństwo narodowe.

Wyraźnie zaznaczył, iż wymaga pełnej dyskrecji i oczekuje, że McCauliff nie wyjawi tego, co ma zrobić, ani przełożonym, ani nikomu ze współpracowników. Zapewniał zarazem, że prezydent doskonale wie o roli McCauliffa w tej operacji i doceni wszelką pomoc, jakiej zażąda od niego Harvath.

To po prostu polisa ubezpieczeniowa, pomyślał. Zaraz po przeczytaniu listu McCauliff wydrukował go w dwóch egzemplarzach. Pierwszy schował w zamykanej na klucz szufladzie biurka, a drugi włożył do koperty, którą zaadresował do siebie do domu.

Treść listu była dęta, ale Kevin McCauliff bardzo lubił Harvatha i chciał mu pomóc. Ostatnim razem, gdy złamał dla niego przepisy, dostał oficjalną pochwałę od samego prezydenta.

Uznał, że gdyby tym razem powinęła mu się noga, dobry adwokat, dysponując listem Harvatha, prawdopodobnie zdołałby go wybronić.

Oczywiście przy założeniu, że dałby się złapać, a do tego Kevin McCauliff nie zamierzał dopuścić.

– To co? Wchodzisz w to? – zapytał Harvath.

– Skoro prosi o to sam prezydent Stanów Zjednoczonych, to jak mógłbym odmówić?

99

Tego samego dnia wieczorem,
bar Kubeł Krwi,
Virginia Beach, Wirginia

Bar na przedmieściach Virginia Beach oficjalnie nie miał nazwy – w każdym razie na zaniedbanym budynku nie było szyldu, a na piaszczystym parkingu nie stała żadna podświetlana tablica. Podobnie jak jego klientela, sam lokal nie zwracał na siebie niepotrzebnie uwagi.

W kręgu wtajemniczonych nazywano go Kubłem Krwi albo po prostu Kubłem. Jak zyskał tę nazwę, nikt już nie wiedział. Niepozorny wygląd utrzymywano celowo, by zniechęcić osoby, które tu nie pasowały, zarówno miejscowych, jak i turystów. Kubeł to bar dla wojowników. Koniec, kropka.

Obsługiwano tu w szczególności mieszkających w okolicy żołnierzy z sił specjalnych marynarki wojennej, lecz drzwi knajpy pozostawały otwarte dla wszystkich mężczyzn i kobiet z oddziałów specjalnych bez względu na to, w jakim rodzaju wojsk służyli.

Kubeł zyskał też popularność wśród innej grupy godnej miana wojowników – funkcjonariuszy Departamentu Policji Virginia Beach.

Otwarty siedem dni w tygodniu każdego wieczoru gwarantował dobrą zabawę. Pomimo dość wąskiej grupy docelowej o tej porze zawsze roiło się tu od stałych bywalców.

Kubeł Krwi należał do André Dall'aua i Kevina Dockery'ego, dwóch emerytowanych członków Zespołu Drugiego SEAL i żołnierze tej formacji uznawali go za swój drugi dom.

Jeśli chodzi o wystrój, nie brakowało tu zwykłych barowych ozdób, podświetlanych reklam piwa i darmowych gadżetów od producentów alkoholi, lecz tym, co czyniło Kubeł wyjątkowym przybytkiem, były rzeczy przynoszone przez klientów.

Jak wenecki doża, który rozkazał kupcom Wenecji przywozić z podróży skarby do upiększenia miejskiej bazyliki, tak też Dall'au i Dockery dawali wyraźnie do zrozumienia, że klienci powinni przywozić z zagranicznych misji przedmioty, które przydałyby Kubłowi chwały.

Wyzwanie wzięto sobie do serca tak poważnie, że Kubeł stał się mini-muzeum wystawiającym pamiątki z operacji specjalnych na całym świecie. Od radia, którego słuchał Saddam Husajn, kiedy go schwytano, aż po nóż, którego żołnierz SEAL Neil Roberts użył w Afganistanie, gdy skończyła mu się amunicja i granaty. Niezwykła kolekcja naprawdę robiła wrażenie.

Doszło do tego, że właściciele zatrudnili na zlecenie dyrektora muzeum SEAL, żeby pomagał w katalogowaniu i opisywaniu eksponatów. Zbiory w Kuble cieszyły się zasłużoną sławą i stanowiły przedmiot zazdrości najbardziej prestiżowych college'ów wojskowych w kraju.

Ponieważ lokal należał do „fok", spora część pamiątek poświęcona była właśnie tej formacji. Na jednej ze ścian znajdował się mural autorstwa emerytowanego nurka z podwodnego oddziału saperskiego, Pete'a „Pirata" Carolana, który namalował czyny zbrojne żołnierzy SEAL od wojny w Wietnamie aż po walki w najdalszych zakątkach globu w późniejszych latach.

Jeden kąt zarezerwowano jako miejsce pamięci dla poległych towarzyszy. Kamizelka, maska płetwonurka i nóż MK3 w pasie bojowym wisiały na stojaku za okrągłym stolikiem z czapką marynarza i kieliszkiem na blacie oraz pustym krzesłem obok. Na ścianie umieszczono zdjęcia wszystkich żołnierzy SEAL, którzy zginęli w boju od początku wojny z terroryzmem.

Gdzie indziej iracki bagnet, afgański karabin AK-47 i plakaty filmowe z *Navy SEALs* i *Twierdzy* sąsiadowały z naturalnej wielkości kukłą Stwora z Czarnej Laguny i kolorowym fotosem przedstawiającym al Zarqawiego po tym, jak spuszczono mu na łeb bombę.

Była też cała kolekcja banknotów z Filipin, licznych krajów Bliskiego Wschodu, Afryki i Ameryki Południowej oraz innych miejsc, gdzie w ciągu lat wysyłano komandosów marynarki wojennej.

Obok wisiały zdjęcia z Programu Lotów Kosmicznych Apollo i akcji wyławiania z oceanu astronautów, przeprowadzonej przez nurków z podwodnych oddziałów saperskich.

Zarówno męską, jak i damską toaletę zdobiły plakaty zachęcające do wstąpienia do marynarki, a nad głównym wejściem Kubła, widoczne tylko dla wychodzących, znajdowało się motto: „Jedyny spokojny dzień był wczoraj".

Ostatnio zbiory Kubła Krwi wzbogaciły się o eksponat, który miał dla Dockery'ego i Dall'aua słodko-gorzki smak. Dostarczono go przesyłką DHL z Kolorado i dopiero po przeczytaniu listu od Scota Harvatha jego znaczenie stało się zrozumiałe.

Dwaj żołnierze poddani torturom i zabici w Afganistanie przez Ronalda Palmerę kiedyś często tu gościli. Chociaż właściciele knajpy woleliby wystawić na półce zamarynowaną głowę Palmery w słoju, z prawie równą satysfakcją przyjęli zdjęcie martwego terrorysty na meksykańskiej ulicy, użyty do jego obezwładnienia taser i parę ohydnych butów.

Jako były żołnierz Zespołu Drugiego Harvath od lat wspierał działalność Kubła. Eksponaty, które oddał do minimuzeum, stały się legendarne. Dockery i Dall'au często żartowali, że jeśli utrzyma dotychczasowe tempo, będą musieli dobudować specjalne skrzydło i nazwać jego imieniem.

Na zewnątrz, na parkingu przed Kubłem, Philippe Roussard zamknął oczy i wziął głęboki oddech. Podniecenie, jakie odczuwał całym sobą, sprawiało mu niewyobrażalną przyjemność.

Wkrótce jednak otrząsnął się z zadumy i błogi stan minął. Zapach maści Vicks, którą posmarował skórę pod nosem, był prawie tak nieznośny, jak smród worów z nawozem, które leżały za jego plecami. Nie zwracał uwagi na opary benzyny z dwustupięćdziesięciolitrowych beczek i przypomniał sobie, że wkrótce będzie po wszystkim.

Wygramolił się z samochodu turystycznego, zatrzasnął drzwiczki i przekręcił klucz. Podszedł do tyłu wozu i uśmiechnął się, spojrzawszy na nalepkę z hasłem: „Dziewczyno, oszczędzaj wodę, bierz kąpiel z żołnierzem

SEAL", którą nakleił na zderzaku, a obok jeszcze dwie inne: jedna ku pamięci zaginionych w akcji i jedna z napisem: „Mój wóz uwielbia iracką benzynę". Każdy, kto powątpiewałby, czy samochód Philippe'a Roussarda może stać na parkingu przed Kubłem Krwi, prawdopodobnie na widok nalepek zmieniłby zdanie.

Zresztą nie miało to większego znaczenia. Nie zamierzał zabawić tu długo. Wręcz przeciwnie. Właśnie zdejmował z przyczepy nowo zakupiony motocykl, gdy podeszła do niego para policjantów po służbie. Mimo że nie mieli mundurów, zachowywali się bardzo charakterystycznie i Roussard domyślił się, że to gliniarze.

– Ej, tu nie można parkować takich landar.

Roussard odruchowo sięgnął po glocka pod kurtką, ale szybko się powstrzymał.

– Zwłaszcza że tak śmierdzi – dorzuciła jego policyjna partnerka. – Kiedy ostatnio opróżniałeś pojemnik od klopa?

– Rzeczywiście trochę dawno. – Roussard uśmiechnął się wymuszenie.

– Nie pękaj, tak tylko żartowałem. – Mężczyzna wskazał na motocykl. – Fajnego masz kawasaki.

– Dzięki.

– Spełniasz chłopięce marzenia, co? Tylko ty, motor i bezkresna przestrzeń. Kurde, gdyby kumple z BUD cię teraz widzieli, hę?

Roussard pokiwał głową i zepchnął motocykl z przyczepy.

– Nie piłeś, co? – zagadnęła funkcjonariuszka, gdy wyjął z kieszeni kluczyki.

– Nie, nie. Mam jeszcze parę spraw do załatwienia. Ale niedługo powinienem wrócić.

Coś jej w tym facecie nie pasowało. Dobrze zbudowany i przystojny, fakt, ale to jeszcze nie czyniło z niego komandosa SEAL.

– Trzeba przyznać, że Doc ma złote serce, pozwalając wam tu parkować wielkie bryki.

– Jasne. – Roussard też wyczuwał, że coś jest nie tak.

– Zostajesz tu na długo? – spytała kobieta.

– A co za różnica – wtrącił się jej partner. – Wpadł ci w oko czy jak?

– Może. – Funkcjonariuszka zwróciła się znów do Roussarda: – To co, zatrzymasz się tu na parę dni?

– Nie. Jutro muszę jechać.

Wyglądała na zawiedzioną.

– Szkoda.

– Nie przejmuj się nią – wtrącił jej partner. – Kiedy wrócisz, postawimy ci browczyka.

– Dla mnie bomba – powiedział Roussard, wsiadając na motocykl.

Zapuścił silnik, włożył kask i już miał ruszyć, gdy policjantka położyła mu dłoń na kierownicy i zapytała:

– Masz procedurę oczyszczania?

– Słucham? – rzucił, śpiesząc się, żeby odjechać.

– Procedurę oczyszczania!

Roussard zastanawiał się gorączkowo nad odpowiedzią. Nie miał pojęcia, o co chodzi. Skoro dotknęła kierownicy, pewnie pytała o motocykl. Nauczony, że najprostsze kłamstwo jest zawsze najlepsze, przyznał się do ignorancji.

– Mam ten motor dopiero od tygodnia. Jeszcze wszystkiego nie opanowałem.

Policjantka uśmiechnęła się i odeszła.

Kiedy Roussard odjechał, jej partner zapytał:

– O co ci, do cholery, chodziło? „Procedura oczyszczania"? Naprawdę nie masz zielonego pojęcia o motocyklach, co?

– Nie, ale wiem to i owo o komandosach SEAL, a ten facet na pewno nie był jednym z nich. W przeciwnym razie wiedziałby, o czym mówię.

– Daj spokój. Jesteś po służbie. Odpuść sobie.

Popatrzyła na niego.

– A tobie wszystko się w tym facecie podobało?

– Służyłem w wojskach lądowych. A sądząc po nalepkach, gość był albo jest pieprzonym wymoczkiem z marynarki, więc jasne, że mi się nie podoba, ale jako mieszkaniec Virginia Beach nauczyłem się takich tolerować.

Kobieta pokręciła głową.

– A to, że zaparkował przed Kubłem wóz? Dockery nie cierpi samochodów turystycznych. I ani on, ani Dall'au nigdy nie pozwalają tu nikomu parkować całą noc. Jeśli jesteś na tyle głupi, żeby narażać się na ostry opieprz w ich barze, to lepiej, żebyś miał plan, jak się stąd szybko zmyć.

– I co z tego?

– Ano to, że coś tu nie gra.

Policjant pokręcił głową.

– Idę do środka na piwo.

– Kiedy już tam będziesz, znajdź Doca i powiedz, żeby wyszedł na parking. Chcę z nim pogadać.

– A przez ten czas co będziesz robić?

– Trochę się tu rozejrzę. – Wyciągnęła z kieszeni wytrych.

100

Chociaż e-mail od Harvatha dodał mu odwagi, Kevin McCauliff wciąż miał opory przed przeprowadzeniem cyberataku w świetle dnia. Postanowił dokonać włamania tej samej nocy, gdy ruch na serwerach będzie mniejszy, a w siedzibie NGA mniej osób, które mogłyby przypadkowo zobaczyć, co robi, i zacząć zadawać pytania.

Troll wykonał najtrudniejszą część roboty, zdobywając dokładne namiary na człowieka, który zapewnił Roussardowi w Brazylii zaplecze. Karzeł dostarczył nawet listę banków, przedział dat, jakie należało wziąć pod uwagę, oraz szacunkową wysokość sumy, której McCauliff powinien szukać.

Zadanie nie należało do łatwych, ale agentowi NGA udało się je w końcu wykonać. Zapłata została podzielona na mniejsze kwoty, które przesłano za pośrednictwem kilku banków z Malty, Kajmanów i wyspy Man, ale wszystkie transze pochodziły z jednego konta w banku Wegelin, najstarszej prywatnej instytucji finansowej w Szwajcarii.

Tylko tam udało się McCauliffowi dotrzeć. Bank Wegelin nie przechowywał dokumentacji klientów na swoich serwerach, a w każdym razie nie na serwerach, do których można by się dostać z zewnątrz. Spróbował wszystkich swoich sztuczek, ale na próżno. Ludzie, których Harvath ścigał, niezwykle dokładnie zacierali swoje ślady. Co nie znaczy, że całkowicie im się udało. Przy przelewaniu dużych sum pieniędzy zatarcie wszystkich śladów było prawie niemożliwe.

W tym momencie jedyny problem polegał na tym, że trop urywał się w Wegelinie, wzorze bankierskiej dyskrecji Szwajcarów. Jeśli Harvath chciał uzyskać więcej odpowiedzi, musiałby się skontaktować bezpośrednio z bankiem.

Scot podziękował Kevinowi za informacje i zakończył internetowe połączenie. Wyciągnął z ucha słuchawkę, odwrócił się do Trolla i powiedział mu, że fundusze przelano z banku Wegelin pod Zurychem.

Usłyszawszy tę nazwę, Troll lekko pobladł, a potem uniósł palec wskazujący.

Zaczął wystukiwać coś na swoim laptopie. Kiedy znalazł to, czego szukał, przeczytał na głos ciąg cyfr. Był to ten sam numer konta, który przed chwilą podał McCauliff.

– Skąd znasz ten numer? – zapytał Harvath.

Troll przeczesał palcami swoje krótkie ciemne włosy.

– Ja założyłem to konto.

– Ty?

– Tak, ja. Ale to nie wszystko. Musisz wiedzieć, że Abu Nidal był tylko terrorystą, człowiekiem w gruncie rzeczy prostym. Mimo że jego ojciec osiągnął sukces jako przedsiębiorca, on sam zupełnie nie znał się na bankowości i ochronie własnego kapitału.

– Więc ty zajmowałeś się jego finansami?

– Nie. Nie dla jego organizacji. Miał do tego swoich ludzi. Nidal poprosił mnie o coś innego. Chciał, żeby to pozostawało poza księgowością, że tak powiem. Zależało mu, żeby tych funduszy nie dało się powiązać z organizacją. Gdyby cokolwiek mu się stało, pragnął zostawić po sobie zabezpieczenie.

– Komu chciał je zostawić?

Troll popatrzył na Harvatha

– Swojej córce Adarze. To miało być jej prywatne, osobiste konto.

Ponad sześć tysięcy kilometrów dalej analityk Agencji Bezpieczeństwa Narodowego oznaczył właśnie i skompresował plik audio, nad którym pracował.

Podniósł słuchawkę i wstukał numer telefonu komórkowego. Już po raz drugi w ciągu dwudziestu czterech godzin dzwonił do tego samego anonimowego mężczyzny.

Usłyszał po drugiej stronie głos swojego kontaktu.

– Miałem was poinformować, gdyby Scot Harvath usiłował znowu porozmawiać z Kevinem McCauliffem, analitykiem NGA?

– Mów – odparł głos.

– Właśnie skończył z nim rozmawiać, niecałe trzy minuty temu.

– Udało się namierzyć, skąd dzwonił?

– Nie – odparł pracownik Agencji Bezpieczeństwa – ale na podstawie ich rozmowy mogę się domyślić, dokąd się teraz wybiera.

101

Na pokładzie samolotu do Stanów Zjednoczonych Harvathem targały sprzeczne emocje. Wkrótce po rozmowie z Kevinem McCauliffem skontaktował się z Ronem Parkerem, żeby poprosić go o przysługę, i w zamian dowiedział się o nieudanym zamachu na Kubeł Krwi.

Chociaż policja nie ujęła jeszcze sprawcy, to z rysopisu wynikało, że jest to człowiek bardzo podobny do Philippe'a Roussarda. Kubeł Krwi był knajpą Zespołu Drugiego SEAL, Harvath służył przed laty w tej formacji, o żołnierzach SEAL często mówiło się „żaby", a przedostatnia plaga dotyczyła właśnie żab. To wystarczyło, by utwierdzić Harvatha w przekonaniu, że Kubeł Krwi stał się celem ataku Roussarda. Dzięki dwójce bystrych funkcjonariuszy policji zamach został udaremniony. Roussard zrobił się niechlujny i Harvath zastanawiał się, czy może nie jest to skutek zmęczenia.

Harvath też był zmęczony. Załatwienie wszystkiego zajęło mu cały dzień, a chociaż przedtem spędził w Brazylii dwa dni w przyczajeniu, nie udało mu się wypocząć. Przez cały czas spał z jednym okiem otwartym. Trollowi nie mógłby nigdy w pełni zaufać, a bezczynne oczekiwanie, podczas gdy karzeł rozpuszczał wici w poszukiwaniu brazylijskiego kontaktu Roussarda, doprowadzało go do szaleństwa.

Kiedy nadeszła wiadomość o rachunku w banku Wegelin, z entuzjazmem zabrał się do planowania podróży do Szwajcarii. Ale e-mail o próbie zamachu na bar wszystko zmienił. Harvath nie mógł się znaleźć w dwóch miejscach jednocześnie. Roussard wrócił do Ameryki, a on wiedział, że jego jedyną szansą na powstrzymanie zabójcy przed uaktywnieniem ostatniej plagi jest także powrót.

Ale właściwie może istniał sposób, by znalazł się w dwóch miejscach naraz.

Troll chętnie załatwił Harvathowi samolot. Nie dość, że zależało mu na wyeliminowaniu zagrożenia ze strony Philippe'a Roussarda, to jeszcze żeby przeżyć, musiał przekonać Scota, że jest jego sprzymierzeńcem.

Harvathem z kolei od początku kierowały te same dwa motywy: potrzeba niedopuszczenia do skrzywdzenia bliskich i chęć zemsty na Roussardzie i ludziach, którzy za nim stali.

Przed opuszczeniem Brazylii Harvath skontaktował się ze starą znajomą w Szwajcarii. Zdawało się zakrawać na ironię, że akurat na kilka dni przed ślubem Meg Cassidy, zwracał się o pomoc do innej wspaniałej kobiety, którą odepchnął.

Claudia Mueller, śledcza w szwajcarskiej prokuraturze federalnej, pomogła mu ocalić prezydenta, gdy ten został porwany i był potajemnie przetrzymywany w jej kraju. Harvath skorzystał z jej pomocy przy jeszcze jednej okazji, podczas niebezpiecznego zadania, w którym wzięła udział nie tylko Claudia, ale też jej obecny mąż Horst Schroeder, dowódca policyjnego oddziału antyterrorystycznego z Berna.

Zanim mogła spełnić najnowszą prośbę Harvatha, potrzebowała od niego materiałów, między innymi nagranego na wideo oświadczenia Trolla, a także pełnych informacji na temat Abu Nidala i konta założonego w banku Wegelin na jego córkę. Jeśli Harvath mówił prawdę, a miała wszelkie powody, by mu wierzyć, chciała zdobyć nakaz sądowy i załatwić wszystko zgodnie z prawem.

Wbrew temu, co wszyscy sądzili o szwajcarskich systemach bankowych, od zamachu na Word Trade Center jedenastego września świat wiele się zmienił. Szwajcarzy nie zamierzali pomagać terrorystom w praniu brudnych pieniędzy ani w ukrywaniu funduszy. Claudia wierzyła, że zdoła zebrać dość materiałów, by skłonić bank do udostępnienia jej informacji, na których Harvathowi zależało. Nie wiedziała tylko, jak długo to potrwa. W zależności od sędziego sprawa mogła zostać załatwiona w kilka godzin albo w kilka tygodni.

W grę wchodziło ludzkie życie, miała więc nadzieję, że wszystko pójdzie sprawnie.

Przed odłożeniem słuchawki Claudia zażartowała, że Scot po raz pierwszy prosi o przysługę, która nie wymaga od niej narażania życia. Chociaż nakłonienie szwajcarskiego banku do udzielenia poufnych informacji o kliencie nie należało do zadań łatwych, stanowczo wolała to niż strzelaninę.

Harvath uśmiechnął się, gdy to usłyszał. Cudowna kobieta. Znała go też na tyle dobrze, że nie zaskoczyło jej, gdy poprosił o drugą przysługę, która mogła się okazać bardziej niebezpieczna niż wizyta w banku.

Powierzywszy większą część operacji Claudii i niewielką Trollowi, Harvath pojechał na prywatne lotnisko pod São Paulo.

Przez cały czas dręczyło go bardzo złe przeczucie. Zaczynał się domyślać, kto może stać za Philippe'em Roussardem. Oczywiście istniało duże prawdopodobieństwo, że Roussard miał dostęp do konta swojej matki w banku Wegelin, ale to nie wyjaśniało tego, kto wyciągnął go z Guantanamo. Ktoś jednak za tym stał.

Troll myślał dokładnie to samo, lecz wniosek, do którego obaj dochodzili, wydawał się niemożliwy. Harvath był przy śmierci Adary Nidal i widział, jak zginęła.

102

Harvath podróżował z niemieckim paszportem jako Hans Brauner i mógł się poruszać po całym świecie, został jednak uznany za zdrajcę, co czyniło go bezpaństwowcem, a co gorsza, nie miał zupełnie pojęcia, dokąd jechać.

Zamach na Kubeł Krwi mógł w chorym umyśle Roussarda utożsamiać dwie ostatnie plagi, lecz Harvath w to wątpił. Miał przeczucie, że czeka go jeszcze jeden atak odpowiadający pladze, w której wody zamienią się w krew.

Usiłował przypomnieć sobie wszystkich znajomych, którzy mieszkają w pobliżu wody. On wychował się w Kalifornii, znaczną część życia spędził w marynarce wojennej i przez kilka ostatnich lat mieszkał na Wschodnim Wybrzeżu, więc lista zrobiła się tak długa, że aby nikogo nie pominąć, spisywał po kolei nazwiska.

Miał przed sobą zadanie beznadziejne. Nie sposób odgadnąć, gdzie Roussard uderzy następnym razem. Ośrodek treningowy narciarzy w Utah i Kubeł Krwi w Virginia Beach zdawały się prawie równie przypadkowe, jak wybór Carolyn Leonard, Kate Palmer, Emily Hawkins i psa. Wszystkie te miejsca i osoby były dla niego ważne, ale nigdy nie przewidziałby, że staną się celem ataku.

Kiedy samolot wylądował na międzykontynentalnym lotnisku w Houston, Harvath przeszedł przez kontrolę celno-paszportową i udał się do pobliskiego centrum biznesowego.

Gdy tylko zapewnił sobie odpowiednie zabezpieczenia z użyciem licznych serwerów proxy, wetknął w ucho słuchawkę i obdzwonił szpitale. Ochroniarze Finneya wciąż pozostawali na miejscu i Harvath porozmawiał z dowódcami. Ron Parker zdążył już powiadomić ich o nieudanym zamachu w Virginia Beach.

Na wszelki wypadek ludzie pilnujący matki Harvatha załatwili przeniesienie jej do innego pokoju, którego okna nie wychodziły na ulicę. Jeśli chodzi o zagrożenie wybuchem samochodu pułapki, Tracy już wcześniej nic nie groziło.

Harvath porozmawiał z jej ojcem, który powiedział, że przeprowadzono dodatkowe badania, ale wyniki nie są dobre. Nowe EEG sugerowało dalszy zanik aktywności mózgu, a próby odłączenia od respiratora nie powiodły się. Tracy wciąż nie oddychała samodzielnie, a taki stan uniemożliwiał wykonanie pełnego rezonansu magnetycznego, który pozwoliłby na dokładne zidentyfikowanie przyczyny śpiączki i rzeczywistego stopnia uszkodzeń.

W głosie Billa Hastingsa Scot wyczuwał defetystyczny ton, co bardzo go zaniepokoiło.

– Tracy nie chciałaby tego – mówił Bill. – Tych wszystkich rurek i przewodów, respiratora. Pamiętasz Terri Schiavo? Rozmawialiśmy kiedyś o niej i Tracy powiedziała, że za nic nie chciałaby tak żyć.

Bill i Barbara byli jej rodzicami i najbliższymi krewnymi, a to dawało im prawo do podejmowania decyzji o leczeniu w imieniu córki, lecz zdawało się, że są bliscy kapitulacji.

Tak długo, jak Tracy żyła, wciąż istniała nadzieja, że wyzdrowieje, i Harvath przy tym obstawał.

Bill Hastings nie patrzył na to tak optymistycznie.

– Gdybyś rozmawiał z lekarzami, Scot. Z neurologami. Gdybyś słyszał, co mają do powiedzenia, może myślałbyś inaczej.

Nie musiał nawet tego mówić. Harvath wiedział, że oboje poważnie zastanawiają się nad odłączeniem córki od respiratora. Poprosił ich, żeby wstrzymali się z decyzją do momentu, gdy wróci i będzie mógł przy niej być. Prośba zdawała się rozsądna. Chociaż nie znali się z Tracy długo, łączyły ich bardzo silne więzi.

Odpowiedź Hastingsa zupełnie Harvatha zaskoczyła.

– Scot, dobry z ciebie facet. Wiemy, że zależało ci na Tracy, ale Barbara i ja uważamy, że to rodzinna decyzja.

„Zależało"? Mówili o niej, jakby już nie żyła. Nie wahał się przed podjęciem decyzji. Musiał dostać się do szpitala tak, żeby uniknąć aresztowania. Musiał zobaczyć Tracy, a co ważniejsze, porozmawiać z jej ojcem jak mężczyzna z mężczyzną.

Był już gotów poprosić pilotów, żeby zgłosili przelot do Dystryktu Kolumbii, gdy na koncie gmail pojawił się list, który wszystko zmienił.

103

Claudia znalazła sędziego, który stanowczo sprzeciwiał się temu, by terroryści używali kont w bankach szwajcarskich do finansowania swoich działań. Sędzia zareagował szybko i zgodził się na wszystko, o co Claudia prosiła.

Do e-maila dołączona była historia konta w Wegelin. Harvath przejrzał ją, zwracając szczególną uwagę na transakcje po rzekomej śmierci Adary Nidal. Wkrótce rzuciła mu się w oczy seria wypłat do instytucji o nazwie Dei Glicini e Ulivella we Florencji.

Wklepał hasło w wyszukiwarkę Google'a i odkrył, że Dei Glicini e Ulivella to ekskluzywna prywatna klinika, gdzie pracował doborowy zespół chirurgów plastycznych reklamowany jako „jeden z najlepszych w Europie". Wśród innych oferowanych usług szpital specjalizował się w leczeniu ofiar poważnych poparzeń, które obejmowało rekonstrukcyjne operacje plastyczne i rehabilitację.

Harvath nie wiedział, jak tego dokonała, lecz Adara Nidal zdołała jakoś przeżyć. Nie dość, że udało jej się uciec z miejsca eksplozji, to jeszcze przekupiła kogoś we włoskich organach ścigania do fałszywego przypisania jej jednego ze zwęglonych ciał. Zniknięcie było majstersztykiem wymagającym nieprawdopodobnych talentów organizacyjnych, ale udało jej się. Harvath nie chciał w to uwierzyć, lecz dowód miał pod samym nosem, a już dawno temu nauczył się, że nie powinien lekceważyć terrorystów, przeciw którym walczy.

Kiedy przeszedł do najnowszych transakcji, zauważył coś jeszcze bardziej niepokojącego. Wkrótce przed każdym z ataków do okolicznego banku przelewano pieniądze. Przejrzał listę i odznaczył daty oraz miejsca wszystkich dotychczasowych zamachów: Bank of America w Waszyngtonie, California Bank & Trust w San Diego, bank Wells Fargo w Salt Lake City w stanie Utah, Washington Mutual Bank w McLean w Wirginii, bank Chase w Hillsboro w Wirginii, First Coastal Bank w Virginia Beach i wreszcie U.S. Bank w Lake Geneva w stanie Wisconsin.

Gdy piloci zgłosili plan lotu i przygotowywali samolot do startu, Harvath skontaktował się z Ronem Parkerem i poinstruował go, żeby w ciągu następnych dwudziestu czterech godzin wysłał rzeczy, które zostawił w Elk Mountain, do kurortu Abbey w Fontanie, w stanie Wisconsin.

Kiedy Ron zanotował wszystkie dane, zapytał Scota, jak długo jeszcze odrzutowiec Finneya i jego dwaj piloci muszą pozostać w Zurychu. Tim przyjmował ważnego gościa, dla którego potrzebował samolotu i załogi.

Harvath powiedział Parkerowi, żeby jeszcze raz podziękował w jego imieniu Finneyowi i zapewnił, że wkrótce samolot będzie znów do jego dyspozycji.

Była to część drugiej przysługi, o jaką poprosił Claudię. Kiedy Kevin McCauliff przysłał mu spoza NGA e-maila z dodatkowymi szczegółami, które udało mu się zdobyć na temat banku Wegelin jako źródle pieniędzy przelanych do Brazylii, dołączył ostrzeżenie. Chociaż nie mógł tego udowodnić, odnosił wrażenie, że zarówno jego telefon, jak i komputer w pracy są monitorowane, i zasugerował, żeby Scot miał się na baczności.

Na podstawie tego e-maila Harvath obmyślił plan, jak znaleźć się w dwóch miejscach jednocześnie, tak aby zadziałało to na jego korzyść.

Mimo szczerej pogawędki, którą uciął sobie w saunie z dyrektorem CIA Jimem Vaile'em, nie miał złudzeń, co by się stało, gdyby Morrell i jego zespół jeszcze raz go dorwali.

W najlepszym wypadku trafiłby z powrotem pod klucz, a tym razem ludzie Morrella dopilnowaliby, aby nie uciekł. W najgorszym razie jeden z podkomendnych Morrella po prostu wpakowałby mu kulkę w łeb.

W obu wypadkach zostałby wyeliminowany z gry, a Roussard bez przeszkód dokończyłby dzieła zniszczenia. Harvath nie mógł na to pozwolić. Zdawał sobie sprawę, że jeśli on nie pomoże swoim bliskim, to nie obroni ich nikt inny. Prezydent znalazł się w impasie i bez względu na obietnice nie potrafił powstrzymać Roussarda.

Morrell i jego ludzie to spece najwyższej klasy, a Harvatha męczyło ciągłe oglądanie się przez ramię i szukanie ich wzrokiem. Trzeba było użyć fortelu i wyeliminować ich z gry. Właśnie dlatego poprosił Tima Finneya o wysłanie pustego odrzutowca do Zurychu.

Wiedział, że federalny zarząd lotnictwa cywilnego będzie monitorować podróże samolotu. Po ostrzeżeniu od Kevina zdawało się to jedynym dobrym rozwiązaniem. Gdyby Morrell i jego zespół wiedzieli o koncie w banku Wegelin i dostali informację, że odrzutowiec Finneya leci do Zurychu, mogli uwierzyć, że Harvath jest na pokładzie.

Aby uatrakcyjnić przynętę, Harvath poprosił Claudię o zarejestrowanie go w hotelu pod jednym z pseudonimów, których używał jako agent Departamentu Bezpieczeństwa Narodowego, a Troll sfingował elektroniczne ślady transakcji na jego kartę kredytową w całym mieście, co powinno potwierdzić jego obecność w Zurychu. Mimo że fałszywe tożsamości, których używał podczas służby, nie należały do wiedzy szeroko rozpowszechnionej, miał pewność, że Morrell i jego zespół sprawdzają, czy jeden z pseudonimów gdzieś nie wyskoczy. Na ich miejscu robiłby to samo.

Pomysł polegał na zwabieniu Morrella i jego ludzi do hotelu, gdzie mąż Claudii, Horst, będzie już czekać ze swoim oddziałem antyterrorystycznym, aby ich aresztować.

Claudia zapewniła go, że zgodnie z surowym szwajcarskim prawem, jeśli którykolwiek z podwładnych Morrella miałby jakąkolwiek broń, mogłaby ich dość długo przetrzymać w areszcie bez konieczności stawiania zarzutów. Szkopuł w tym, że musiała ich najpierw schwytać.

104

Camp Peary, Wirginia

Rickowi Morrellowi wcale się to nie podobało. Sprawa wpadła mu prosto w ręce, jakby za dotknięciem czarodziejskiej różdżki. To wszystko po prostu nie miało sensu, dlatego Morrell postanowił odwołać akcję.

Kiedy wydał stosowny rozkaz, musiał użerać się z narzekaniami durnych podkomendnych, gdy wyciągnęli sprzęt z samolotu i załadowali go z powrotem do dwóch furgonetek, którymi przyjechali na strzeżone lotnisko CIA.

– Wciąż tego nie kumam – powiedział Mike Raymond, kiedy minęli ostatni punkt kontrolny i pojechali w stronę autostrady. – Zupełnie, jakbyś nie chciał dorwać faceta.

– Chyba jesteś tak durny, jak Harvath myśli – odparł Morrell.

– O czym ty gadasz?

– O tym, że Harvath zapadł się pod ziemię. Nikt go nie widział, nikt o nim nie słyszał, aż tu nagle, łup, mamy go na radarze.

– Poprawka – odparł Raymond. – Nagle skontaktował się z kimś, kogo Agencja Bezpieczeństwa Narodowego miała już na podsłuchu. W ten sposób natrafiliśmy na trop.

Morrell popatrzył na podkomendnego i zdał sobie sprawę, że będzie musiał wytłumaczyć mu wszystko jak krowie na miedzy.

– A nie dziwi cię, że McCauliff zaczął czyścić po sobie wszystkie ślady w sieci i zlecił Departamentowi Obrony sprawdzenie swoich linii telefonicznych? Może nie wiedział, że ktoś go obserwuje, kiedy rozmawiał z Harvathem, ale potem szybko się skapował.

– Masz paranoję. Nawet jeśli McCauliff o tym wiedział, nijak nie zmienia to natury danych wywiadowczych, które dostarczył Harvathowi.

– I co to ma twoim zdaniem oznaczać?

– To, że Harvath zniknął nam z pola widzenia, bo się przyczaił. Dopiero gdy uzyskał informacje, na podstawie których może działać, wystawił głowę ze swojej dziury.

– A fakt, że pojawił się, używając jednej ze swoich znanych tożsamości Departamentu Bezpieczeństwa Narodowego i karty kredytowej, nie daje ci do myślenia?

Mike Raymond wzruszył ramionami.

– Szwajcaria jest kurewsko droga. Pokaż mi choć jeden hotel, który nie wymaga okazania karty kredytowej przy zameldowaniu.

– A schronisko młodzieżowe? – podsunął Morrell. – Albo *Gästezimmer* w prywatnym domu? Mógłby skorzystać z kempingu. Mógłby nawet poderwać jakąś kobietę i zadekować się w jej chacie. Przecież to podstawy fachu.

– Może i tak, ale...

– Harvath wie, że obserwujemy samolot jego kumpla Finneya – ciągnął Morrell – a mimo to poleciał nim do Zurychu? Nie kupuję tego. To trefny trop.

– I dlatego odwołałeś akcję?

– Słuchaj, Harvath zawsze miał jeden problem: uważa się za wyjątkowego bystrzaka. Czytałeś jego akta.

– Wszyscy je czytaliśmy, ale co, jeśli Harvath zorganizował wszystko w ten sposób, bo wiedział, że tak zareagujesz.

Morrell uśmiechnął się.

– Jest bystry, ale bez przesady.

Raymond pokręcił głową.

– Właściwie to bez znaczenia. Nawet gdyby był w Zurychu, ma nad nami przewagę. Możliwe, że przylecielibyśmy na miejsce tylko po to, by stwierdzić, że jego już nie ma.

– A jeśli się mylisz? I Harvath rzeczywiście jest w Zurychu?

– Jeśli samolot Finneya nie jest zwykłym wabikiem i Harvath okaże się na tyle głupi, żeby nim polecieć, to wciąż będziemy mogli go namierzyć. Poczekajmy i zobaczmy, co się wykluje.

– A co z tym hotelem, w którym Harvath się rzekomo zameldował?

– To już mam załatwione.

– Zamierzasz wykorzystać agenta z naszej tamtejszej ambasady? – zapytał Raymond.

– Nie. Dyrektor Vaile nie pozostawił co do tego najmniejszych wątpliwości. Sprawę trzeba zachować w najściślejszej tajemnicy. Mam kumpla, faceta z Departamentu Sprawiedliwości, który przeszedł na emeryturę i przeprowadził się do Kopenhagi. Może pojechać do Zurychu i rozejrzeć się tam za nas.

– Masz na myśli tego antykwariusza? Malone'a?

– Tak, facet wisi mi przysługę. Może być w Zurychu za kilka godzin – odparł Morrell.

– Ufasz mu?

– W stu procentach. To bystry gość. Wie, co robi.

Raymond popatrzył na Morrella.

– A jak Malone zadzwoni i powie, że Harvath rzeczywiście jest w Zurychu?

Morrell prychnął.

– Jeśli do tego dojdzie, to skoczymy z mostu. Uważam, że istnieje znacznie większa szansa, że pojawi się gdzieś tu, w Stanach, a nie za granicą.

– Obyś miał rację.

– Zaufaj mi. Gdy chodzi o Harvatha, dokładnie wiem, o czym mówię.

105

Fontana, Wisconsin

Jezioro Geneva, jego krystalicznie czyste wody, znane jako „Hamptons Środkowego Zachodu" oraz urokliwe miasteczka i miejscowości wypoczynkowe wokół, czyniły z okolicy wakacyjny raj. Można tam było żeglować, pływać, spacerować, łowić ryby, robić zakupy i grać w golfa.

Harvath zaproponował obu pilotom rezerwację pola golfowego i obiad, gdy razem z nimi zameldował się w kurorcie Abbey, a w zamian poprosił, by pozwolili mu używać samochodu, który wypożyczyli.

Piloci chętnie się zgodzili. Chociaż mieli niezłe diety, długie godziny oczekiwania na klientów nierozerwalnie łączyły się z ich pracą, co było szczególnie męczące. Rzadko trafiał im się nocleg w hotelu tej klasy co Abbey, a do tego jeszcze golf i obiad.

Rozwiązanie odpowiadało również Harvathowi. Nie chciał, by ktokolwiek poznał jego miejsce pobytu, a gdyby wykorzystał swoje prawdziwe dokumenty albo kartę kredytową, każdy, kto go szukał, natychmiast by go znalazł. Tożsamość Hansa Braunera bardzo się przydawała, ale miała jeden mankament: brak prawa jazdy.

Harvath mógłby oczywiście ukraść samochód, lecz w tak małej mieścinie zdecydowałby się na to tylko w ostateczności.

Ślub i wesele Meg miały się odbyć pojutrze w eleganckim klubie golfowym Lake Geneva, który mieścił się nad południowo-wschodnim brzegiem jeziora i zapewniał idylliczną oprawę uroczystości.

Harvath nie potrafił rozgryźć tylko jednego: jak Roussard zamierza odtworzyć ostatnią plagę i spowodować, by wody jeziora zaczerwieniły się od krwi. Ze względu na obecność prezydenta cały obiekt znajdzie się pod ścisłą ochroną. Scot, mimo że bardzo chciał pójść do klubu i na własne oczy zobaczyć zabezpieczenia, zdawał sobie sprawę, że to nie ma sensu. Służył wcześniej w obstawie prezydenckiej i dowodził oddziałem przygotowującym wizyty, dlatego miał pewność, że klub będzie zamknięty szczelniej niż Fort Knox.

Nawet dostanie się na miejsce od strony wody nie wchodziło w rachubę. Bez względu na to, jak nużące byłoby pilnowanie terenu jeszcze przed przybyciem prezydenta, funkcjonariusze lokalnych, stanowych i federalnych sił porządkowych, którzy trzymali tam teraz wartę, traktowali swoją robotę bardzo poważnie. Nikt nie chciał, by prezydentowi przytrafiło się coś złego, zwłaszcza gdy samemu stało się na warcie. Harvath wiedział to z osobistego doświadczenia, a lekcja okazała się gorzka, ponieważ prezydent został porwany.

Im dłużej Harvath zastanawiał się nad tym, tym bardziej sensowny wydawał mu się pomysł ataku podczas ślubu Meg. Roussard narobiłby przy okazji dużo huku. Nie dość, że zyskałby międzynarodową sławę, to jeszcze mógł skrzywdzić inne osoby, dla Harvatha bardzo ważne. Dlatego musi go jakoś powstrzymać.

Ale najpierw trzeba rozgryźć, jak Roussard zamierzał przeprowadzić zamach. Czy miał do dyspozycji więcej ludzi? I, co równie ważne, jeśli była to ostatnia plaga i zdawała się dotyczyć także prezydenta, czy pojawi się również sama Adara?

Biorąc pod uwagę, że zupełnie niedawno z jej szwajcarskiego konta przelano pieniądze do prywatnej kliniki we Włoszech za leczenie oparzeń, wątpił w to. Gdyby mogła, sama ruszyłaby za nim w pościg, a nie posyłała syna. Harvath i Adara będą mieli swój ostatni taniec już wkrótce, lecz najpierw Scot musi raz na zawsze unieszkodliwić Roussarda.

Podstawowe pytania: „co?", „dlaczego?", „gdzie?", „kiedy?" i „jak?", przebiegały mu po głowie, gdy usiłował dopasować poszczególne elementy układanki.

„Co" oznaczało sam zamach. „Dlaczego" – Scot starał się to zrozumieć, ale nie potrafił. Miał pewne przypuszczenia. Adara Nidal pragnęła zemsty, bo Harvath pokrzyżował jej plany wzniecenia muzułmańskiej świętej wojny przeciwko Izraelowi i obarczyła dokonaniem tej zemsty syna. Tak przedstawiała się najlepsza hipoteza Harvatha w tym względzie.

„Gdzie" odnosiło się do klubu Lake Geneva, a „kiedy" do dnia ślubu i wesela Meg. Uroczystość zapowiadała się na jedno z największych wydarzeń towarzyskich roku. Listę gości bez wątpienia czytało się jak *Who's Who* elit Chicago. Piękni, bogaci i potężni zjawią się niemal w komplecie. Co więcej, wizytę zapowiedzieli zarówno burmistrz Chicago, jak i prezydent Stanów Zjednoczonych. Gdyby Roussardowi powiodło się, zamach trafiłby na czołówki gazet na całym świecie.

Harvath znał cztery z pięciu kryteriów, które ułatwiały mu powstrzymanie ataku. Wiedział, co się stanie, dlaczego, gdzie i kiedy. Musiał tylko jeszcze odkryć jak.

106

Wieczór był piękny. Temperatura utrzymywała się na poziomie dwudziestu paru stopni, niebo roziskrzone gwiazdami, od jeziora wiała lekka bryza.

Przyjaciółka i sąsiadka Meg Cassidy, Jean Stevens, pootwierała wszystkie drzwi i okna. W taką noc szkoda zamykać się szczelnie w domu i włączać klimatyzację.

Trafiło im się wspaniałe indiańskie lato. Nie sposób przewidzieć, jak długo jeszcze potrwa, a Jean Stevens zamierzała wykorzystać ten cudowny czas maksymalnie, na przyjemności, zanim wróci do Chicago, gdzie zima zdawała się nie mieć końca.

Nasypała do szklanki kostek lodu w kształcie żaglówek, nalała sobie znowu wódki i toniku. Kiedy odwróciła się, by wyjść znowu na ganek, przestraszyła się nie na żarty.

Zanim zdążyła krzyknąć, stojąca przed nią postać zakryła jej ręką usta.

Ostrzegając, żeby była cicho, mężczyzna wyłączył światło i poprowadził ją do stolika śniadaniowego.

– Co ty, do cholery, wyprawiasz? – zapytała, gdy Harvath cofnął rękę i pomógł Jean usiąść. – Przez ciebie o mało nie dostałam zawału.

– Niespodzianka – odparł Harvath, przysuwając sobie krzesło.

– „Niespodzianka", rzeczywiście. Co ty tu robisz? Meg mówiła mi, że w ogóle nie odpowiedziałeś na zaproszenie. Nie miała pojęcia, czy przyjedziesz, czy nie. To w dość kiepskim stylu takie zachowanie, zwłaszcza że Meg okazała się wielkoduszna, bo cię zaprosiła. To, że wam nie wyszło, nie uprawnia jeszcze do złych manier. Zaraz, zaraz – powiedziała. – A co z moimi manierami? Chodź no tu i mnie uściskaj.

Harvath wstał i ją przytulił. Jean ani trochę się nie zmieniła. Meg zawsze mówiła o niej jako o cioci Mame i Lilly Pulitzer w jednym. Była ciepłą i kochaną osobą. Nic dziwnego, że tak bardzo się z Meg zaprzyjaźniły. Kto poznał Jean, po prostu musiał ją pokochać.

– Więc przybyłeś tu, żeby przekonać Meg do rzucenia tego osła, za którego chce wyjść, i uciekła z tobą?

– Todd nie jest aż taki zły, Jean.

– Akurat. – Wstała, żeby nalać Harvathowi drinka. – Jest manipulatorem, chce ją kontrolować i tłamsić...

– I jest mężczyzną, którego wybrała i z którym chce spędzić resztę życia – zauważył Harvath.

– Czyli że nie przyjechałeś po to, by przekonać ją, że powinna wziąć ślub z tobą – powiedziała, siadając z powrotem na krześle.

– Obawiam się, że nie.

– Szkoda, pasowaliście do siebie.

– Chciałbym cię prosić o przysługę.

– Mów, kochanie – zachęciła Jean. Bransolety na jej nadgarstku zagrzechotały, gdy poklepała go po kolanie.

Wyciągnął z kieszeni kopertę.

– Chciałbym, żebyś jej to przekazała.

Jean Stevens uniosła lewą brew.

– Wyczuwam tu możliwość nocnych fajerwerków. – Uśmiechnęła się lekko. Sięgając po bezprzewodowy telefon za sobą, dodała: – Może po prostu do niej zadzwonię? Na pewno rwie sobie włosy z głowy, denerwując się ostatnimi przygotowaniami, ale myślę, że znajdzie parę minut, żeby tu przyjść i się przywitać. Kiedy cię zobaczy, może wreszcie odzyska rozum.

Harvath wziął ją za rękę i odłożył telefon na stół.

– To dość skomplikowane.

– Jak większość spraw w życiu, kochanie. Zrobię daiquiri, a wy dwoje będziecie mogli sobie porozmawiać. Mogę nawet zostawić was samych i pójść na spacer, jeśli chcesz. Prawdopodobnie tak byłoby najlepiej.

Harvath nie mógł powstrzymać się od uśmiechu. Nigdy nie spotkał nikogo, kto miał tak dobre intencje jak Jean.

– Komplikacje są natury zawodowej, Jean. A nie osobistej. Nie powinno mnie tu być.

– Jeśli przejmujesz się Toddem...

Roześmiał się.

– Nie, nie przejmuję się Toddem, wierz mi.

– Tajne przez poufne, hę? – Mrugnęła porozumiewawczo.

– Coś w tym stylu. Posłuchaj, nikt nie może się dowiedzieć, że tu jestem. Meg jeszcze o tym nie wie i trzeba to zachować w tajemnicy. Mogę ci zaufać?

– Kochanie, nikt nie dotrzymuje tajemnic lepiej ode mnie. Będę milczeć jak grób – zapewniła, biorąc kopertę. – Załatwione. A teraz może byś coś przekąsił?

– Przykro mi. – Harvath wstał. – Nie mogę dłużej zostać.

– Cóż, skoro oboje jesteśmy sami, może będziesz mi towarzyszyć podczas próbnej kolacji jutro wieczorem? Ma być Francja elegancja. O wpół do szóstej na przystani wsiadamy na statek, gdzie podczas rejsu odbędzie się koktajl, a potem oczywiście lądujemy w klubie na kolację.

– Tym razem też muszę odmówić.

Jean popatrzyła na niego.

– Kochanie, mogę ci zadać jedno pytanko?

Harvath i tak igrał z ogniem, zbliżając się na odległość trzydziestu metrów do domku Meg i ochrony Secret Service, która nad nią czuwała.

– Dobrze. Jedno.

– Jesteś szczęśliwy? Tak szczerze.

Pytanie należało do żelaznego repertuaru słynącej z bezpośredniości Jean, ale i tak go zaskoczyło.

– Co masz na myśli?

– A co twoim zdaniem mogę mieć na myśli? To proste pytanie. Czy jesteś szczęśliwy?

– Pewnie to zależy, jak zdefiniujesz szczęście – odparł Harvath, któremu śpieszyło się do wyjścia. Może też poczuł się trochę skonsternowany, że stojąca przed nim kobieta zawsze tak doskonale czyta myśli.

– Szczęście sprowadza się do trzech rzeczy. Czegoś do robienia. Kogoś do kochania. I planów na przyszłość.

Nie powiedziała nic więcej. Gdy jej słowa zawisły w powietrzu, przyglądała mu się uważnie. On i Meg naprawdę do siebie pasowali. Harvath był świetnym facetem i bardzo przypominał Jean jej męża, silnego, przystojnego i niezwykle troskliwego wobec osób, na których mu zależało. Straszna szkoda, że między nim a Meg się nie ułożyło.

Harvath stał chwilę i patrzył na nią w milczeniu. Wreszcie pochylił się i pocałował Jean w policzek.

– Dziękuję za przekazanie listu Meg – powiedział, a potem zniknął.

107

Philippe Roussard stał na końcu prywatnej przystani i przez chwilę spoglądał na ciemniejące jezioro. Zamknął oczy, czując na ciele łagodny, ożywczy powiew bryzy. Gdzieś z oddali dochodził chór fałów brzęczących o aluminiowe maszty, gdy przycumowane żaglówki zakołysały się na wodzie.

Roussard znów kontaktował się z opiekunem i znów rozmowa źle się skończyła. Pokłócili się o spartaczony zamach na knajpę w Virginia Beach. Opiekun winił go za niepowodzenie, ponieważ to on zmienił w ostatniej chwili plan. Przesadził z samochodem turystycznym i z beczkami. Powinien był pozostać przy pikapie i użyć mniejszej ilości materiałów wybuchowych. Gdyby wykonywał instrukcje, wszystko by się udało.

Nie mogli również dojść do porozumienia na temat szczegółów zrealizowania ostatniego zamachu, a także tego, jak później powinno się zabić Scota Harvatha.

Roussard miał dość kłótni. Pracował w terenie i zamierzał podjąć takie decyzje, jakie uzna za stosowne. Mógł uciec z kraju po wykonaniu zadania i miał dość pieniędzy, by dokończyć robotę. Nieustanne kłótnie do niczego nie prowadziły.

Tak naprawdę byli sobie obcy. Zbyt wiele czasu upłynęło, zaś więzy krwi nie wystarczały, by zasypać dzielącą ich przepaść.

Otworzył oczy i zapalił papierosa. Wiedział, że zrobi dokładnie to, co sam chce. Ostatni zamach będzie pełen dramatyzmu. Jego bezczelna śmiałość przyprawi o dreszcze, stanowiąc odpowiedni finał dla wszystkiego, co go poprzedziło.

Zaciągnął się głęboko i pomyślał, dokąd pojedzie, gdy będzie po wszystkim. Żyjąc z dnia na dzień w Iraku, a potem podczas przesiąkniętego absolutną beznadzieją więzienia w Guantanamo, nie zastanawiał się zbytnio nad następną godziną, a co dopiero nad następnym dniem, tygodniem, miesiącem, a nawet rokiem, lecz teraz to się zmieniało. Zaczął dostrzegać wartość planów na przyszłość, wyznaczania sobie celów.

Spróbował prawdziwej roboty w terenie i zasmakował w niej. Nie bał się, że go złapią, chociaż zdawał sobie sprawę, że jego dni w Ameryce są policzone. Musiał wkrótce wyjechać, lecz najpierw zrobi coś, co będzie ukoronowaniem jego dokonań.

Podniósł do oczu noktowizor, spojrzał po raz ostatni na swój cel, a potem zszedł z przystani i udał się na spoczynek w wynajętym domu. Musiał się wyspać. Jutro czekał go bardzo pracowity dzień.

108

Chociaż postąpił słusznie, że poprosił Gary'ego Lawlora o przydzielenie Meg obstawy, teraz utrudniało to Harvathowi zadanie.

Musiał porozmawiać z Meg w cztery oczy, a spotkanie w świetle dnia nie wchodziło w rachubę. Nie udałoby się zgubić ochroniarzy.

Meg mogła wymknąć się w nocy, gdy wszyscy myśleli, że poszła spać.

Scot siedział w głębi Gordy's Boathouse, jednego z najpopularniejszych przybrzeżnych barów Fontany, i po raz piąty spojrzał na zegarek. Usiłował obliczyć, ile czasu powinno było upłynąć, by Jean Stevens przekazała liścik Meg, a potem by Meg wydostała się z domu i przeszła starą indiańską ścieżką wzdłuż brzegu aż do Gordy's.

W barze roiło się od młodych, bogatych i przystojnych, którzy spędzali nad jeziorem Geneva wakacje. Didżej puszczał płyty, podczas gdy kolorowe wiązki świateł stroboskopowych przecinały przestrzeń przeznaczoną do tańca.

Harvath pamiętał, jak dobrze się tu z Meg bawili. Wciąż obserwował tłum tańczących, gdy poczuł na ramieniu dotyk dłoni, męskiej dłoni.

Spodziewał się Meg, a mimo że kątem oka widział zbliżającego się mężczyznę, nie zwracał na niego specjalnej uwagi. Właściwie nie było na co patrzeć. Dopiero gdy narzeczony Meg, Todd Kirkland, go dotknął, Harvath zdał sobie sprawę, z kim ma do czynienia.

– Musimy porozmawiać.

– O czym? – spytał Harvath, mimo że wiedział, co facet tu robi.

Narzeczony Meg pokazał liścik, który Harvath dał Jean Stevens.

– O tym.

Oddalili się od parkietu i przeszli na drugi koniec baru, gdzie znaleźli wolny stolik i usiedli.

– Zechcesz mnie oświecić, o co w tym wszystkim chodzi? – Kirkland zamachał mu liścikiem przed nosem.

Zignorował go, gdy do stolika podeszła kelnerka. Pozbierała puste kieliszki po winie, a Scot poprosił, żeby przyniosła dwa piwa.

Gdy tylko się oddaliła, Kirkland zaczął znowu swoje.

– Za kogo ty się, do cholery, uważasz? Myślisz, że możesz sobie tak po prostu...

Bez względu na to, jak bardzo Harvath starał się o tym nie myśleć, Jean Stevens miała rację. Kirkland to osioł. Arogant i cham, co bez wątpienia brało się z głębokiego poczucia niższości. Harvath nie miał pojęcia, czemu facet jest tak zakompleksiony.

Zarabiał w końcu furę kasy jako makler towarowy i nie wyglądał znowu aż tak źle, zwłaszcza że podobno jeden z najlepszych chirurgów plastycznych w Chicago poprawił mu nos, oczy, uszy i brodę.

Mimo wszystko Meg znalazła w nim coś, co pokochała. Jeśli rzeczywiście był manipulantem i domowym zamordystą, to już problem Meg. Nikt nie zmuszał jej do ślubu z tym facetem. Tak jak nikt nie zmuszał Harvatha do odepchnięcia Meg. A teraz siedział naprzeciwko mężczyzny, za którego miała wyjść za niecałe czterdzieści osiem godzin, i nie mógł przestać się dziwić, co takiego w nim widziała.

– Wyjaśnisz mi ten list w tej chwili. – Kirkland wytrącił go z zamyślenia. – Jaki numer próbujesz wykręcić, co?

– Nic nie próbuję, Todd – powiedział spokojnie Harvath.

– Gówno prawda. Jesteś w zmowie z tą zwariowaną babą z sąsiedztwa, co? Ona zawsze wypytuje Meg o ciebie, zwłaszcza w mojej obecności i...

– Todd, Jean Stevens i ja nie jesteśmy w żadnej zmowie.

– Czyżby? To jakim sposobem w jej ręce trafił twój list do Meg? Tylko pamiętaj, że trudno by ci się było wyprzeć, że go napisałeś, skoro jesteś dokładnie tam, gdzie się umówiłeś.

– Niczego się nie wypieram. Musiałem porozmawiać z Meg.

– A nie mogłeś tego zrobić przez telefon?

Kelnerka wróciła i Harvath poczekał, aż postawiła szklanki z piwem, zanim odpowiedział:

– Nie. Muszę porozmawiać z Meg osobiście.

– O czym? O tym, że wciąż ją kochasz? Jeśli tak, to mogę ci powiedzieć z absolutną pewnością, że ona na sto dziesięć procent już cię nie kocha, koleś.

Scot nienawidził, gdy ludzie mówili do niego „koleś", zwłaszcza gdy byli takimi aroganckimi dupkami, którzy nie tylko z całą pewnością nie zaliczali się do jego kumpli, ale też nie mieli zielonego pojęcia, o czym gadają.

– Przypuszczam, że Meg nie wie o moim liście?

– Nie i jeśli o mnie chodzi, to się nie dowie.

Harvath pociągnął solidny łyk piwa, starając się zachować spokój. Dupek działał mu na nerwy.

Wreszcie powiedział:

– Mam powody podejrzewać, że Meg jest w niebezpieczeństwie.

– I dlatego załatwiłeś jej obstawę Secret Service, prawda?

– Tak, ale...

– Gówno prawda – zapienił się Kirkland. – Chciałeś pokazać, jaki z ciebie ważniak, a ja mam tego po dziurki w nosie. Wtryniasz się wszędzie, gdzie się obrócę. Ale to się musi skończyć raz na zawsze.

Harvath musiał dokonać świadomego wysiłku, żeby nie ściskać szklanki tak mocno.

– Nie wdawajmy się w pyskówki, Todd. Zagrożenie jest poważne.

– To dlaczego nie poinformowałeś o nim Secret Service?

Słuszna uwaga, musiał przyznać Harvath.

– Ponieważ nie znamy jeszcze dokładnie natury zagrożenia.

– My? Jacy my? Departament Bezpieczeństwa Narodowego? FBI? CIA?

Harvath nic nie powiedział.

Milczenie przerwał Kirkland.

– Tak właśnie myślałem. W tym wszystkim chodzi tylko o ciebie. O ciebie i o Meg... Przynajmniej tak sobie roisz. Ale mam dla ciebie wiadomość. Nie ma ciebie i Meg, już nie. To już skończone. Więc trzymaj się od nas, kurwa, z daleka – dorzucił, kiedy wstał i wsunął krzesło.

Harvath nogą odepchnął krzesło do tyłu, żeby Kirkland znowu usiadł.

– Nie zachowuj się jak kretyn. Jestem tu, ponieważ istnieje realne zagrożenie. Ten facet się nie patyczkuje i zamierza zaatakować podczas waszego ślubu.

Narzeczony Meg nie był zainteresowany dalszą rozmową.

– Coś mi mówi, że przy obecności prezydenta, gdyby istniała rzeczywista groźba, współpracowałbyś z Secret Service, żeby jej zapobiec, a nie próbowałbyś się spotkać z moją żoną w środku nocy w jakimś barze.

Wyciągnął z portfela dwudziestodolarówkę i rzucił na stół.

– A tak dla porządku, Meg wysłała ci zaproszenie na ślub tylko po to, by pokazać ci, że ułożyła sobie życie na nowo. Może powinieneś pomyśleć o tym samym.

109

Todd Kirkland wsiadł do swojego bentleya azure w cholernie dobrym humorze. Od dawna chciał wygarnąć temu palantowi Harvathowi, co o nim myśli. Teraz od razu poczuł się lżej.

Opuścił dach samochodu, poprawił wsteczne lusterko i uśmiechnął się do siebie.

To, że Harvath miał być na ślubie, nie dawało mu spokoju. Nieraz sprzeczał się z Meg, wyrzucając jej pomysł z zaproszeniem, lecz teraz nie miało to żadnego znaczenia. Sądząc po minie Harvatha, Kirkland uznał, że takiemu facetowi bez jaj nie starczy odwagi, żeby pojawić się na uroczystości. Skoro Harvath znalazł się poza nawiasem, on mógł triumfować. Wygrał. Miał Meg, a Harvath nie.

Wyjechał z parkingu i skręcił w Lake Shore Drive na południe, żeby wpaść jeszcze na chwilę do domku Meg. Kiedy rozmyślał nad tym, jak dobrze mu się wszystko układa, poczuł nagle niepokój. Usiłował odepchnąć tę myśl, ale uporczywie wracała. „A jeśli Harvath mówił prawdę?"

Prawdę mówiąc, nie wiedział, co Harvath robi w życiu poza tym, że jest zatrudniony w Departamencie Bezpieczeństwa Narodowego i że Meg nie może o tym mówić. To jeden z sekretów, które dzieliła ze swoim byłym, co bardzo drażniło Kirklanda. Czy możliwe, aby istniało zagrożenie, z którego funkcjonariusze Secret Service nie zdawali sobie sprawy? Czy Meg mogła być w większym niebezpieczeństwie, niż się komukolwiek wydawało?

Kiedy Todd Kirkland dojechał do podjazdu przed domkiem narzeczonej, uznał, że dla wszystkich będzie najlepiej, jeśli utnie sobie małą pogawędkę z agentami Secret Service na warcie.

Półtorej godziny później Rickowi Morrellowi zadzwoniła komórka. Po zanotowaniu wszystkich informacji wezwał członków swojego Zespołu Omega. Namierzono Harvatha. Był w Wisconsin.

110

Kiedy ciężarówka Federal Express zajechała pod wiatę przy zapleczu hotelu, Harvath już na nią czekał.

Okazał paszport Hansa Braunera, podpisał potwierdzenie odbioru paczki i dał parkingowemu kwit na samochód wypożyczony przez pilotów.

Włączył system nawigacji satelitarnej, wpisał adres oddziału U.S. Bank w Lake Geneva i ruszył w drogę.

Wyjął swój samopowtarzalny pistolet kompaktowy Heckler und Koch, nóż bojowy benchmade, komórkę blackberry, a także legitymację z Departamentu Bezpieczeństwa Narodowego i dwa dodatkowe magazynki amunicji dorzucone przez Rona Parkera przez uprzejmość, a następnie cisnął puste pudełko FedEx na tylne siedzenie. Jadąc, zastanawiał się, co sobie, do cholery, myślał, gdy usiłował spotkać się z Meg.

Co właściwie mógł przez to osiągnąć? Czy miał nadzieję, że Meg odwoła ślub? A może myślał, że porozmawiałaby w jego imieniu z prezydentem i wszystko znów wróciłoby do normy?

Kiedy przez głowę przebiegały mu kolejne odpowiedzi, wiedział, że żadna nie jest trafna. Tak naprawdę pragnął Meg ostrzec.

Chciał dać jej szansę, której nie miały ani Tracy, ani jego matka, ani żadna z ofiar Roussarda. Ale to nie wszystko. Przy głębszej refleksji odkrył, że przede wszystkim pragnie złagodzić własne poczucie winy, że wciąż nie udało mu się powstrzymać zabójcy. Gdyby cokolwiek jej się stało, przynajmniej wiedziałby, że ją ostrzegł. Co za bzdura.

Bez względu na to, co by powiedział Meg Cassidy, miał świadomość, że gdyby przytrafiło jej się coś złego, ciężar odpowiedzialności spadłby na jego barki i byłby równie miażdżący jak w wypadku Tracy Hastings.

W tym momencie tylko on mógł powstrzymać Roussarda.

Mimo to funkcjonariusze Secret Service powinni się dowiedzieć o jego odkryciu. Todd Kirkland miał w tej sprawie rację i Harvath skontaktował się z Garym Lawlorem, by przekazać mu najświeższe wiadomości.

Gary dopilnuje, by Secret Service została poinformowana, lecz Scot zdawał sobie sprawę, że możliwość działania agentów będzie w tym wypadku ograniczona.

Przemailował Lawlorowi pełne dossier Philippe'a Roussarda razem z fotografiami. Miał nadzieję, że szef zeskanuje je i prześle razem z wszelkimi istotnymi danymi. Secret Service zadba o to, by wszyscy członkowie obstawy mieli przy sobie zdjęcie podejrzanego, a ci z kolei poproszą współpracowników z lokalnej policji, aby też wypatrywali Roussarda. Ale na tym się skończy. Gdyby którykolwiek z nich natknął się na zamachowca, byłoby już pewnie za późno.

Gliniarzom udało się pokrzyżować Roussardowi plany w Virginia Beach. Harvath wątpił, by terrorysta drugi raz popełnił ten sam błąd.

111

Lokalny oddział U.S. Banku znajdował się na wschód od jeziora, w mieście Lake Geneva na skrzyżowaniu ulic Geneva i Central.

Niosąc zwykłą dużą kopertę, Harvath wszedł do banku, okazał służbową legitymację jednemu z doradców kredytowych i poprosił o rozmowę z kierownikiem.

Poprowadzono Scota o prywatnego gabinetu, gdzie przywitała go atrakcyjna kobieta pod pięćdziesiątkę, która przedstawiła się jako Peggy Evans.

– Jak możemy pomóc Departamentowi Bezpieczeństwa Narodowego? – zapytała, gdy wskazała gościowi fotel i obejrzała jego legitymację.

Sięgnął do koperty i wyciągnął zdjęcia Philippe'a Roussarda, które wydrukował w hotelowym centrum biznesu.

– Rozpoznaje pani tego mężczyznę? – Podał jej wydruki.

Przyglądała się zdjęciom przez dłuższą chwilę, po czym spytała:

– A o co właściwie chodzi?

– Mężczyzna na zdjęciach jest ściganym terrorystą. Mamy informacje wskazujące, że dwa dni temu otrzymał w tym banku pieniądze, które przyszły przekazem.

– Sugeruje pan, że bank uczynił coś złego? Mogę pana zapewnić, że...

Harvath uniósł dłoń i pokręcił głową.

– Nic z tych rzeczy. Po prostu staramy się zebrać o tym osobniku jak najwięcej informacji.

– Ma pan konkretne dane na temat transakcji?

Harvath podał jej kopie tego, co Claudia przemailowała mu z banku Wegelin w Szwajcarii.

Evans przeczytała dokument, po czym sięgnęła po słuchawkę i wykręciła wewnętrzny numer.

– Arty, pozwolisz tu na moment?

Po paru chwilach rozległo się pukanie i do gabinetu wszedł tęgi trzydziestoparoletni Latynos.

– Chciała mnie pani widzieć?

– Tak – powiedziała Evans i przedstawiła swojego pracownika Harvathowi. – Arturo Ramirez, a to pan Scot Harvath, agent z Departamentu Bezpieczeństwa Narodowego. Pan Harvath ma ci do zadania kilka pytań na temat klienta, który zjawił się u nas przedwczoraj.

Harvath wstał i uścisnął facetowi rękę.

– Arturo zajmuje się wszystkimi przekazami – poinformowała kierowniczka. – Poza tym nigdy nie zapomina ludzkich twarzy. Prawda, Arty?

Ramirez uśmiechnął się uprzejmie do szefowej i wziął plik kartek ze zdjęciami.

– Tak, pamiętam go. Nazywa się Peter Boesiger, jeśli się nie mylę. Miły gość. Szwajcar.

– Ciekawe. – Harvath wyciągnął z kieszeni długopis. – Skąd pan wie, że to Szwajcar?

– Bo wylegitymował się szwajcarskim paszportem. Uznałem, że to czyni z niego Szwajcara. Poza tym mówił z obcym akcentem.

– Zrobił pan przypadkiem fotokopię paszportu?

– Oczywiście. To standardowa procedura bankowa.

– Mógłbym zobaczyć tę kopię?

Ramirez spojrzał na Evans, która pokiwała głową.

Latynos wyszedł z gabinetu i wrócił po kilku minutach z kserówką paszportu Roussarda wystawionego na nazwisko Boesiger.

– Czy może pan mi o nim coś jeszcze powiedzieć?

Ramirez popatrzył na niego.

– Na przykład co?

– Czy ktoś mu towarzyszył?

– Nie. Przyszedł sam.

– A samochód? Zauważył pan, jakim wozem przyjechał?

Pokręcił głową.

– Nie widziałem.

– Czy był rozmowny? Może wspomniał, gdzie się zatrzymał?

– Jeśli tak, to sobie tego nie przypominam.

Harvathowi w bardzo szybkim tempie kończyły się pytania, które mógłby zadać.

Wtedy Ramirez powiedział:

– Chwileczkę. Zapytał mnie o drogę. Chodziło o adres agencji nieruchomości. Była niedaleko stąd, ale nie przypomnę sobie nazwy. Rozmawialiśmy o tym, czy lepiej pojechać tam samochodem, czy pójść na piechotę. Powiedziałem mu, że jeśli już zaparkował, prawdopodobnie łatwiej mu będzie pójść piechotą, niż jechać, a potem szukać nowego miejsca parkingowego.

Przypomniawszy sobie tę kluczową informację, Ramirez uśmiechnął się szeroko.

Kiedy kierowniczka banku podała mu książkę telefoniczną, Harvath zastanawiał się, ile może być biur nieruchomości w takim kurorcie wypoczynkowym jak Lake Geneva.

112

Kiedy Rick Morrell z zespołem przybyli do miejscowości Fontana, podzielili się na dwie grupy i podszywając się pod agentów FBI, przesłuchali równocześnie Todda Kirklanda i Jean Stevens.

Nie znali żadnych konkretów na temat miejsca pobytu Scota Harvatha. Następnie członkowie Zespołu Omega odwiedzili bar i restaurację Gordy's Boat, gdzie Harvath zjawił się poprzedniego wieczoru. Gdy tylko Morrell pokazał kelnerce fotografię Scota, natychmiast przypomniała sobie, że go obsługiwała. Nie rozmawiała z nim jednak, a tylko przyjęła zamówienie.

W Fontanie było tylko kilka hoteli, Morrell i jego ludzie próbowali ustalić, w którym zatrzymał się Harvath. Zaczęli od hotelu najbliżej Gordy's Boat, czyli od Abbey.

Wyglądało na to, że za pierwszym razem spudłowali. Nikt nie zameldował się w Abbey ani jako Scot Harvath, ani pod żadnym z jego znanych pseudonimów. Nikt w recepcji nie rozpoznał go na fotografii. Ten sam wynik uzyskali w rozmowach z obsługą pokojów.

Morrell i jeden z jego ludzi wracali już do samochodu, gdy zajrzeli do budki parkingowej i pokazali tam zdjęcie Harvatha.

– Tak, poznaję faceta – powiedział jeden z parkingowych. – Dziś rano podstawiałem mu wóz.

– Jest pan pewien?

– Na sto procent.

Morrell wyciągnął komórkę i wysłał reszcie zespołu esemesa że nie muszą sprawdzać innych hoteli. Wiedzieli już, gdzie zatrzymał się Harvath.

Mając zeznanie parkingowego, Zespół Omega zabrał się do żmudnej pracy, starając się ustalić, który pokój wynajął ścigany.

Najpierw przejrzeli wszystkie kwity parkingowe z przedpołudnia. Wykluczyli samochody, które zdaniem parkingowego na pewno nie należały do Harvatha – dwa porsche, audi i nowy mercedes kabriolet – zebrali resztę kwitów i zanieśli je do hotelu.

Z pomocą kierownika recepcji udało im się ustalić samochody należące do gości, którzy zameldowali się w ciągu ostatnich dwudziestu czterech godzin. Morrell wątpił, by Harvath był tam dłużej.

Jedyny gość, który zameldował się w tym czasie i z samego rana odebrał wóz z parkingu, nazywał się Nick Zucker i mieszkał w pokoju numer 324. Przedstawiwszy się już wcześniej jako agent FBI ścigający zbiegłego przestępcę, Morrell poprosił kierownika o klucz.

Gdy tylko ten wydał kartę magnetyczną, Morrell i jego ludzie wynieśli się szybko z recepcji.

Na końcu korytarza stał wózek obsługi pokojowej, Morrell pokazał odznakę i zwerbował do pomocy młodą pokojówkę. Ludzie z oddziału zajęli pozycje po bokach od drzwi do pokoju numer 324 i Morrell skinął głową na pokojówkę.

Dziewczyna zapukała głośno i zawołała:

– Obsługa!

Kiedy nikt nie odpowiedział, Morrell odprawił pokojówkę, wsunął kartę do czytnika i otworzył drzwi.

Ubezpieczając się nawzajem, agenci wkroczyli do pokoju, który okazał się pusty. W łazience znaleźli saszetkę na przybory toaletowe, a w niej słoiczek leku na receptę zakupionego w aptece w Phoenix na nazwisko Nicka Zuckera. W szafie wisiał mundur pilota, który absolutnie nie mógł pasować na Harvatha.

Mała torba podróżna zawierała komplet ubrań na zmianę, podniszczony kryminał w miękkiej oprawie i sudoku. Między kartki zeszytu wsunięte były zdjęcia mężczyzny z rodziną. Na jednym widniał facet w mundurze pilota stojący przed samolotem w towarzystwie nastoletnich dzieci, córki i syna.

Popełnili błąd. Scot Harvath nie podawał się za Nicka Zuckera. Morrell polecił swoim ludziom odłożyć wszystko na miejsce i wyjść.

Byli w połowie korytarza, gdy zjawił się kierownik recepcji z dwiema dodatkowymi kartami.

– Poszperałem trochę dokładniej – zwrócił się do Morrella. – Zucker zameldował się wraz z innym mężczyzną, niejakim Burdikiem. Według formularzy meldunkowych obaj są pilotami tej samej firmy lotniczej. W tym samym czasie zameldował się też trzeci mężczyzna, Hans Brauner. Poinformował recepcjonistę z wieczornej zmiany, że zapłaci za pokoje pilotów, a także załatwił im grę w golfa i lunch na dzisiaj.

Pokój Burdica okazał się równie bezużyteczny jak pokój Zuckera, natomiast w tym, gdzie zatrzymał się rzekomy Hans Brauner, nie znaleźli zupełnie nic. Morrell wiedział jednak, że namierzyli Harvatha.

Zamiast fatygować recepcjonistę z wieczornej zmiany, by przyszedł do pracy, po prostu wysłali mu zdjęcie Harvatha e-mailem. Ten zaś telefonicznie potwierdził, że fotografia przedstawia mężczyznę, który zameldował się jako Brauner w towarzystwie dwóch pilotów.

Teraz Morrell wiedział, jakim pseudonimem posługuje się Harvath, a także jak podróżuje zarówno w powietrzu, jak i na lądzie. Korzystając z kontaktów w Langley, zdobył historię transakcji z kart kredytowych Zuckera, Burdica i Braunera.

Nie zdziwił się, gdy nie uzyskał żadnych informacji o Braunerze. Za to w wypadku Zuckera i Burdica rzecz się miała zupełnie inaczej. Wśród codziennych wydatków, jakich można się było spodziewać: rat spłacanych kredytów hipotecznych, zakupów w sklepach spożywczych i tym podobnych – natrafił na bardzo obiecujący trop. Dzień wcześniej Zucker wypożyczył na lotnisku samochód.

Nie dość, że wypożyczalnia należała do ogólnokrajowej sieci, to jeszcze Morrell wiedział, że firma używa systemu monitorowania swoich wszystkich pojazdów za pomocą GPS, co w biznesowej nowomowie nazywało się „zarządzaniem flotą". Wyglądało na to, że złapanie Harvatha nie będzie aż tak trudne.

113

Jak się okazało, w centrum Lake Geneva znajdowało się osiem biur nieruchomości, które zatrudniały cały tabun agentów. Analogia z przysłowiową igłą w stogu siana nawet w przybliżeniu nie oddawała trudności, z jakimi Harvath musiał się zmierzyć. Obejście wszystkich firm i odszukanie pracowników, którzy mogliby mieć w ciągu ostatnich dwóch dni kontakt z Roussardem vel Boesigerem, zajęło mu cały ranek i większość popołudnia.

Wyszedł z niczym ze wszystkich biur oprócz jednego, o nazwie Leif Realty, gdzie na szybie wisiała kartka z informacją, że firma jest tego dnia nieczynna i będzie otwarta jutro. Harvath zostawił mnóstwo wiadomości na poczcie głosowej Leif Realty i w końcu udało mu się zdobyć prywatny numer telefonu właścicielki od jednego z agentów nieruchomości z sąsiedztwa.

Dochodziła już czwarta po południu, gdy właścicielka, Nancy Erikson, oddzwoniła i powiedziała, że może się z nim spotkać w swoim biurze za piętnaście minut.

Kiedy Harvath się zjawił, Erikson otworzyła frontowe drzwi i wpuściła go do środka.

Biuro było bardzo małe, a wystrój przypominał wnętrze chatki nad jeziorem.

– Możliwość zamknięcia firmy na jeden dzień z osobistych powodów, zwłaszcza pod koniec sezonu, to jedna z zalet posiadania własnego biznesu – wyjaśniła Erikson, gdy włączyła automat do kawy Tassimo.

Wymieniła całą listę gorących napojów, jakie może zaproponować, lecz Harvath grzecznie odmówił. Erikson była jego ostatnim tropem i śpieszyło mu się, by wypytać ją o człowieka, którego ścigał.

– Wszystko załatwiał e-mailem. – Erikson wyciągnęła ze stosu papierów odpowiednie dokumenty. – Przypuszczam, że ponad siedemdziesiąt pięć procent zamówień otrzymujemy teraz na stronę internetową. Agent nieruchomości staje się prawie zbędny– dodała ze śmiechem.

– Może mi pani opowiedzieć o domu, który Boesiger wynajął? – poprosił.

Kobieta wyciągnęła broszurkę reklamową i podała ją Harvathowi.

– Fajne miejsce – zauważył, uważnie przyglądając się zdjęciom. Był to duży dom stojący nad samą wodą. – Wydaje się trochę duży jak na jedną osobę.

– Też tak pomyślałam, ale to charakterystyczne dla Europejczyków. Na ich kontynencie panuje taki ścisk, że jeśli już wybierają się na wakacje, chcą mieć przestrzeń do oddychania.

Harvath wątpił, by akurat tym motywem kierował się Roussard. Wybrał dom z jakiegoś innego powodu.

– Może mi pani pokazać, gdzie dokładnie przy jeziorze znajduje się posesja?

Erikson przesunęła się razem z fotelem do półek z książkami i wyciągnęła duży album o jeziorze Geneva. Otworzyła go i rozłożyła wkładkę z mapą. Jej palec zawisł nad północnym brzegiem jeziora, a potem energicznym ruchem wskazała konkretne miejsce.

– Dom znajduje się tu.

Obróciła album, pokazując go Harvathowi.

Jezioro Geneva było drugim pod względem głębokości jeziorem w Wisconsin. Miało dwanaście kilometrów długości, lecz w najszerszym miejscu mierzyło zaledwie niecałe trzy i pół kilometra. Jedna z możliwości, którą Scot brał pod uwagę, zakładała, że Roussard wybrał dom, z którego miałby najlepszy widok swojego celu. Harvath nie wykluczał ataku za pomocą pocisku rakietowego albo ręcznego granatnika przeciwpancernego, zwłaszcza że wiedział, iż jest to jeden z najgorszych koszmarów Secret Service, bo nie można się przed nim obronić.

Jednak gdy tylko zlokalizował na mapie klub Lake Geneva, który znajdował się przy południowym brzegu, odrzucił hipotezę „linii strzału". Porównał też położenie rezydencji wynajętej przez Roussarda względem domku Meg Cassidy i posiadłości Rodgera Cummingsa, przyjaciela prezydenta Rutlegde'a z akademika, u którego Rutledge zatrzymywał się zawsze, gdy przyjeżdżał nad jezioro. One też nie pasowały do scenariusza ataku rakietowego. Zatem bez względu na to, co Roussard zaplanował, nie dokona zamachu z obecnego miejsca pobytu.

Spojrzał znów na broszurę i zapytał:

– Ma pani więcej zdjęć tej rezydencji?

– Mam jeszcze kilka w Internecie. – Włączyła komputer. Kiedy kliknęła na podstronę z domem Roussarda, obróciła monitor, żeby Harvath mógł zobaczyć.

– Może pani kliknąć na wirtualne zwiedzanie posiadłości? – poprosił, gdy przewinęła już wszystkie statyczne zdjęcia.

Erikson była w połowie wyświetlania drugiej wirtualnej panoramy, gdy Harvath polecił jej zatrzymać obraz.

– Proszę trochę cofnąć.

Agentka nieruchomości przesunęła myszką, powoli pokazując panoramę w odwrotnym kierunku. Wreszcie Harvath powiedział:

– O tu, proszę zatrzymać.

Kamera była ustawiona na wypielęgnowanym trawniku nad brzegiem jeziora i dawała doskonały widok krótkiego pomostu przystani. Harvatha nie interesował jednak krajobraz, tylko kadłub luksusowej łodzi motorowej przycumowanej pod płócienną markizą w paski.

– Przez tę łódź o mało nie straciłam klienta. – Erikson przewróciła oczami.

– Jak to?

– Kiedy pan Boesiger przyjechał, musiałam mu wytłumaczyć, że zepsuł się przewód paliwowy i motorówkę trzeba zabrać do naprawy. Właściciele domu zaoferowali bardzo hojny upust ze względu na tę niedogodność, ale pan Boesiger koniecznie chciał mieć łódź i bardzo się denerwował, że jej nie ma. Znam rodzinę, która prowadzi w Fontanie punkt sprzedaży łodzi Cobalt, i zgodzili się wynająć mi jedną ze swoich najlepszych motorówek, żeby pan Boesiger miał porównywalną łódź na czas swojego pobytu.

Harvath nie wierzył własnemu szczęściu.

– Czyli na jak długo?

– Pan Boesiger zapłacił za wynajem do niedzieli, ale kiedy staraliśmy się załatwić mu nową motorówkę, powiedział, że zależy mu tylko na tym, by miał ją do dyspozycji już dziś.

114

Wychodząc z biura Leif Realty, Scot czuł, że odkrył zasadniczy element zaplanowanego przez Philippe'a Roussarda zamachu. Uderzenie miało przyjść od strony wody.

Na chwilę przed oczami mignęły Harvathowi sceny jakby wzięte z ataku na USS „Cole", w którego kadłub wbiła się łódź motorowa, ale szybko wykluczył podobną ewentualność. Roussard nie sprawiał wrażenia samobójcy, a gdy chodziło o gmach klubu Lake Geneva, to nie było jak go staranować. Budynek stał wysoko nad brzegiem, dodatkowo oddzielony drewnianymi pomostami, przy których cumowały łodzie.

Istniała możliwość, że Roussard załaduje motorówkę materiałami wybuchowymi i spróbuje zacumować ją jak najbliżej budynku klubu, ale musiałby ominąć kontrolę Secret Service, a to graniczyło z cudem. Agenci ochrony na długo przed przyjazdem prezydenta przeszukaliby dokładnie każdą z łodzi, zidentyfikowali właścicieli i prześwietlili ich życiorysy tak, jak robili to w przypadku wszystkich innych członków klubu.

Harvath wycofał samochód z parkingu i kierując się wskazówkami Nancy Erikson, pojechał do wynajętej posiadłości. Po drodze zastanawiał się nad każdym wyobrażalnym scenariuszem, który zakładałby zamach podczas ślubu Meg i to, że Roussard dysponuje szybką łodzią motorową.

Oddział komandosów SEAL, towarzyszący prezydentowi, ilekroć wizyta miała miejsce w pobliżu akwenu, będzie pilnował jeziora zarówno nad, jak i pod powierzchnią wody. Dodatkowo jezioro będą patrolować liczne łodzie pomocnicze, a te nie dopuszczą, by osoby niepowołane dopłynęły w pobliże klubu. Prosty atak w stylu kamikadze na pewno by się nie powiódł.

Dojechawszy do autostrady numer 50, Harvath skręcił w lewo i ruszył na zachód, równolegle do północnego brzegu jeziora. Coś musiało mu umykać: coś związanego z motorówką, ale nie miał pojęcia co.

Przy zabezpieczeniu całego obszaru wokół klubu w grę wchodził tylko taki atak, którego, gdy zostanie już zainicjowany, nic nie zdoła powstrzymać. Scot znów wrócił do pomysłu użycia jakiejś potężnej broni dalszego zasięgu, na przykład pocisku rakietowego Stinger albo granatnika przeciwpancernego.

Zerknąwszy na mapę, zauważył, że zbliża się do zjazdu prowadzącego do wynajętego przez Roussarda domu. Kiedy zobaczył tablicę informacyjną, zdjął nogę z gazu i włączył kierunkowskaz.

Parę chwil później jechał już brukowaną aleją ocienioną koronami wysokich dębów, rosnących w równych odstępach po obu stronach drogi.

Skupił całą uwagę na tym, co go teraz czekało. Przede wszystkim musiał powstrzymać się od zabicia Roussarda, aż dowie się, co tamten zaplanował.

Z tego, co wiedział, motorówka mogła nie mieć nic wspólnego z zamachem Roussarda, a tylko z jego ucieczką. Harvath nie mógł wykluczać na wstępie żadnej ewentualności.

Kiedy jechał łagodnie zakręcającą drogą, nie mógł zobaczyć ciemnego SUV-a, który właśnie skręcił za nim z autostrady.

115

Pół kilometra przed posiadłością Roussarda Harvath zauważył nieduży dom, który właśnie przechodził gruntowny remont. Ponieważ zbliżała się piąta, na miejscu nie było już żadnych robotników. Zjechał na wysypany żwirem podjazd i zaparkował. Resztę drogi zamierzał przebyć pieszo.

Wynajętą przez Roussarda rezydencję z trzech stron otaczały gęste lasy. Harvath postanowił podejść od tyłu, z naprzeciwka drogi.

Posuwał się tak szybko, jak mógł bez robienia zbytniego hałasu. Nie poruszało się nic oprócz chmary komarów, które zdawały się podążać za nim krok za krokiem.

Na skraju lasu przystanął. Z miejsca, gdzie się zatrzymał, widział cały tył i jedną boczną ścianę domu w stylu francuskiego château.

Roussard powiedział agentce nieruchomości, że jeździ lincolnem mark VII, lecz nie stał na podjeździe.

Wszystkie światła w środku były pogaszone, okna zamknięte. Tylko szum klimatyzatora mógł świadczyć o tym, że w domu przebywa człowiek. Harvath przystąpił do akcji.

Przekradł się przez las do miejsca najbliżej garażu, znalazł boczne drzwi i wyciągnął z kieszeni zestaw kluczy, które dostał od agentki nieruchomości.

Przykucnąwszy i schyliwszy się nisko, wyjął pistolet H&K, policzył do trzech i wyskoczył zza drzew.

Przemknął się szybko, uważając, żeby nie było go widać z żadnego z okien. Przy drzwiach wsunął klucz do zamka i otworzył je ostrożnie.

Pierwszą rzeczą, jaką zauważył, był lincoln Roussarda. Podszedł do samochodu i położył dłoń na masce, sprawdzając, czy ktoś ostatnio nim jeździł. Nie.

Minąwszy kolekcję kolorowych zabawek plażowych, ruszył po schodkach do drzwi, które prowadziły do domu. Nie spodziewał się, że będą zamknięte na klucz, i nie mylił się. Roussard jak większość ludzi wierzył, że brama do garażu stanowi dostateczną barierę obronną.

Powietrze wewnątrz domu było znacznie chłodniejsze niż w garażu i obmyło Harvatha orzeźwiającym powiewem, gdy wkradł się do środka i cicho zamknął za sobą drzwi. Znalazł się w korytarzyku tuż obok kuchni.

Przez dłuższy czas, który zdawał się ciągnąć w nieskończoność, stał bez ruchu, koncentrując się na wyrównaniu oddechu i nasłuchując najcichszego odgłosu ludzkiej obecności. Wyglądało na to, że Roussarda nie ma w domu.

Harvath zacisnął mocniej dłoń na pistolecie i zaczął pedantycznie przeszukiwać budynek. Z wyćwiczoną biegłością zaglądał do każdego pokoju po kolei, z bronią gotową do strzału.

Wszystkie pokoje okazały się puste. Na parterze nie dostrzegł ani śladu bytności Roussarda. Dotarł do wyłożonych dywanem schodów i wbiegł na górę, przeskakując po dwa stopnie. Nie mógł się już doczekać konfrontacji z Roussardem i zakończenia pościgu, który zaczął się w chwili, gdy Tracy została postrzelona.

Wchodził po kolei do wszystkich sypialni, zaglądając do szaf, łazienek i pod łóżka. Nic.

Dotarł do głównej sypialni i wreszcie zobaczył świadectwa, że Roussard rzeczywiście tu mieszkał. Łóżko było niezasłane, a umywalkę i kabinę prysznicową w łazience pokrywała wilgoć. Roussard musiał korzystać z nich nie dawniej niż rano, lecz garderoba okazała się pusta: nigdzie żadnej walizki, plecaka czy torby. Roussard przygotował się już do ucieczki, ale wydawało się to bez sensu: ślub miał być dopiero jutro. „Po co pakować ubrania, przybory toaletowe i wszystko inne na dzień przed czasem?"

Przeszklone drzwi balkonowe dawały widok na jezioro. Uwagę Scota natychmiast przykuł pomost przystani i brak motorówki Cobalt, którą Nancy Erikson załatwiła dla Roussarda.

Złe przeczucie ścisnęło Harvathowi żołądek.

Wycofał się tą samą drogą, którą przyszedł, jeszcze raz sprawdzając wszystkie pomieszczenia. Kiedy dotarł do garażu, uchylił drzwiczki lincolna od strony kierowcy i otworzył bagażnik.

W środku czekała na niego jaskrawoniebieska torba podróżna.

– Mam cię – powiedział.

Ale kiedy ją otworzył i przeszukał zawartość, zdał sobie sprawę, że nie ma właściwie nic. Ubrania, przybory toaletowe, wszystko najzupełniej zwyczajne. Nie dość, że w torbie nie znalazł żadnego dowodu winy, to jeszcze niczego, co sugerowałoby, jakie Roussard ma plany.

Zatrzasnął bagażnik i zamierzał już wrócić do domu, gdy spostrzegł duży plastikowy pojemnik na śmieci stojący przy bramie.

Podbiegł do niego i odrzucił pokrywę. Na dnie spoczywała biała torba ze śmieciami. Wyciągnął ją i zabrał ze sobą do jadalni.

Zgarnął wszystko ze stołu, rozerwał torbę i wysypał na blat zawartość. W słabnącym świetle popołudniowego słońca zaczął przebierać w małej kupce śmieci, które zebrały się podczas krótkiego pobytu Roussarda.

Były tam puste butelki po wodzie mineralnej, pojemniki po daniach odgrzewanych w mikrofalówce, popiół, pety i kilka pustych paczek gitane'ów. Wśród tego wszystkiego natknął się na broszurę firmy oferującej rejsy po jeziorze Geneva.

Wziął ściereczkę i wytarł reklamę do czysta. Na całym świecie w domach pod wynajem znajdowało się mnóstwo lokalnych gazetek i broszur informujących o walorach okolicy. Nic dziwnego, że właściciele tego domu też o to zadbali. Co jednak było w tej broszurze takiego, że Roussard ją wyrzucił?

Harvath pośpiesznie przewertował książeczkę, starając się odgadnąć jej szczególne znaczenie. Gdy zbliżał się do końca, zauważył, że jedna kartka ma zagięty róg. Nagle serce zamarło mu w piersi.

Tekst u góry głosił: „Wielki jacht »Polaris« został zbudowany w 1898 roku dla Ottona Younga, jednego z pierwszych milionerów, którzy odkryli walory jeziora Geneva. Zakosztuj luksusów tamtej epoki na pokładzie »Polarisa«, w otoczeniu oryginalnych mahoniowych i mosiężnych ozdób. Pokład jachtu pozwala rozkoszować się przyjemną bryzą, a w kabinie znajduje się przepiękny bar z mosiężnym blatem. Idealny na prywatne rejsy, możecie też Państwo zaprosić gości na jedyne w swoim rodzaju przyjęcie koktajlowe".

Harvath się mylił. Roussard wcale nie zamierzał zaatakować podczas ślubu, tylko dzień wcześniej, podczas bankietu po próbie generalnej.

Upuścił broszurę na stół, słysząc za plecami charakterystyczny trzask odwodzonego kurka. Chwilę później z kuchni dobiegł go głos Ricka Morrella:

– Nie ruszaj się, Scot. Nawet nie drgnij.

116

Milion pytań przebiegało Harvathowi przez głowę, a wśród nich to jedno, najważniejsze: Jak go, do cholery, znaleźli?

Wiedział, że próba negocjacji nie ma sensu. Morrella nie obchodziło, jak bardzo Scot zbliżył się do złapania Roussarda, i nie wzruszyłby go fakt, że Roussard właśnie w tej chwili przygotowuje się do następnego zamachu. Morrellowi przyświecał jeden cel: narzucić Harvathowi na głowę worek i zamknąć go w jakiejś ciemnej norze.

Jeśli Harvath nauczył się o życiu jednego, to tego, że najbardziej liczy się w nim wyczucie czasu, a Morrell zjawił się akurat w najmniej odpowiednim momencie.

Harvath padł na podłogę, znikając Rickowi Morrellowi i jego ludziom z oczu. Kiedy na czworakach wymknął się do salonu, w jadalni posypały się kule. Rozkazy Morrella były jasne: wziąć Harvatha żywego albo martwego.

Frontowe drzwi eksplodowały do środka, a Harvath puścił serię w futrynę, zmuszając ludzi Morrella na dworze do szukania osłony.

Wystrzelił jeszcze kilka razy w biegu, dopadł schodów i popędził na górę. Kiedy dotarł do głównej sypialni, usłyszał na schodach tupot goniących go ludzi.

Nie miał czasu na barykadowanie drzwi. Musiał utrzymać dotychczasową przewagę.

Przemierzył sypialnię, pozamykał garderobę i łazienkę, po czym wyszedł na balkon.

Sprawdził, czy na dole w ogrodzie nie ma ludzi Morrella, wskoczył na kamienną balustradę i podciągnął się na stromy spadzisty dach.

Łupkowe płytki prawie nie dawały zaczepienia. Stopy co rusz ześlizgiwały się, gdy schodził powoli w dół. Zamierzał zeskoczyć na dach garażu, a potem na ziemię, gdzie mógłby uciec z powrotem do lasu. Realizacja minęła się jednak z planem.

Trzy metry nad garażem nastąpił na luźną płytkę i stracił równowagę – tym razem na dobre.

Runął w dół, obijając się o krawędź dachu, zanim znalazł się w powietrzu. Usiłował skorygować ułożenie ciała w locie, lecz spadał zbyt szybko.

Wylądował na lewym boku, siła uderzenia wypchnęła mu z płuc powietrze. Pomimo grubej otuliny z mierzwy, gdyby upadł na głowę, kręgosłup złamałby mu się niczym zapałka. Miał szczęście, chociaż bynajmniej tak tego nie odczuwał.

Mimo że był oszołomiony i nie mógł złapać tchu, instynkt samozachowawczy przynaglał go do ucieczki.

Wziął wielki haust powietrza, starając się nasycić płuca tlenem. W tej samej chwili zauważył swój pistolet: leżał metr dalej na ziemi.

Podczołgał się do niego i gdy dotknął palcami zamka, poczuł, jak powietrze wraca mu do płuc.

Podźwignąwszy się na nogi, pobiegł pochylony w kierunku garażu. Kiedy tam dotarł, zatrzymał się i przywarł plecami do chłodnego kamiennego muru. Uniósł pistolet na wysokość piersi i zaryzykował zerknięcie za winkiel.

Dwaj ludzie Morrella już szukali go na dworze, a jeden szedł właśnie w jego stronę. Jednym słowem miał przerąbane.

117

Harvath miał tylko jedną szansę ucieczki: poddać Morrellowi i jego ludziom fałszywy trop, a żeby to zrobić, musiał załatwić jednego z nich.

Rozstawiwszy szerzej nogi, przykucnął i chwycił pistolet za lufę niczym młotek. Wszystko byłoby znacznie prostsze, gdyby zdecydował się zabić Morrella i jego zespół, ale to wciąż nie wchodziło w rachubę.

Nasłuchiwał. Wiedział, że facet jest tuż za rogiem, nie więcej niż dwa metry dalej, a mimo to nic nie słyszał.

Mięśnie piekły go z wysiłku, na czoło wystąpiły kropelki potu. Był jak za mocno napięta sprężyna, nie wytrzymałby w tej pozycji zbyt długo.

Nagle przed oczami mignęła mu barwna plama, gdy podkomendny Morrella wyjrzał pośpiesznie za róg garażu. Harvath wyskoczył.

Lewą ręką chwycił pistolet maszynowy przeciwnika i pociągnął. Jednocześnie zdzielił go kolbą w skroń na tyle mocno, że facet zobaczył gwiazdy, mnóstwo gwiazd.

Kolana natychmiast się pod nim ugięły, a Harvath zaciągnął go za winkiel.

Mierząc do niego z własnego pistoletu, zabrał mu MP5 z dodatkowym magazynkiem i przewiesił sobie broń przez ramię. W kaburze na biodrze facet nosił także glocka kaliber 40 milimetrów – Harvath pozbawił go również tej broni.

Agent miał w uchu małą słuchawkę tego samego typu, którego używa Secret Service. Harvath sprawdził kołnierzyk i znalazł mikroport, który był podpięty do krótkofalówki Midland przy pasie.

– Dam ci jedną szansę – szepnął Harvath. – Powiedz swoim, że jestem w lesie na północ od domu i uciekam w stronę drogi. Zrozumiałeś?

– Pierdol się – warknął tamten, mrugając półprzytomnie oczami.

Zdjąwszy MP5 z ramienia, Harvath przystawił facetowi lufę do krocza.

– „Jest w lesie na północ od domu i ucieka w stronę drogi" – powtórzył. – Mów, bo inaczej odstrzelę ci jaja.

Łypnąwszy nienawistnie na Harvatha, agent pokiwał głową.

Harvath wyciągnął rękę i wcisnął guzik nadawania.

Krzywiąc się z bólu, mężczyzna wyjąkał:

– Tu McCourt. Harvath jest w lesie na północ od domu. Ucieka w stronę drogi.

Harvath wyłączył krótkofalówkę, cofnął lufę i zdzielił faceta w bok głowy, pozbawiając przytomności.

Odczekał, aż usłyszał, jak ludzie Morrella przedzierają się z szelestem przez zarośla na północnym krańcu posiadłości, a potem popędził nad brzeg jeziora.

Kiedy biegł, przypomniały mu się słowa Jean Stevens. „O wpół do szóstej na przystani wsiadamy na statek, gdzie podczas rejsu odbędzie się koktajl, a potem oczywiście lądujemy w klubie na kolację".

Spojrzał na zegarek. Była już piąta trzydzieści dwie.

Nie przejmując się dłużej tym, że włączona komórka pozwoliłaby CIA ustalić jego miejsce pobytu, wyciągnął i włączył telefon. Gdy tylko uzyskał sygnał, zadzwonił na komórkę do Meg. Natychmiast odezwała się poczta głosowa. Zdał sobie sprawę, że Meg musiała wyłączyć aparat.

Jedyną inną osobą na pokładzie jachtu, jaką znał, była Jean Stevens, ale nie miał pojęcia, czy w ogóle ma telefon komórkowy.

Zastanawiał się, czy nie zadzwonić do centrali Secret Service, aby tamci ostrzegli agentów z obstawy Meg, lecz przedzieranie się przez kolejne szczeble hierarchii trwałoby zbyt długo.

Był jedyną osobą, która mogła powstrzymać Roussarda, ale aby tego dokonać, musiał się dostać na drugi kraniec jeziora.

Kiedy dotarł na brzeg, przystanął. Mógł pójść w prawo albo w lewo, lecz bez względu na obrany kierunek musiał znaleźć w pobliżu przystań z szybką motorówką. Gdyby wybrał źle, Meg Cassidy, a także obstawa Secret Service i wszyscy goście zginą.

Harvath wybiegł na koniec mola, żeby się lepiej rozejrzeć. Na wschodzie przez co najmniej kilometr ciągnęło się tylko puste wybrzeże, za to niecałe dwieście metrów na zachód zobaczył szereg krótkich pomostów, a przy kilku z nich motorówki. Na jednym nawet jakaś rodzina pakowała do łodzi wino i prowiant, przygotowując się do wieczornego rejsu.

Wyciągnął z kieszeni służbową legitymację i obrócił się, gotów od razu przedstawić się właścicielom i pożyczyć ich motorówkę, lecz w tym momencie ujrzał Ricka Morrella, który mierzył z MP5 dokładnie w jego głowę.

118

Zawsze za bardzo kombinowałeś – powiedział Morrell z pistoletem wymierzonym w Harvatha. – Gdzie McCourt?

– Śpi za garażem – odparł Harvath. – Słuchaj, Rick...

Morrell uniósł dłoń.

– Chłopcy chcieli cię zgarnąć w centrum Lake Geneva, kiedy szedłeś do samochodu, ale się nie zgodziłem. Za dużo ludzi. A teraz jednego z moich podkomendnych znokautowałeś, a resztę wyprowadziłeś w las. To się musi skończyć tu i teraz, zanim ktoś jeszcze ucierpi.

Harvath ruszył w jego stronę.

– Nie mamy na to czasu.

Morrell zareagował, puszczając wzdłuż pomostu serię ze swojego MP5. Ostatni pocisk utkwił zaledwie parę centymetrów od stóp Harvatha.

– Nie zbliżaj się i rzuć broń, natychmiast – rozkazał.

– Roussard właśnie przygotowuje się do zabicia Meg Cassidy.

– Roussard to nie mój problem. Rzuć broń.

– Zabił siostrzeńca Vaile'a, na litość boską. Gdybyś go załatwił, stałbyś się w Agencji bohaterem. Jezu, Rick. Znasz Meg. Wiesz lepiej niż ktokolwiek inny, ile zaryzykowała, gdy zgodziła się wtedy włączyć z nami do akcji. Nie obchodzi mnie, co ci naopowiadano, ale nie możesz pozwolić, żeby zabił ją jakiś pieprzony terrorysta.

– To się nie liczy. Nie jestem uprawniony do...

– Pierdolić uprawnienia. Tu chodzi o nas... o wszystkich, którzy wzięli udział w operacji przeciwko dzieciom Abu Nidala. Wiesz, kim jest Roussard?

Morrell pokręcił głową.

– Nie sądzę, żeby to coś zmieniło...

– Jest synem Adary Nidal, Rick. – Harvath znów wszedł mu w słowo. – Tu chodzi o zemstę. O odwet za to, co rzekomo jej zrobiliśmy. I właśnie dlatego zostawił Meg na sam koniec.

Morrella zalały tysiące wspomnień z przeszłości. Aż nazbyt dobrze pamiętał misję wyeliminowania Adary i jej brata, do której przed laty przydzielono go razem z Harvathem.

– Teraz liczy się tylko to – mówił Harvath – żebyśmy powstrzymali Roussarda. Potem sam założę sobie kajdanki, ale musimy się stąd szybko zbierać.

Morrell opuścił broń i zapytał:

– Jak?

119

Dziewięciometrowa motorówka cobalt, którą dostarczyła agentka nieruchomości, doskonale nadawała się do zadania, jakie Roussard jej wyznaczył.

Przymocowanie solidnego statywu do pokładu przy miejscach siedzących na rufie okazało się bardziej czasochłonne, niż się spodziewał, ale sobie poradził. Specjalnie frezowane płytki łączące stanowiły doskonałe podparcie dla broni.

Pierwotnie Roussard zamierzał zaczekać do ostatniej chwili, zanim ją zainstaluje, ale zobaczył, jak parę przystani dalej do domu wraca rodzina po wieczornej jeździe na nartach wodnych i ślizgach na „tubie", jednym z tych nadmuchiwanych balonów w fantazyjnych kształtach, które ciągnęło się za motorówką. Nazajutrz rano kupił podobną dużą, okrytą neoprenem „tubę" i przekonał się, że doskonale zakrywa broń na trójnogu.

Karabin M61A2 vulcan kaliber 20 milimetrów był napędzanym elektrycznie sześciolufowym działkiem, które potrafiło wypluwać z siebie ponad sześć tysięcy pocisków na minutę. Nie dość, że Meg Cassidy i wszyscy goście zostaną rozerwani na strzępy, zanim zorientują się, co się dzieje, to jeszcze to samo spotka osoby stojące na brzegu. „Polaris" też zostanie poważnie uszkodzony, prawdopodobnie zapali się i zatonie.

Wody jeziora Geneva zaczerwienią się od krwi, przynosząc spełnienie ostatniej plagi.

Adrenalina krążyła mu w żyłach, gdy z wyłączonym silnikiem kołysał się na wodzie w bezpiecznej odległości od klubu. Przez lornetkę obserwował, jak ostatni spóźnialscy goście wchodzą na pokład luksusowego parostatku cumującego na końcu przystani. Teraz to już tylko kwestia minut.

Wybrał idealne miejsce do ataku. Bar w jachtklubie Abbey Springs będzie pełen popołudniowych klientów, podobnie jak restauracja i taras. Poniżej tarasu, na klubowej plaży roić się będzie od grillujących rodzin i co wytrwalszych plażowiczów.

Oczami duszy widział przerażającą i krwawą scenę na „Polarisie", i za nim, na terenie Abbey Springs. Roussard aż drżał z oczekiwania.

Spojrzawszy jeszcze raz przez lornetkę, obserwował, jak ostatni goście Meg Cassidy wsiedli na pokład, a załoga zaczęła zdejmować cumy.

Woda była spokojna, a leciutkie podmuchy wiatru nie zakłócały równowagi łodzi. Wieczór nadawał się wprost doskonale do krwawej jatki, którą Philippe Roussard zaplanował. Uśmiechnął się, gdy pomyślał, jak dumna byłaby z niego matka. Prawie nie chciał, by to się skończyło, ale oczywiście musiało się skończyć. Po tym dniu wreszcie zacznie polowanie na Scota Harvatha.

Trzy przenikliwe piski gwizdka parowego „Polarisa" zasygnalizowały wypłynięcie z przystani. Roussard wyciągnął rękę i przekręcił kluczyk, uruchamiając silniki cytrynowo żółtego cobalta.

W ciągu dnia kilkakrotnie przećwiczył trasę. Gdy „Polaris" minie część Abbey Springs zwaną Klubem Harwardzkim, Roussard odkryje vulcana i ruszy do akcji. Kiedy dogoni Meg Cassidy i jej gości, statek będzie akurat przed jachtklubem i wtedy zacznie się prawdziwa zabawa.

Obserwując, jak „Polaris" przepływa obok niedużego fragmentu lądu noszącego nazwę Cypla Tęczowego, wrzynającego się w jezioro, Roussard słyszał śmiech i dzwonienie kieliszków przy akompaniamencie muzyki jazzowej.

Pasażerowie „Polarisa" bawili się nieświadomi tego, co miało się stać, a Roussarda rozpierało poczucie potęgi. Przesunął do przodu wajchę gazu i łódź przyspieszyła.

Rozejrzał się po innych łodziach i stwierdził, że jezioro wygląda tak samo jak przez ostatnie dwa dni. Nieliczne jednostki sił porządkowych patrolujące zwykle akwen były teraz zajęte przy klubie Lake Geneva, gdzie przygotowywano teren przed przybyciem prezydenta na ślub, który się nigdy nie odbędzie. Krótko mówiąc, Roussard miał niemal zagwarantowaną drogę ucieczki. A gdyby jakiś nadgorliwiec okazał się na tyle głupi, by ruszyć za nim w pościg, Roussardowi zostałoby dość amunicji, by posłać go na dno.

Widząc, że „Polaris" zbliża się do Klubu Harwardzkiego, Roussard zerknął pod „tubę", sprawdzając, czy broń jest ciepła i gotowa do strzału.

Zadowolony, że wszystko jest dokładnie tak, jak chciał, wyprostował się i zaczął znowu przyspieszać.

Kiedy „Polaris" zrównał się z pomostem pływackim Klubu Harwardzkiego, Roussard wyrzucił „tubę" za burtę i pchnął wajchę gazu do oporu.

Dziób cobalta uniósł się już po chwili. Kiedy kadłub zaczął się ślizgać po powierzchni wody, łódź rozpędziła się niczym odrzutowiec startujący z lotniskowca.

Już wcześniej tego dnia wypróbował maksymalną prędkość motorówki, ale wrażenia były nieporównywalne z tym, czego doznawał teraz. Podniósł się z fotela, czując się tak, jakby stawał się jednością ze swoją łodzią. Razem z vulcanem stanowili idealną maszynę do zabijania.

Roussard patrzył, jak odległość między nim a nieświadomymi niczego ofiarami na pokładzie sunącego powoli „Polarisa" maleje.

Kiedy znalazł się w promieniu tysiąca metrów od statku, zaczął odliczać. Siedemset metrów, sześćset, pięćset.

Gdy motorówka pruła wodę, pokonując ostatnie kilkaset metrów, korciło go, by wydać bojowy okrzyk swoich przodków. Widział już, że pasażerowie „Polarisa" zaczynają go zauważać. Na ich twarzach pojawiło się najpierw zdziwienie, a potem strach, gdy zdali sobie sprawę, co się dzieje, i pojęli swoją bezradność.

Znalazł się w odległości niecałych stu metrów od miejsca, gdzie musiał zatrzymać łódź, żeby stanąć za vulcanem. Siedemdziesiąt pięć metrów. Teraz pięćdziesiąt!

Gdy zdławił gaz, z zaskoczeniem stwierdził, że silniki nie ucichły. Przeciwnie, ryczały coraz głośniej.

Po ułamku sekundy zabójca pojął, co się dzieje, ale wtedy było już za późno.

120

Smukły kadłub jaskrawoczerwonej motorówki typu Cigarette przeciął cobalta niczym nóż. W chwili gdy Roussard zorientował się, co się dzieje, było już za późno. Zdążył tylko zasłonić rękami twarz, nim doszło do zderzenia.

Pasażerowie na pokładzie „Polarisa" zaczęli krzyczeć, gdy tylko spostrzegli, że czerwona motorówka nie robi nic, by uniknąć kolizji z żółtym cobaltem.

Hałas zderzenia przyprawiał o mdłości. Włókno szklane rozdarło się i rozpękło na kawałki, gdy smukła motorówka przebiła się przez kadłub ofiary, zaszorowawszy o rufę „Polarisa", i popędziła dalej. Czerwona łódź zatrzymała się dopiero na zboczu pagórka, przy samym brzegu Klubu Harwardzkiego.

Pierwsze, co Harvath usłyszał, gdy się ocknął, to przeraźliwe krzyki z „Polarisa". Krew skapywała mu do prawego oka, a gdy podniósł rękę, wymacał na czole rozcięcie długości kilku centymetrów. Spojrzał w lewo, szukając wzrokiem Morrella. Ale Ricka nie było, impet zderzenia musiał wyrzucić go w powietrze jak z katapulty.

Spod pokrywy silnikowej buchał dym. Harvath wyłączył silniki i wirujące z dzikim piskiem śruby umilkły. Wygramolił się z łodzi, rozejrzał jeszcze raz w poszukiwaniu Morrella i znalazł go leżącego przy skalnej ścianie ponad dziesięć metrów dalej. Był półprzytomny, a Scot wiedział, że nie należy go podnosić. Powiedział tylko Morrellowi, żeby się nie ruszał, a on wkrótce sprowadzi pomoc.

Nie przyznał się tylko, że najpierw musi zrobić coś innego.

Przy końcu przystani Klubu Harwadzkiego widział dwie połówki łodzi Roussarda, które odwrócone do góry dnem kołysały się, ledwo widoczne nad linią wody. Nie zważając na rozdzierający ból rany w głowie, Harvath rzucił się biegiem w stronę mola, popędził przez pomost i wskoczył do wody.

Kiedy się zanurzył, otworzył oczy i zaczął szukać Roussarda. Nie wypływał na powierzchnię aż do momentu, gdy musiał zaczerpnąć tchu. Krążąc wokół wraku w poszukiwaniu terrorysty, ignorował piekący ból, gdy do rany dostała się benzyna.

Miał już znowu zanurkować, kiedy siedemdziesiąt parę metrów dalej usłyszał kaszlnięcie. Dobiegło spomiędzy przycumowanych łodzi. Płynąc jak najciszej, Harvath ruszył w tamtą stronę.

W Fontanie zawyła przeciągle syrena, wzywając policję, ochotniczą straż pożarną i ratowników.

Niedostrzeżony przez nikogo Harvath zbliżył się do żaglówki, a potem wziął głęboki wdech i zanurzył się znów pod powierzchnię.

Kiedy znalazł się pod ciężkim, nieskładanym kilem, poniósł wzrok i zobaczył parę nóg poruszających się niezdarnie w wodzie. Wyciągnął z kieszeni nóż benchmade, nacisnął guzik w rękojeści i wysunął ostrze.

Niczym rekin krążący wokół zdobyczy, Harvath wykonał pod wodą pętlę i wynurzył się cicho za plecami ofiary.

Roussard musiał wyczuć jego obecność, bo obrócił się gwałtownie. Jego oczy były okrągłe ze strachu, krew płynęła mu z nosa i uszu. Zakaszlał, wypluwając strugę posoki. Kiedy Harvath przygotował się do ciosu, zauważył, że jedna z gałek ocznych Roussarda musiała się oderwać od mięśni, bo nie poruszyła się razem z drugą.

Dla tego terrorysty, zabójcy niewinnych mężczyzn i kobiet, Harvath nie miał w sercu litości. Roussarda nie dotyczyła możliwość poprawy i resocjalizacji, a Scot wiedział, że dla amerykańskich podatników najlepiej będzie, jeśli nie dopuści, by terrorysta kiedykolwiek stanął przed sądem, by przeżyć następnych dwadzieścia lat na garnuszku państwa w jakimś więzieniu, odwołując się od wyroku do kolejnych instancji.

Jednym płynnym ruchem poderżnął Roussardowi gardło, ostrze rozcięło miękkie tkanki, nie natrafiając na większy opór. Za przelaną krew płaci się przelaną krwią, powiedział w duchu.

Patrząc, jak tamten umiera, zdał sobie sprawę, że popełnił błąd. Ostry jak brzytwa nóż prawdopodobnie nie sprawił Roussardowi bólu. Śmierć z wykrwawienia była dla niego za dobra. Harvath chciał, żeby terrorysta zasmakował cierpienia i strachu, jakie zgotował wcześniej swoim ofiarom.

Podpłynął do Roussarda od tyłu, chwycił go oburącz za barki i wepchnął pod wodę.

Morderca miotał się gwałtownie przez prawie minutę. Potem jego ciało zwiotczało: był martwy.

121

Harvath pozostał z Rickiem Morrellem aż do przybycia karetki. Chociaż agent CIA zarzekał się, że nic mu nie jest, sanitariusze założyli mu kołnierz usztywniający, położyli na noszach i zawieźli do szpitala na obserwację. Kiedy Morrell odjechał, Scot ruszył z powrotem na brzeg.

„Polaris" zacumował na końcu przystani Abbey Springs, a gdy Todd Kirkland zobaczył zbliżającego się Harvatha, był przekonany, że szykuje się rozróba. Ten jednak nie podszedł ani do niego, ani do Meg. Rozmówił się krótko z dwoma agentami Secret Service, a potem wziął za rękę Jean Stevens i odprowadził ją na bok.

Wrócili na piechotę do jej domku po ubrania na zmianę i samochód, a potem Jean zawiozła Harvatha do hotelu Abbey. Wciąż przemoczony do suchej nitki, przykuwając zdumione spojrzenia obsługi w recepcji, Harvath poszedł bez słowa do swojego pokoju.

Zadzwonił do pilotów i polecił im, aby za pięć minut byli gotowi do drogi, a potem szybko przebrał się w pożyczone rzeczy. Gdy Jean Stevens wiozła ich na lotnisko, Harvath poinformował Zuckera i Burdica, że lecą do Dystryktu Kolumbii. Miał tylko nadzieję, że zdąży, zanim rodzice Tracy odłączą ją od aparatury.

Kiedy samolot wylądował, w Waszyngtonie padało. Przez ociekające strugami deszczu szyby taksówki w świetle miejskich latarni zauważył, że liście na drzewach zaczęły już żółknąć. Lato oficjalnie się skończyło.

Wszedł na oddział intensywnej terapii, gdzie pierwsza spostrzegła go Laverna.

– Usiłowałam się do pana dodzwonić. Nie dostał pan żadnej z moich wiadomości?

Harvath pokręcił głową.

– Od paru dni byłem niedostępny. Jak Tracy?

Pielęgniarka chwyciła go za ramię.

– Dziś po południu rodzice podjęli decyzję o odłączeniu jej od respiratora.

Emocje, które w nim wezbrały, przytłoczyły go, a zmęczenie sprawiło, że nie miał siły z nimi walczyć. Nie mógł uwierzyć, że Bill i Barbara Hastingsowie to zrobili. Mogli byli przynajmniej zaczekać do jego powrotu. Łzy zakręciły mu się w oczach, a on nie starał się nawet ich ukryć.

– Jest silna – stwierdziła pielęgniarka – i waleczna.

Harvath nie rozumiał, o co chodzi. Po prostu patrzył na nią oszołomiony.

– Tracy żyje.

Odwrócił się i odszedł pośpiesznie od dyżurki.

Kiedy wszedł do pokoju Tracy, jej rodzice podnieśli wzrok. Nie wiedzieli, co powiedzieć.

Zignorował ich, podszedł do łóżka i wziął Tracy za rękę. Uścisnął ją i powiedział:

– To ja, kochanie, Scot. Już jestem.

Poruszyła się lekko i w pierwszej chwili Harvath pomyślał, że tylko mu się zdawało. Lecz potem Tracy znów uścisnęła mu dłoń. Wiedziała, że Scot tu jest.

W tym momencie wszystkie tamy puściły. Wtulił twarz w jej włosy i gdy znów ścisnęła mu rękę, rozpłakał się.

122

Jerozolima

Trop wiodący do osoby, która stała za Philippe'em Roussardem i pociągała za sznurki, zaprowadził Harvatha najpierw do Dei Glicini e Ulivella, ekskluzywnej prywatnej kliniki we Florencji, gdzie trafiła seria wypłat z tajnego konta matki Roussarda w banku Wegelin.

Nie wiedział, czego się spodziewać. Gdzieś w głębi duszy wyobrażał sobie, że znajdzie czekającą na niego w szpitalnym łóżku ciężko poparzoną Adarę Nidal i natychmiast rozpozna jej srebrzyste oczy osadzone w masce zeszpeconej bliznami twarzy.

W zamian odkrył, że pieniądze nie były przeznaczone na leczenie Adary Nidal, lecz pacjenta płci męskiej, którego nazwiska Harvath nigdy wcześniej nie słyszał, a który niedawno wypisał się z kliniki i wyjechał.

Wszystkie przypuszczenia Harvatha okazały się chybione. To nie Adara zorganizowała wypuszczenie Roussarda z Guantanamo i jego późniejsze zamachy w Stanach Zjednoczonych. Za sznurki pociągał ktoś inny – mężczyzna z fałszywym nazwiskiem, który po prostu zniknął.

Harvath pomyślał najpierw o Hashimie, bracie Adary i stryju Philippe'a. Lecz gdy dyrektor szpitala oprowadził Harvatha po opuszczonym przez pacjenta pokoju i zaprosił do własnego gabinetu, Scot zdał sobie sprawę, jak bardzo się pomylił, posądzając Adarę albo jej brata o czyny potwora, jakim stał się Philippe Roussard. Na kredensie za biurkiem dyrektora stał przedmiot, który sugerował zupełnie inną osobę – kogoś znacznie bardziej wyrafinowanego i skrzywionego psychicznie, a zarazem posiadającego wystarczające wpływy, by upozorować własną śmierć już po raz drugi.

Kiedy zapytał o przedmiot na kredensie, dyrektor wyjaśnił, że to prezent od pacjenta, którego Scot szuka. Harvath wiedział już, o kogo chodzi.

Taksówka Harvatha zatrzymała się przed starą trzypiętrową kamienicą w modnej dzielnicy Jerozolimy, Ben Jehuda. Sklep na parterze miał dwie witryny, a na wystawie mnóstwo starych mebli, obrazów i lamp. Na pozłacanym szyldzie nad wejściem widniał napis: „Antyki znad Tamizy i Cherwell" z hebrajskim i arabskim tłumaczeniem nazwy.

Przybycie Harvatha oznajmił mosiężny dzwoneczek nad drzwiami.

W słabo oświetlonym sklepiku zobaczył mnóstwo tkanin, mebli i starych bibelotów. Wszystko wyglądało dokładnie tak jak przed laty, gdy zjawił się tu po raz pierwszy.

Zbliżył się do wąskich mahoniowych drzwi i pociągnął je do siebie, otwierając mały, wyłożony drewnem wagonik windy. Wcisnął guzik w środku, drzwi się zamknęły i winda ruszyła w górę.

Kiedy dotarła na najwyższe piętro, drzwi otworzyły się, ukazując długi korytarz wyściełany wzorzystym orientalnym dywanem. Na ścianach pomalowanych na ciemnozielono wisiały oprawione ryciny, które przedstawiały sceny polowania na lisy, ruiny gotyckich klasztorów i wędkarzy.

Idąc przez korytarz, Harvath przypomniał sobie, że co kilkadziesiąt centymetrów rozmieszczone są czujniki na podczerwień, i zgadywał, że pod dywanem wciąż znajdują się płytki wrażliwe na nacisk stóp. Ari Schoen traktował środki bezpieczeństwa niezwykle poważnie.

Na końcu korytarza znalazł się w dużym pokoju oświetlonym jeszcze słabiej niż sklepik na parterze. Pomieszczenie było pod sufit wyłożone boazerią z tego samego szlachetnego drewna co winda. Kominek, stary stół bilardowy i rozłożyste skórzane fotele nadawały mu raczej wygląd salonu w brytyjskim klubie dla dżentelmenów niż gabinetu nad sklepem w zachodniej Jerozolimie.

Na stalowym, sterowanym elektrycznie szpitalnym łóżku przy oknach zaciągniętych ciężkimi jedwabnymi zasłonami leżał sam Schoen.

– Wiedziałem, że prędzej czy później zjawi się tu jeden z was – powiedział, gdy Harvath wszedł do pokoju. Był jeszcze bardziej zeszpecony niż wcześniej, resztki warg ledwo wymawiały słowa dobywające się ze zwęglonej dziury ust. – Przypuszczam, że Philippe nie żyje.

Harvath pokiwał głową.

– Skąd wiedziałeś, że to ja?

– Poprzez konto Adary w Wegelinie.

– Opłaty za leczenie – mruknął Schoen otoczony szumiącą aparaturą medyczną. – Myślę, że kłamiesz, agencie Harvath. Zarejestrowałem się w klinice pod zupełnie czystym pseudonimem. Nie zostawiłem absolutnie żadnych śladów. Nigdy wcześniej nie używałem tej tożsamości, nie korzystałem z niej również później.

– Nie pseudonim cię zdradził, tylko whisky – odparł Harvath, skinąwszy na antyczny barek w kształcie globusa. – Black bowmore 1963. „Czarna jak smoła", powiedziałeś mi kiedyś. Musiałeś bardzo wysoko cenić dyrektora szpitala, że dałeś mu w prezencie taką whisky.

Schoen machnął lekceważąco ręką, jakby chodziło o zupełny drobiazg.

– Jesteś bystrzejszy, niż myślałem.

– Opowiedz mi o pozostałych więźniach zwolnionych z Guantanamo. Co cię z nimi łączyło?

– Nie zachodził żaden związek – rzekł Schoen ze śmiechem. – Właśnie w tym rzecz. Ci czterej mieli tworzyć tylko szum informacyjny, w którym Philippe mógł się ukryć. Zostali wybrani na chybił trafił, żeby ludzie z waszych agencji rządowych mieli się nad czym głowić.

– A plan zamachów na dzieci?

– Niezbyt szczęśliwy, lecz nadzwyczaj skuteczny czynnik motywujący. Kiedy odkryłem, że mam wnuka, nawiązałem z nim kontakt, ale nasze stosunki były, co zrozumiałe, dosyć napięte. Nie chciał mieć ze mną nic wspólnego, lecz gdzieś w głębi pojmował, że obaj nie mamy żadnej rodziny oprócz siebie. – Kiedy został schwytany i osadzony w Guantanamo, postanowiłem poruszyć niebo i ziemię, żeby go stamtąd wydostać.

Powoli całe to szaleństwo zaczęło nabierać sensu.

– Chcę znać nazwiska ludzi, którzy porwali szkolny autobus i zabili kierowcę. Musisz mi również powiedzieć, które autobusy szkolne zamierzaliście jeszcze porwać.

Schoen patrzył na niego przez chwilę.

– Porwanie autobusu w Karolinie Południowej było jedynym, jakie zaplanowaliśmy. Żadnych innych. Zdjęcia, które miały świadczyć, jakobyśmy rozpracowali możliwość innych zamachów, to tylko argument skłaniający wasz rząd do uległości, nic więcej.

Jego twarz wykrzywiały skurcze i spazmy, które sprawiały, że Scot nie mógł nic z niej wyczytać.

– Skąd mogę wiedzieć, że nie kłamiesz?

– Nie możesz – odparł Schoen. – Tylko czas to pokaże.

– A co z nazwiskami ludzi, którzy dokonali porwania?

– Zabiorę je do grobu – odrzekł Izraelczyk.

Harvatha nie zaskoczyła ta odpowiedź, ale inni mogli później podjąć ten trop. W tym momencie nurtowały go inne pytania. Zerknąwszy na oprawione w srebrne ramki zdjęcia na stoliku obok łóżka, zapytał:

– To dlaczego ja? Dlaczego wziąłeś na cel mnie i moich bliskich?

– Ponieważ Philippe pragnął zemścić się na człowieku odpowiedzialnym za śmierć matki.

– A tym był jego własny stryj, Hashim.

– Ale Hashim nie żył. Sama myśl, że to ty ponosisz za wszystko winę, napełniała go wściekłym gniewem. Gniew jest bardzo potężnym uczuciem. Ogarnięty nim człowiek traci nad sobą panowanie. A kto nad sobą nie panuje, staje się podatny na kontrolę innej osoby.

– Więc zwaliłeś winę na mnie – podsumował Harvath.

– Jak powiedziałem, nie było w tym nic osobistego.

Harvath popatrzył mu w twarz.

– A co ty z tego wszystkiego miałeś?

Schoen usiadł prosto na łóżku i syknął:

– Zemstę!

123

Zemstę? Na kim? Na mnie?

– Nie – wymamrotał Schoen. – Na matce Philippe'a.

– Za co? Za pierwszy raz, gdy Nidalowie próbowali wysadzić cię w powietrze, czy za drugi?

– Za to, że odebrała mi syna – odparł, opadając na poduszki.

– Ale Adara Nidal już nie żyła – zauważył Harvath, który zaczął się zastanawiać, czy Roussard nie odziedziczył swoich zaburzeń psychicznych raczej po dziadku niż po matce.

– To nie miało dla mnie znaczenia. Gdyby udało mi się zwrócić jej syna przeciwko niej i sprawić, by włączył się w walkę o naszą sprawę, byłaby to najsłodsza zemsta.

– Jak mogłeś się spodziewać, że Arab, a do tego Palestyńczyk, wyrzeknie się islamu i stanie w walce po stronie Izraela?

– Zapominasz, że po śmierci mojego Daniela studiowałem wszystkie dostępne informacje o Abu Nidalu, jego organizacji, a przede wszystkim o jego rodzinie. Wiedziałem o nich więcej, niż oni wiedzieli o sobie. Philippe'owi brakowało męskiego wzorca osobowego.

– I uznałeś, że staniesz się dla niego takim wzorcem? – zakpił Harvath.

– W jego żyłach krążyła moja krew, krew mojego Daniela. Był w połowie Izraelczykiem, więc wierzyłem, że uda mi się przemówić do tej części jego dziedzictwa. Ale zanim mógłby mnie wysłuchać...

– Musiał wyładować złość, zabijając mnie – stwierdził Harvath, kończąc zdanie za niego.

– Dokładnie. Ale nie pragnął tylko twojej śmierci. Chciał, żebyś cierpiał. Chciał, żebyś poczuł ból, który on odczuwał po stracie matki. Wiedziałem, że mogę wykorzystać ten gniew, by zbliżyć go do siebie.

– A plagi i realizowanie ich w odwrotnym porządku?

Schoen dostał zadyszki i upłynęła chwila, zanim złapał oddech.

– Plagi stanowiły hołd dla jego matki, która jako terrorystka poświęciła życie, próbując rozpętać świętą wojnę przeciwko Izraelowi. W swoich zamachach często przywoływała żydowskie symbole. A jeśli chodzi o odwrócenie porządku plag, to na pewno pojąłeś już, jak skrzywiony psychicznie był Philippe. Uważał, że pierwsza plaga jest najbardziej wstrząsająca i dramatyczna, więc realizując je na wspak, odgrywał przeciwieństwo Boga, a więc diabła, a zarazem zachował swoją ulubioną plagę na sam koniec.

– I myślałeś, że uda ci się przeprogramować tego potwora?

– Przez jakiś czas, owszem. Gdyby udało mi się go przekonać do wypełniania moich poleceń, nie tylko wziąłbym odwet na Adarze, ale też w pewnym stopniu odzyskał syna. Ostatecznie jednak zdałem sobie sprawę, że jest nie do opanowania i prawdopodobnie na koniec zwróci się także przeciwko mnie. Dlatego opuściłem klinikę we Włoszech i tu wróciłem.

Facet był absolutnie żałosny. Harvath lekko pokręcił głową i ruszył do wyjścia.

– A ty dokąd? – zapytał z wyrzutem Schoen.

– Wracam do domu – odparł Harvath, który miał nadzieję, że już nigdy w życiu nie ujrzy zeszpeconej twarzy Ariego Schoena.

Schoen parsknął śmiechem.

– Nie masz nawet odwagi, żeby wyciągnąć pistolet i mnie zabić.

– Po co miałbym to robić? Szkoda na ciebie kulki. A jeśli chodzi o odwagę, gdybyś miał jej choć trochę, sam byś się zastrzelił. Życzę ci długiego życia, to będzie dla ciebie największa kara. – Harvath odwrócił się i wyszedł z pokoju.

Wychodząc ze sklepu, zauważył czarnego SUV-a z przyciemnionymi szybami, który stał po przeciwnej stronie ulicy. Samochód wydał mu się dziwnie nie na miejscu.

Sięgnął pod marynarkę, jego dłoń zatrzymała się tuż nad kolbą pistoletu.

Tylna szyba SUV-a opuściła się częściowo i w morzu czerni nagle błysnęła biel. Najpierw pojawił się długi biały pysk, a potem para czarnych oczu i długie białe uszy.

Harvath przeszedł przez jezdnię i wyciągnął dłoń, żeby pies mógł ją powąchać. Kiedy podrapał Argosa za uchem, szyba opuściła się do końca.

– Wizyta się udała? – zapytał Troll, który siedział między parą swoich owczarków kaukaskich na tylnej kanapie.

– Witaj, Mikołaju. Dlaczego nie jestem zaskoczony, że cię tu widzę?

– Mamy niedokończone sprawy.

Harvath cofnął dłoń.

– Nie, nieprawda. Spełniłem swoją obietnicę. Pomogłeś mi dorwać Roussarda, więc cię nie zabiłem.

– Chcę dostać z powrotem wszystkie dane i resztę pieniędzy – powiedział Troll. – Wszystko, bez wyjątku.

Facet miał jaja, i to duże.

– A ja chcę, żebyś zwrócił życie mojemu przyjacielowi Bobowi i reszcie Amerykanów zabitych w Nowym Jorku. Wszystkim, bez wyjątku.

Troll odchylił się do tyłu i przyznał:

– *Touché.* – Powoli spojrzenie karła powędrowało w kierunku mieszkania nad sklepem z antykami. – A co z Schoenem? – zapytał. – Zabiłeś go?

Scot pokręcił głową.

– Nie.

– Po wszystkim, co ci zrobił. Dlaczego?

Harvath zamyślił się na chwilę.

– Śmierć byłaby dla niego zbyt dobra.

– Doprawdy? – Troll uniósł brew. – Dziwię się, że tak to odczuwasz.

– Gdybyś zobaczył, jakim jest teraz wrakiem, na pewno byś zrozumiał. Życie będzie dla Schoena znacznie okrutniejszą karą. Przeżył już dwie eksplozje.

Troll wyciągnął beżowe plastikowe pudełeczko, wysunął antenę i wcisnął czerwony guziczek.

– To może do trzech razy sztuka.

Siła wybuchu rozbiła szyby w oknach mieszkania na górze i wstrząsnęła całym budynkiem. Odłamki szkła i gruz posypały się na ulicę.

Harvath podźwignął się z ziemi w samą porę, by ujrzeć, jak wóz Trolla znika w oddali.

124

Harvath konsekwentnie odrzucał zaproszenia prezydenta do Białego Domu.

Oczyszczono go z zarzutów zdrady stanu, lecz Rutledge mimo to nalegał na poważną rozmowę w cztery oczy, aby mogli wyjaśnić sobie nieporozumienia i zapomnieć o przeszłości.

Scot okazał się przynajmniej na tyle taktowny, by nie odmawiać prezydentowi bez wytłumaczenia. Tracy mieszkała u niego, odkąd wypisano ją ze szpitala i Harvath opowiadał wszystkim, że zajmowanie się nią i wracającym do zdrowia szczenięciem pochłania go bez reszty przez całą dobę.

Prezydent wiedział, że agent kłamie, ale nie miał o to pretensji. Harvath wiele ostatnio przeszedł. Przetoczył się po nim przysłowiowy walec, a Rutledge nie tylko mu nie pomógł, lecz na dodatek zabronił mu ruszać się z miejsca.

Nie mógł winić Harvatha za to, że ten nie chce się z nim spotkać, ale uznał, że co za dużo, to niezdrowo. Zadzwonił więc do Gary'ego Lawlora i w niedwuznacznych słowach oznajmił mu, że do wieczora chce zobaczyć Harvatha w Gabinecie Owalnym, albo sam Lawlor gorzko pożałuje.

Jak na wiernego żołnierza przystało, Lawlor kazał asystentowi odwołać wszystkie umówione na ten dzień spotkania, a sam pojechał po Scota.

Kiedy dotarł do Bishop's Gate, nie zobaczył samochodu Harvatha przed domem. Uznał, że pojechał pewnie po żywność lub leki dla Tracy albo psa, którego nazwali Bobby na cześć wspólnego przyjaciela, Wystrzałowego Boba, który zginął podczas zamachów terrorystycznych na Nowy Jork.

Lawlor zaparkował wóz i wszedł po schodkach na ganek. Spoglądając na futrynę, po raz enty zastanawiał się, jak musiał się czuć Harvath, gdy znalazł przed drzwiami leżącą w kałuży krwi Tracy. Był to okropny widok i Lawlor usiłował się z niego otrząsnąć, gdy podniósł ciężką żelazną kołatkę i zapukał.

Czekając, zamyślił się nad ironią faktu, że Harvath mieszka w dawnym kościele. Biedak stał się wiernym pątnikiem pielgrzymującym do ludzi skrzywdzonych przez Roussarda. Wielokrotnie odwiedzał w Kalifornii matkę, której powoli wracał wzrok, i dopilnował, by miała jak najlepszą opiekę, gdy wróciła do domu. Tak często, jak tylko mógł, składał szpitalne wizyty Carolyn Leonard i Kate Palmer w Dystrykcie Kolumbii i dbał o to, by w ich pokojach nigdy nie zabrakło świeżych kwiatów, aż do momentu gdy zostały wypisane do domów, kiedy to bombardował je kolejnymi bukietami i koszami smakołyków. Nie bacząc na to, co mówili mu inni, Harvath nie chciał przestać. Była to pokuta, którą sobie narzucił, i póki dręczyły go wyrzuty sumienia, nikt nie mógł go powstrzymać.

Kiedy wyszło na jaw, że Kevin McCauliff na prośbę Scota użył komputerów NGA wbrew regulaminowi, młody analityk stanął przed groźbą dyscyplinarnego zwolnienia. Harvath poruszył niebo i ziemię, powołując się na wszelkie przysługi i wykorzystując wszystkie swoje wpływy, by odwołano zarzuty. Ostatecznie McCauliff odszedł z Agencji za porozumieniem stron, a już nazajutrz Tim Finney i Ron Parker zaproponowali mu pracę w Sargas.

Lawlor zapukał w ciężkie drewniane drzwi jeszcze raz, ale wciąż nikt nie odpowiadał. Nie usłyszał nawet szczekania Bobby'ego.

Wiedząc, gdzie Harvath trzyma zapasowy klucz, wydobył go ze skrytki i otworzył drzwi.

– Halo? – zawołał, wetknąwszy głowę do środka. – Jest tu kto?

Odczekał, lecz wciąż nikt nie odpowiadał. Wszedł do domu i zamknął za sobą drzwi.

Najpierw zajrzał do kuchni i spostrzegł, że wszystko jest wyczyszczone i uporządkowane. Zwykle na blatach stało mnóstwo garnków, talerzy i szklanek, ponieważ Scot i Tracy podejmowali jedno kulinarne wyzwanie za drugim. Coś tu nie tak, pomyślał.

Otworzył lodówkę, żeby wziąć sobie piwo, ale była zupełnie pusta. Kompletnie nic się nie zgadzało.

Przeszedł do dużego pomieszczenia, które pełniło rolę salonu. Tu też panował przykładny porządek.

Nagle Lawlor zauważył coś na kamiennej półce nad kominkiem. Kiedy podszedł bliżej, rozpoznał służbową komórkę i legitymację Harvatha. Obok leżała kartka złożona na pół.

Rozłożył ją i przeczytał lapidarną wiadomość z trzech słów:

„Jesteśmy na rybach".

Podziękowania

Moja piękna żona Trish dała mi jasno do zrozumienia, że tym razem powinienem na pierwszym miejscu podziękować czytelnikom. Oczywiście, ma rację (zawsze ma rację, jak zdążyłem się przekonać), ale z drugiej strony, jaki byłby ze mnie mąż, gdybym nie podziękował jej pierwszej? Nie potrafię nawet zliczyć, ile razy po pracy przychodziła wieczorem do domu tylko po to, by z radością nakarmić i wykąpać nasze dzieci, tak abym ja mógł dalej pisać. Dziękuję ci, kochanie. Kocham cię ponad wszystko.

Chciałbym teraz podziękować wam, czytelnikom. Zawsze z przyjemnością spotykam się z wami podczas promocji, na targach książki i na wieczorkach literackich w całym kraju. Dzięki temu, że polecacie moje powieści przyjaciołom, rodzinie, sąsiadom i znajomym w pracy moja kariera rozwija się coraz lepiej. Jestem wdzięczny za wasze poparcie.

Bez fantastycznych księgarni i działu sprzedaży Atria/Pocket nie trzymalibyście teraz w dłoniach tej książki. Jestem niezwykle wdzięczny wszystkim, którzy tak ciężko pracują, budując moją pozycję jako autora, i dokładają starań, by każda następna powieść odniosła jeszcze większy sukces niż poprzednia. Wszystko to wymaga pracy zespołu, a ja nie mógłbym trafić na bardziej twórczych, inteligentnych i milszych ludzi niż wy, pracownicy działu graficznego i produkcyjnego Pocket/Atria.

Zadedykowałem tę książkę dr. Scottowi F. Hillowi z wielu powodów. Jego wiedza na temat gatunku thrillera jest szersza i głębsza niż kogokolwiek ze znanych mi ludzi. Jest doskonałym słuchaczem i świetnie prowadzi mi się z nim burze mózgów. Co więcej, Scott to wzorowy patriota, który nie szczędzi wysiłków, by poprawić życie naszych weteranów wojennych. Dzięki ludziom takim jak on czuję się dumny, że jestem Amerykaninem.

Mam cały zespół panów i jedną panią, którzy z całą pewnością z niejednego pieca chleb w życiu jedli, niejedno robili i mają na dowód tego koszulki z odpowiednim

napisem. Lubię określać ich jako swoich detektywów, bo ciężko pracują na to, że-
bym nie popełniał merytorycznych błędów. Jeśli się mylę, zawsze jest to moja wina,
a nie ich. Tymi wyjątkowymi patriotami są Rodney Cox, Chuck Fretwell, Steve
Hoffa, Chad Norberg i Steven C. Bronson. Do tej listy z dumą dopisuję Cynthię
Longo i Ronalda Moore'a. Dziękuję.

Moja ekipa w Sun Valley zawsze służy mi pomocą, jeśli chodzi o zagadnienia
polityczne i najnowsze sprawy związane z organami ścigania. Dziękuję, jak za-
wsze, Gary'emu Penrithowi, Frankowi Gallagherowi, Tomowi Bakerowi, Daryl
Mills i Terry'emu Manganowi.

Każdy, kto był na corocznym zlocie w Sun Valley, wie, jak bardzo wszyscy ce-
nimy ludzi z Taser International. Chciałbym w szczególności podziękować mojemu
dobremu kumplowi Steve'owi Tuttle'owi, za pomoc przy pisaniu tej książki. Wszy-
scy dobrzy ludzie, którzy na służbie korzystają z urządzeń Tasera, wiedzą, jak są
wyjątkowe i że niejednokrotnie ratują życie. Dzięki, Steve.

Ronaldo Palmera to pierwszej klasy kanalia, postać wzorowana na prawdziwym
terroryście. Niech nikomu nie przyjdzie do głowy, by mylić go z moim wspaniałym
teściem Ronaldem Palmerem. Dzięki ogromnej wiedzy na temat życia za południową
granicą Ron służył mi radą i pomysłami we wszystkich sprawach związanych z Mek-
sykiem w tej powieści, a jego pomoc jak zawsze była mile widziana i potrzebna.

Patrick Doak i David Vennett jak zwykle są moimi przewodnikami po gąszczu
waszyngtońskiej polityki. Bez nich nie mógłbym pisać tego, co piszę, i nie bawił-
bym się tak dobrze za każdym razem, gdy odwiedzam Dystrykt Kolumbii. Dziękuję,
panowie.

Bart Berry z Aquarius Training Systems zawsze umie znaleźć coś, co pomaga
mi w pisaniu. Jest jednocześnie moim kuzynem i instruktorem górskiej wspinaczki,
a chociaż przy tej powieści nie potrzebowałem pomocy z tym związanej, Bart ma
podobnie jak Ron spore doświadczenie, jeśli chodzi o Meksyk, i dziękuję mu za
jego wkład.

Gdy chodzi o samoloty, Japonię i język niemiecki, nigdy nie odważę się napi-
sać ani słowa bez konsultacji z Richardem i Anne Levy, ani z naszą drogą przyja-
ciółką Alice.

Tom i Geri Whowellowie po raz kolejny niezwykle mi pomogli przy poprawianiu
maszynopisu. Z tego, co rozumiem, „Scot Harvath" jest teraz „hasłem dla wtajemni-
czonych" w Fontanie w stanie Wisconsin, zarówno w barze Gordy's Boat House, jak
i w punkcie sprzedaży łodzi cobalt. Nie wiem, jaki dokładnie rabat można uzyskać
za posłużenie się nim, ale zamierzam to sprawdzić tego lata. Mimo to poczuję się
w pełni usatysfakcjonowany, dopiero gdy nazwą tam na moją cześć jakiegoś drinka.

Tom Gosse jest jednym z najporządniejszych ludzi, jakich znam. Jako dyrektor
domu pogrzebowego dostarczył mi kilku bezcennych informacji, których potrzebo-

wałem przy pisaniu tej książki. Jego szwagier Patrick Ahern jest naszym wspólnym przyjacielem i mogę się założyć, że fakt, iż zabiłem postać Pata w swojej pierwszej powieści, a zostawiłem przy życiu postać Gosse'a w tej, stanie się źródłem dobrodusznych utyskiwań, których będę musiał wysłuchiwać przez dłuższy czas.

Mam też grupę dobrych znajomych, którzy harują w terenie, często pod rozmaitymi pseudonimami. Bez względu na to, gdzie właśnie są i co robią, chętnie odpowiadają na moje pytania. Wierni swej reputacji „cichych profesjonalistów" poprosili, żebym nie wymieniał ich tu z nazwiska. Wiecie wszyscy, że o was mówię. Wielkie dzięki.

Muszę również podziękować Markowi, Ellen i innym w La Rue Tactical w Teksasie za okazaną mi uprzejmość i za nieustającą pomoc, jaką zapewniają naszym elitarnym żołnierzom w ich walce.

Moimi dwoma największymi skarbami, sprzymierzeńcami i obrońcami są wspaniała agentka Heide Lange i niezrównana redaktorka Emily Bestler. Obie niezmiernie przyczyniły się do moich sukcesów i chyba nigdy nie zrozumieją w pełni, jak bardzo są dla mnie ważne. Dziękuję wam.

Jeszcze dwie panie w panteonie wydawniczym, które są dla mnie bezcenne: redaktorki Louise Burke i Judith Curr. Dzięki ich niestrudzonym wysiłkom jestem jako pisarz tu, gdzie jestem, i serdecznie im za to dziękuję.

Jack Romanos i Carolyn Reidy często działają za kulisami, a autorzy rzadko ich doceniają. Każdego roku uczę się o przemyśle wydawniczym coraz więcej i coraz bardziej czuję się wdzięczny za to, co robią, w szczególności dla mnie. Dziękuję wam za wszystko.

Po odejściu Jamesa Browna tytuł najciężej pracującego człowieka w show-biznesie odziedziczył David Brown. Ósmego dnia Bóg stworzył speców od reklamy, lecz nie wszyscy są sobie równi. David Brown przerasta resztę o głowę. Dzięki za wszystko, Davidzie od Top of the Rock po Pig and Whistle.

Alex Canon, Laura Stern i Sarah Branham służą mi pomocą dzień za dniem. Ta drobna notatka z podziękowaniami nawet w przybliżeniu nie wyraża mojej wdzięczności za wszystko, co dla mnie robią.

Ernest Hemingway powiedział kiedyś, że dobry pisarz powinien mieć odporny na wstrząsy detektor bzdur. Myślę, że to samo urządzenie jest niezbędne dobremu prawnikowi, zwłaszcza w Hollywood. Jestem niezmiernie szczęśliwy, że mam nie dobrego, lecz wspaniałego prawnika. Scott Schwimer jest bezapelacyjnie najlepszym radcą prawnym w dziedzinie prawa autorskiego w Ameryce. A na dodatek stał się jednym z moich najlepszych przyjaciół, za co czuję się podwójnie wyróżniony.